岩　波　現　代　文　庫

危機の時代の歴史学のために

歴史論集 3

成田龍一
Ryuichi Narita

学術 434

岩波書店

しかし、いまや、いかなる領域の歴史家であろうとも、自らの認識と根拠を問われずにはいないし、その歴史記述は言述的性格を免れることはできない。

二宮宏之「歴史とテクスト」一九九四年

歴史論集3　まえがき

「歴史論集」三冊目は「危機の時代の歴史学のために」と題されている。ここでいう「危機」とは、同時代的な「危機」であるとともに、そこにうまく対応できない歴史学への「危機」意識との双方を意味している。

二〇二〇年代はじめの〈いま〉、私たちは思いもかけぬ新型コロナウイルスの感染拡大という「危機」に見舞われている。歴史学は、新型ウイルスがグローバル化のなかでの開発に起因するものであり、感染の拡大は大規模な人的・物的移動によって引き起こされたとし、あわせてペストやコレラ、天然痘やインフルエンザなど人類が経験してきた感染症で得た知見を提供した。『コロナの時代の歴史学』(歴史学研究会編、中澤達哉・三枝暁子監修、績文堂出版、二〇二〇年)は、感染症をめぐっての歴史学の蓄積をふまえ、社会の危機に対応しようとする一書である。「序」(中澤)では「新型コロナウイルス感染症が歴史に問いかけるもの」と問題提起をしている。

私たちは、それぞれに同時代的に深刻な危機を経験している。とくに冷戦体制崩壊の一九九〇年前後からは、これまでの認識枠組みではなかなか理解しがたい出来事が次々と起こり、海図のない時代に入っている。「短い二〇世紀」(第一次世界大戦から、ソ連の崩壊まで)のおわりに、危機が訪れていることを、E・ホブズボーム(『二〇世紀の歴史』上下、河合秀和訳、三省堂、一九九六年。原著は一九九四年)はすでに論じていた。ヨーロッパが中心ではなくなり、世界がより一体化するとともに、「過去と現在が断絶したこと」をいい、構造の変化にともなう危機を長い射程のなかで講じていた。

このように直面する危機に対し、歴史学はその学知を提供することに力を尽くしてきた。だが、「感染症」を対象とすることは、歴史学の領域を一つ付け加えることではなく、感染症を通じ、世界史を人類史として考察し、これまでの世界史の解釈/理解を読み換えていくという営みであるだろう。歴史学で危機に立ち向かうとともに、歴史学自体を再考し、歴史学を革新していくこと——歴史学の危機を意識し、その往還の営みが必須とされるのが〈いま〉という時代であろう。

というのは、ほかでもない。かつて歴史学は自信に満ち、リーディング・サイエンスとして他の学知を領導する位置を自認していた。しかし冷戦体制崩壊の時期くらいを境に失速し、かつてのような主導力を発揮できなくなっていると思うからである。

むろん歴史学は、社会史研究をはじめ、そうした営みを試みており、「歴史論集3」は、そうした動きに接しながら、歴史学の危機の認識と対応を「内部」からの考察として書き留めてきた論稿の集成となった。

「短い二〇世紀」につづく現在の危機は多岐にわたる。またその次元もさまざまで複雑を極めているが、機会を与えられ発言をしてきた論稿の領域と拠点ごとの構成となっている。

歴史学の革新といったとき、ジェンダー史はその先駆的な役割を果たし、大きな成果をもたらしている。三成美保・姫岡とし子・小浜正子編『歴史を読み替える ジェンダーから見た世界史』、久留島典子・長野ひろ子・長志珠絵『歴史を読み替える ジェンダーから見た日本史』(ともに、大月書店、二〇一四、一五年)はその一端を示している。

歴史学の危機への対応は続けられ、その流れはグローバル・ヒストリーやパブリック・ヒストリーの提言などとなって現れてきている。危機意識と連動し、これまでの歴史学の認識―方法―叙述、さらにはその位置取りの変革にまで議論を及ぼしている。こうした認識から、現在さかんに論じられ始めているパブリック・ヒストリーを瞥見しておきたい。*パブリック・ヒストリーを包括的に論じた議論として、菅豊「パブリック・ヒストリーとはなにか?」(菅・北條勝貴編『パブリック・ヒストリー入門――開かれた歴史学への挑戦』勉誠出版、二〇一九年)を開いてみよう。

菅は「普通の人びとの日常的な歴史実践と、歴史学者の歴史実践との関係性」に焦点を当て、パブリック・ヒストリーを「歴史学の「場」の開放」「歴史学の「担い手」の開放」「歴史学の「史料」の開放」として把握する。アカデミズムに閉じた歴史学を「開放」する営みであり、(歴史学にとどまらず)ひろく歴史を「普通の人びと」(パブリック)との関係で再考することを目的とするとした。

そしてパブリック・ヒストリーを、(「普通の人びと」と歴史学との)相互の「伝達」「関与」「協力」「協働」を図る営みとし、たとえば「協働」とは「歴史に関わる「共有された権威(a shared authority)」を分かち合う」ことと論ずる。歴史学の危機にもとづく根底的な革新として、パブリック・ヒストリーが提起されているということになる。

菅に導かれ、パブリック・ヒストリーをこのように理解するとき、「パブリックへ」向けてという姿勢と、「パブリックから」学ぶという意図とあわせ、「パブリックの」規準の重視という価値認識をうかがうことができる。パブリックを根幹においている、という意味である。歴史学と他の学知との関係にとどまらず、歴史学をパブリックとの関係で考察し、(歴史家を含むすべての人びとが)歴史に向き合う姿勢を改変し、そのなかであらためて歴史学の位置と役割を再定義する営みが試みられているということができよう[**]。

『パブリック・ヒストリー入門』には、博物館・文書館での営みや地域の人びととの協働の事例から、オーラル・ヒストリー、デジタル資料の利用や映像などに至るまで、さまざまな実践が収められている。パブリック・ヒストリーは「現場」をもつ歴史学であり、「現場」からの歴史学であることに加え、「現場」の歴史学であることがうかがわれる。学校の教室での歴史実践にとどまらぬ、広義の歴史教育―メディアによる歴史実践はこうしたなかに位置づけられるとともに、この総体として、歴史学／パブリックの歴史実践の現在形がうかがえるということでもある。

かつて私は『〈歴史〉はいかに語られるか――一九三〇年代「国民の物語」批判』(日本放送出版協会、二〇〇一年。増補版、筑摩書房、二〇一〇年)で、「「現場」の語り」という一章を設けた。ハンセン病根絶を志す医師・小川正子(『小島の春』一九三八年)や小学校教師・平野婦美子(『女教師の記録』一九四〇年)、あるいは『綴方教室』(一九三七年)などの実践記録をとりあげ、「現場」とその報告という観点から考察した。出来事や日常がどのように認識され、いかに書き留められたか、という観点からの考察であった。しかし、いまやその議論は「「現場」からの語り」となり、あらためて、そのひらかれ方、受容のされ方、受容の共有という拡がりのなかで考察されなければならないということであろう。

そうした歴史実践の一端として、資料館での試みがある。たとえば、「公害経験」の継承に関する、公害資料館の役割である――「公害資料の収集」「教育活動」とともに「公害スタディツアー」や「公害資料館ネットワーク」の形成、「朗読活動」などの活動を介し、(かつて被った)「困難な過去」を「地域の価値」(除本理史)にまで反転していこうとする動きである。「公害経験」という概念に目を引かれるが、高度経済成長期の「光と影」とを分断せず、「解釈間の葛藤」をへて「加害―被害関係の変容」をも射程に入れる。「「生乾き」の過去」(清水万由子)の歴史化にむかう営みである(『環境と公害』五〇―三、二〇二一年冬)。

「困難な過去」を経験した広島での歴史実践は数多く報告されているが、平和記念資料館の誕生とその推移を記すのは、志賀賢治『広島平和記念資料館は問いかける』(岩波書店、二〇二〇年)である。被爆の記憶の継承をめぐる理念と実践の歩みの再検証であり、被爆の痕跡をとどめたモノと犠牲者の遺品資料(「被爆資料」)の収集・受け入れと保存、その管理体制にとどまらず、その伝え方――「展示の変遷」をたどる。とくに被爆再現の蠟人形をめぐっての議論は、展示の方法そのものがメッセージをもつことの確認にはじまり、および「被爆資料」そのものと「展示物」との差異に言及していく。「原爆を疑似体験させる」という「被爆の恐怖の追体験」を企図した展示からの推移と関連させ記されるが、来館者の評価やコメントと対話をしながら論点を提示している。

こうした「現場」の歴史学として、歴史教育との関係性の再形成――境界の横断と境界の溶解のプログラムは今後、重要となってこよう。おりしも歴史教育が制度的に変わり、高等学校に「歴史総合」という科目が新設される時期にあたっている「歴史総合」

はさまざまに可能性をもつ科目だが、〈いま〉に対応するひとつの試みとして考えることができる。

かように、学校教育を含めた広義の歴史教育もまた、あらたな歴史の認識と歴史の語り方に入りこもうとしている。

危機の時代はチャンスの時期でもあり、危機の認識が歴史学の変革の実践を促し、あらたな営みとそのかたちを提示しつつある。

＊　パブリック・ヒストリーについては、イギリス史家の岡本充弘さんがセミナーを主催し、基本的な文献を講読している。私もそこで「記憶」「デジタル」をはじめとするパブリック・ヒストリーの議論を学ぶ途上にある。

＊＊　ちなみに、歴史学研究会編『歴史を社会に活かす』(東京大学出版会、二〇一七年)での試みも、「歴史学と現代社会の四つの接点」として「娯楽」「教育」「メディア」「博物館」をとりあげており、パブリック・ヒストリーと同様の内容をもつ。このとき、「歴史学が社会の中でどのような「現場」で活かされているか」が企画の初発にあったといい、(歴史学自体の自己変革は明示されてはいないものの)収録された二三本の報告・一一本のコラムには歴史学の変革への試みが刻印されている。「現場」から歴史学をひらく点で、パブリック・ヒストリーと志向を同じくしているが、なぜかパブリック・ヒストリーの語を使用する論稿は一本のみである。

目　次

歴史論集3　まえがき

問題の入口　「危機」を見据える

第1章　記憶せよ、抗議せよ　そして、生き延びよ……3
——井上ひさしのことばから

第2章　歴史学の「逆襲」……5

第3章　危機の時代の歴史学と歴史学の危機……9

Ⅰ　3・11以後——「核時代の歴史学」へ

第4章　「3・11」を経た歴史学……29
——歴史学は災害にどう向き合ってきたのか

はじめに……29

1　災害と歴史家たち……31
2　災害史のメタヒストリー……37
3　核時代の歴史学へ――「現代的災害」を扱うということ……47
おわりに……54
第5章　「被爆」と「被曝」をつなぐもの……57
――井上光晴『西海原子力発電所／輸送』をめぐって

Ⅱ　東アジアのなかの歴史学

第6章　人間的想像力と歴史的記憶……75
第7章　高崎宗司『定本「妄言」の原形』をめぐって……85
第8章　「帝国責任」ということ……109
はじめに……109
1　「併合」の論じ方……111

2　帝国意識……116
3　植民地体験……120
おわりに……125
第9章　新しい歴史家たちよ、目覚めよ……129
1　歴史認識の問い……129
2　「韓国併合」をどう呼ぶか……134
3　「韓国併合」をめぐる認識の展開……137
4　アイデンティティの問い直し……146
5　歴史認識の問い、再び……149
第10章　「東アジア史」の可能性……153
はじめに――二〇〇五年の東アジア……153
1　『未来をひらく歴史』をめぐって……157
2　テクストとしての『未来をひらく歴史』……164

3　東アジア史の可能性
——あるいは「日中韓三国共通歴史教材」の可能性……171

Ⅲ　ジェンダーと歴史認識

第11章　歴史認識と女性史像の書き換えをめぐって
——近現代日本を対象に……181
はじめに……181
1　女性史を書き換える／女性史で書き換える……182
2　一九七〇年代初めにおける女性史像とその書き換え……188
3　一九九〇年代半ばにおける女性史像とその書き換え……195
おわりに……200
第12章　上野千鶴子と歴史学の関係について、二、三のこと……203
第13章　性暴力と近代日本歴史学——「出会い」と「出会いそこね」……223

はじめに……223
1　近代日本歴史学と性／性暴力……227
2　性暴力をめぐる近代日本歴史学の歴史……232
3　オーラルヒストリーとの「出会いそこね」……243
4　「転回」をめぐって……248

Ⅳ　〈歴史の知〉の環境――歴史学・歴史教育・メディア

第14章　「歴史」が語られる場所……257
第15章　「通史」という制度――「戦後歴史学」の風景のなかで……261
はじめに……261
1　戦後史学史のなかの「通史」……266
2　「通史」の構造……286
3　問題としての「通史」……292

第16章　「歴史」を教科書に描くということ……297

1　いま「歴史修正主義」とは……297

2　物語としての歴史……304

3　歴史研究と歴史教育……308

4　問われる歴史の語りの主体……312

第17章　「教科としての歴史」との対話……315

はじめに……315

1　歴史教科書の叙述……319

2　授業という場所と歴史教科書……323

3　入試問題をめぐって……326

おわりに……330

第18章　「戦後歴史教育」の実践について
――加藤公明・授業実践を考えるために……333

はじめに……333
1　「戦後歴史教育」の推移……335
2　「戦後歴史教育Ⅱ」としての「考える日本史」授業……339
3　「戦後歴史教育」の歴史的位相と加藤実践……349
第19章　次世代に「知」を伝えるということ——歴史の「知」と歴史学の「学知」のあいだ……355
はじめに……355
1　「戦後歴史教育」のメタヒストリー……360
2　歴史教育の「場所」(その1)——教室内外での自由民権運動……370
3　歴史教育の「場所」(その2)——メディアのなかでの自由民権運動……384
あとがき——「歴史論集」全3冊をめぐって……395
初出一覧……405
解　説……戸邉秀明……409

問題の入口

「危機」を見据える

第1章　記憶せよ、抗議せよ　そして、生き延びよ
――井上ひさしのことばから

記憶せよ、抗議せよ　そして、生き延びよ
（井上ひさし『井上ひさしコレクション 日本の巻』岩波書店、二〇〇五年）

二〇一一年三月一一日の東日本大震災のあと、多くのことばが発せられています。津波の被害の甚大さとともに、その後に発生した原発事故の深刻さによっているのでしょう。原発事故は、二カ月を過ぎても、事態がいまだに進行中であり、解決の糸口がなかなか見えません。放射性物質の放出は、被災者を、時間の幅においても、また空間の広さにおいても拡大させています。

私は、震災後、報道番組に目をさらすとともに、昨年（二〇一〇年）亡くなった、井上ひさしの作品を読み継いでいました。実存にかかわり、生きることを探究することばとともに、そのことの歴史的な意味をあわせて伝えようとしたのが井上の仕事でしたから。

そうした井上の代表作のひとつに『父と暮せば』という戯曲があります。広島で被爆した父と娘が、対話を重ねていくお芝居です。自分だけが生き残ったことへの後ろめたさをもつ娘の前に、亡くなった父が現れます。ふたりの対話を通し、生きぬくことのメッセージが伝えられます。そして、あわせて被爆の体験をどのように伝えるかをめぐって、父と娘は議論をします。

『父と暮せば』を上演するに当たり、井上は、核廃絶を願うイギリスの歴史家E・P・トムスンの「抗議せよ、そして、生き延びよ」ということばを紹介します。そして、さらに「記憶せよ」というひとことを付け加えました。記憶を最初に掲げたことが、井上の訴えの力強さとなっています。ここに、私は、井上の考え抜かれた思考を感じます。

事態を記憶すること、思いを残して逝った人を記憶すること、そして、ここに至るまでの過程を記憶すること――この記憶の行為が、人がもたらした災厄に対する抗議につながります。また、そのためにこそ、生き延びることがなによりも大切なことを、井上は「記憶せよ」とのひとことを付け加えることによって明示しました。

地震と津波により多くの人命が失われたことに、慄然とします。原発の事故は、人がもたらした事態です。こうしたなかで、井上のメッセージが心に沁み入ります。

（二〇一一年五月一一日）

第2章　歴史学の「逆襲」……

人文学の危機がいわれて久しい。国立大学の文系学部の予算や定員が削減され、理系にシフトしていくという動きがあからさまに行われている。一連の「大学改革」の流れのなかで、「時代の要請」に応えることが図られ、教員養成系と人文系が標的にされ、二〇一四年八月には文部科学省によって、それらの学部の「廃止や転換」が通達されるにいたった。

大学という、これまで市場原理とは意識的に距離をとってきたはずの場に、効率主義が入り込んできている。そして、新自由主義が席巻する様相が、制度的な変更にまで踏み込んでますますあらわである。いくらかの自由があるように見えた出版業界にもまた、同様の傾向がみられる。かつてのような、質を追求し採算を度外視する本の出版はいまでは難しくなり、売れる本が、追い求められている。

ことは日本にとどまらず、世界的な動きとなっており、アメリカやアジアにおいても人文学の危機が叫ばれている。深刻な事態が、人文系のあらゆる領域で、世界的な規模で続いている。

ここでいう危機とは、グローバリゼーションのなかでの出来事であり、大きな転換期のなかでの動きであることは疑いえない。この危機を分節するとき、三つのレヴェルの危機であるということができよう。

第一は、政治的な危機。制度や法として、人文学に圧力がかけられ、その領域が狭められてきており、冒頭に述べたような事態となっている。文学部、いや大学という制度がその成立の根源から変革を強いられている危機である。

第二は、社会的な危機。世間でも、人文学は役にたたないとして、効率主義を前面化し、人文学を斥ける風潮がはびこっている。この風潮を背景に、第一の危機の主犯である政治がのさばっている。グローバリゼーションのもとでの危機といってもよい。

第三は、「知」の危機。第一・第二の危機が外在的なものであるとき、内在的な危機も生じている。人文学の「知」自体が現状に対応できず、現状から遊離してしまっている。人文学の「知」が、自己変革を迫られているということでもある。

この三者が重なり合いながら目の前で進行しているが、あらためて危機といったときに、誰が、誰に対し、どのような意図のもとにいうかによって、危機の内容が異なってくることには留意をしておかなければいけない。危機に対する「逆襲」もまた、同様である。第一の危機に際し、人文学の成果を誇ってみせたり、人文学は「実学」であると強弁するときには、かえって危機を深めていくことになるであろう。むろん、人文学こそ「虚学」である、と開き直ることもまた、説得性が得難くなっている。危機の認識、危機の語り方が、その対応とあわせ問われている。

＊

人文学の危機への対応を、具体的に図るとき、焦点となるのは、ひとつは「教育」との関連の追求であり、いまひとつは、人文学自らによる人文学的考察の実践であろう。そもそも、現在の人文学の危機は、一九六〇年代末の学生叛乱のなかでの「知」の批判と無縁ではない。かつての制度化された「知」への批判が、まわりまわって(横領され、といってもよいだろう)いまの事態に連接している。五〇年以上前の動きのなかでも、すでに教育の場が「知」の検証の試される場であることは自覚されていた。

第一の危機は、人文学の「制度」的危機ではあるが、人文学の制度のなかでのありようを、あらためて考察する機会でもある。ことばを換えれば、危機を「学知」の変革と考察に結び付けるということにほかならない。「学知」の変革が、人文学の逆襲の大きなひとつである。

ことを具体化し、私が専攻する歴史学を例としてみよう。歴史学をとりまく環境は、「悪化」している。歴史といったとき、歴史学がそれを代表するという状況は、とうの昔に過ぎ去っている。「われわれ」の拠点として、良きにつけ、悪しきにつけ歴史が機能しなくなったということであろう。

しかし、すでに触れたように、この事態は危機でありつつ、歴史学が、自己変革をするきっかけでもある。歴史学のありようが根源的に問われている状況であると認識したうえで、歴史学を作りなおすことが要請されている。

「現代歴史学」へと転回する歴史学の検証において、歴史学が自明とする境界の持つ制約性指摘と、そこからの越境による歴史学の自己改革が提起されていた。いまや、さらに、「教育」という観点を組み込んだ「歴史学原論」の構成と、そのためのカリキュラムの作成を喫緊の課題とする、ということになろう。

いまひとつ、歴史学の様相は、このかん大きく変わってきている。たとえば、コンピューターは、これまでの職人的、徒弟的であり手作業の作法を持つ歴史学の現場を大きく塗り替えた。こうしたなかでの歴史―歴史学の危機である。

歴史学がなせるのは、目の前で進行していることを意味づけなおし、歴史教育を組み込んだうえで、歴史学の根幹の問題として問題化すること。このことをおいて、歴史学―人文学の逆襲はないであろう。逆襲の第一歩は、ここから始まると思う。

第３章　危機の時代の歴史学と歴史学の危機

0

人文学の凋落がいわれて久しい。人文学の柱のひとつである歴史学もまた、そうした危機にさらされている。歴史学にとっての危機の時代である。ここではその歴史学が、地域的・短期的に見ても危機にさらされていることを、主題としてみたい。「戦後七〇年」という危機のなかの歴史学であり、この事態にうまく向かい得ていない、日本の歴史学の危機についての考察ということになる。

入口になるのは、「戦後歴史学」である。戦後日本の歴史学は、社会的責任に敏感であった。敗戦後に出発した「戦後歴史学」は、皇国史観への批判を核に持ち、社会批判と社会変革の意志を強く持つ。たとえば、二月一一日の建国記念の日は「紀元節」の復活であり、科学的な根拠を持たぬとし、現在にいたるまで、毎年この日には全国で反対の集会をおこなっている。そしてその集会の記録が、会誌に掲載されるほか、歴史家たちは、ことあるごとに声明や決議を出し、政府批判の姿勢を貫いてきた。

「戦後歴史学」をまずは緩やかに定義し、(1)一九四五年からの「戦後」の歴史認識に対応し、「戦後」の歴史意識を作り出していった歴史学の主潮流であり、(2)社会構成体を矛盾の存在において想定し、その変革の契機を内部に求める「内的発展論」の立場をとる。また、(3)変化や推移を「進歩」と把握し、一方向へ向かう時間の観念を有し、(4)比較の視座と時期区分、段階論と類型論の組み合わせという作法を持ち、(5)史料に基づく実証をおこなう。他方、(6)研究史の重視の姿勢のもと、(7)構造と主体、あるいは客観性という第三者的な視点と記述の位置を持つ歴史学——唯物史観に立脚し、実証を重視する歴史学としておこう。「戦後歴史学」はしばしば自らを科学的歴史学と認じた(遠山茂樹『戦後の歴史学と歴史意識』岩波書店、一九六八年。石母田正『戦後歴史学の思想』法政大学出版局、一九七七年。永原慶二『二〇世紀日本の歴史学』吉川弘文館、二〇〇三年。歴史学研究会編『戦後歴史学再考』青木書店、二〇〇〇年)。

この見解に基づけば、

第Ⅰ期：一九五〇—七〇年　「戦後歴史学」の形成と展開の時期
第Ⅱ期：一九七〇—八五年　「戦後歴史学」の再編成の時期
第Ⅲ期：一九八五—九五年　「戦後歴史学」の動揺——ゆらぎの時期
第Ⅳ期：一九九五年—　「現代歴史学」への自己成形の時期

という流れとなる。

「戦後歴史学」の牽引となった、在野の歴史家たちの団体である歴史学研究会は、その綱領で「科学的真理」を主張し、「民主主義的な、世界史的な立場」を表明する。また、「国の内外を問わず、すべての進歩的な学徒や団体と力を合わせ、祖国と人民との文化を高めようとする」(「綱領」第五)ともいう。学知に基づく社会運動を指す「科学運動」という語は、歴史学研究会の造語にかかわっているという。

しかし、「戦後歴史学」のパラダイムそのままでは、もはや現時の状況に対応できず、「戦後歴史学」の歴史認識が通用しないとは、だれもが感じていることでもある。上記の第Ⅲ期から第Ⅳ期への移行は、そのことを示している。そして、いまの状況に即応するような歴史学の方法―認識―分析を通じての課題設定をすべく、「戦後歴史学」の「批判的継承」と「継承的批判」が試みられている(「日本史」研究と「西洋史」研究の領域との温度差があるが、その点については、機会をあらためよう)。

だが、そうした営為にもかかわらず、現時の歴史学が、二一世紀の最初の一〇年代にうまく対応できているであろうか、という懸念が私にはある。とくに、東日本大震災という大きな出来事を経て再登場してきた、第二次安倍晋三政権とそのもとでの人びとの歴史意識―現状認識にうまく接しているであろうか、と思う。戦後認識という観点から、その考察の一端を提示してみたい。なお、以下に歴史家たちといったとき、私もその一員としてふくみ込まれていることを自覚し論じていることは言うまでもない。

1

「戦後七〇年」ということが、メディアを中心にいわれている。一九四五年の敗戦から七〇年たった、ということであるが、(敗戦七〇年、ということならばともかく)それを「戦後七〇年」とすることは、世界のなかでも、第二次世界大戦の関係国においても異例である。一九四五年から二〇一五年までを、一貫した認識―時空間で把握することは不可能であるにもかかわらず、「戦後七〇年」の語が違和感をあたえずに浸透している状況がみられることは、なんとも不可解である。

不可解といったときの内容は、三点ある。第一に、「戦後七〇年」といういい方は、この七〇年間に主体的な変革がなかったことを自ら認めることで、恥の感覚がなければ使用できないであろうことである。無邪気には発信できないいい方が、通用してしまっている。

また、第二には、世界的な視野を欠き、一国史的な閉じたいい方となっており、第三には、日本がアメリカの傘のもとにいつづけ、これからもいるであろうことの表白にほかならないということである。これまた、歴史認識としては鋭敏さを欠いている。

そもそも、「戦後」は、「もはや戦後ではない」「戦後は終わった」といいつづけることによって、延命してきた。「戦後は終わった」といい続け、「戦後」というアイデンテイティを確認してきた過程がある。よく知られた、一九五六年度の『経済白書』における「もはや戦後ではない」という文言から始まり、ことあるごとに「もはや戦後ではない」といい「戦後」を引き延ばし続け、ここに至っている。「戦後」の名のもとに、改革を忌避し、現状に安住する認識が継続してきたということになる。

もっとも、「戦後歴史学」との関係で、「戦後七〇年」を考えるとき、いくらかの屈曲が生じる。先述のように、「戦後歴史学」は「戦後」の主導理念形成の主要な拠点の一角であった。したがって、「戦後歴史学」の自己変革の試みは、「戦後」意識の変貌を伴うはずである。その意味において、「戦後歴史学」は、「戦後」の終焉―ポスト戦後を主張するかと思いきや、なかなか「戦後」から離陸しないのが実情である。「戦後歴史学」は「戦後」といまだに重なり合っている。

いくつかの理由があろう。(1)「戦後」は、(「戦後歴史学」の眼からは)まったき「近代」の理念の追究の過程であり、その課題はまだ完了していない、と映じていることが、まず挙げられる。すなわち、(2)そうした認識のもとでは、政府による暴挙は、すべからく「戦後」(＝「近代」)の理念を踏み外すものと映り、「戦後歴史学」は、「戦後」を抵抗の原点として保持することとなったということである。加えて、(3)現政権(第二次安倍晋三内閣)は、「戦後レジームからの脱却」を唱導しており、したがって政府に批判的な「戦後歴史学」にとっては、「戦後」はこの意味でも抵抗の拠点と化す。

「戦後歴史学」にとっては、戦後―近代は、あり得べきコースとして設定されており、同時に、政府の暴挙を批判する根拠として位置づけられていた。そのため「戦後七〇年」のいい方は順当(というと、いささか大仰であるが)とみなされ、さして目くじら立てるものとはされていない。

さきの歴史学研究会が、第二次安倍晋三政権に対し批判の声明を出した(「戦後七〇年を迎え、戦争への道に反対し平和への決意を新たにする決議」二〇一五年五月二三日)。この声明では、「新たな戦争への道を整えようとしている」ことへの批判とともに、

安倍政権が狙うもうひとつのことは、「平和」の換骨奪胎を図ることである。「積極的平和主義」の名のもとに、海外の紛争から一定の距離を置いてきた戦後の平和主義を「消極的」と切り捨てる一方で、日米軍事同盟とともにあった戦後日本を「平和国家」と標榜している。

と述べている。「戦後の平和主義」を擁護する一方、「戦後日本」を「日米軍事同盟とともにあった」とする認識を示しているものの、「戦後」という概念そのもの、さらに「戦後七〇年」といういい方には議論が及んでいかない。

さかのぼって、一九九五年の「戦後五〇年」に際しては、アメリカの日本史家キャロル・グラックが、雑誌『世界』五九〇号(一九九五年一月)に発表した論考「戦後五〇年」が提出された(原題は「現代史の挑戦」。のちにグラック著、梅﨑透訳『歴史で考える』岩波書店、

二〇〇七年、所収)。グラックは、一九九〇年代に現れた、さまざまな終焉論――二〇世紀の終わり、歴史の終わり(フランシス・フクヤマ)、千年紀の終わり、近代の喪失などのひとつ――「終焉の日本版」として「戦後五〇年」を論じた。グラックは、冷戦体制と「戦後」は重ならず、それぞれの多様な戦後があることを強調したうえで、日本の戦後が飛びぬけて長かったことをいい、「戦争以来の歴史意識の特殊性」を日本の「戦後」が持つと断じた。

そして、日本で「戦後」といったときに、五つの型があるとした。(1)「新しい始まりとしての戦後」(「神話的歴史としての新しい始まり」)、(2)「戦前の逆としての戦後」、(3)「冷戦としての戦後」、(4)「進歩的戦後」、(5)「中流階級の戦後、もしくは私生活の戦後」。グラックは、抽出したこの五つの戦後の型による戦後史の叙述をおこない、さらにそれぞれが、それぞれに「終わり」を迎えている状況を指摘した。

このとき、(1)(2)(4)は重なりを持ち、一九四五年を原点、あるいは起点とする「戦後」となり、(4)は一九五〇年ころ、(5)は一九六〇年代半ばから意識されてきた「戦後」の把握となるであろう。あらためて整理すれば、グラックは、(Ⅰ)「新しい始まりとしての戦後」(内容としては、戦前ではない「戦後」、進歩発展する「戦後」)、そして、(Ⅱ)「中流階級の戦後、もしくは私生活の戦後」(同時に「ポスト戦後」という考え方)の二種を指摘した、といいうる。

また、「戦後五〇年」のときには、加藤典洋『敗戦後論』(講談社、一九九六年)をめぐり、「歴史認識論争」と名づけられる大きな論争がなされた。しかし、ここでの主要な論者は、社会思想・哲学にかかわるものであり、歴史家の影は薄かった。「戦後五〇年」に際し日本の歴史家たちは積極的に発言していない。

対比的に思い起こすのは、一九六〇年代後半の(政府による)「明治百年」キャンペーンへの歴史家たちの批判である。一九六〇年代後半を「明治」からの連続性で捉え、この一〇〇年間をバラ色に描く歴史認識に対し、「戦後歴史学」は真っ向から対決した。いくつもの声明を出すとともに、討論集会を開き、機関誌の誌面にそれを反映させ、「〈明治百年祭〉批判」の特集をも組んでいる(『歴史学研究』三三〇号、一九六七年一一月)。明治維新観を検討し、「われわれの歴史学」を対置し、「天皇制イデオロギー」批判をおこなっていった。

だが、しかし「戦後五〇年」には関心を寄せず、「戦後七〇年」といういい方に対しても、歴史家たちは、さほどの抵抗はないように見受けられる。現時の危機も総体としての危機感以上に、「集団的自衛権」「特定秘密保護法」などの個別の動きに向いているようである。

2

「戦後七〇年」を意識し、歴史家たちによって、二つの声明が出された。ひとつは、A「日本の歴史家を支持する声明」とされる、アメリカの日本研究者を中心とする声明である。当初、一八七人が署名したとされたが、その後も署名者は増え続け、ヨーロッパの日本研究者も署名に加わった。

いまひとつは、二〇一五年五月二五日に出された、B「「慰安婦」問題に関する日本の歴史学会・歴史教育者団体の声明」である。日本における歴史研究者によるもので、彼らが所属する一六団体の名前で提出された。この二つの声明を検証しながら、歴史学の主張と作法を検討してみよう。

A「日本の歴史家を支持する声明」は、「日本の多くの勇気ある歴史家が、アジアでの第二次世界大戦に対する正確で公正な歴史を求めていることに対し、心からの賛意を表明するものであります」と署名者の立場を明示する。日本を「第二の故郷」とする彼らが、日本の歴史家たちに研究と(戦争の)記憶の姿勢に支援をおくるというかたちで、危機意識の強化を促している。

むろん「戦後七〇年」にも言及し、このかんの日本の「平和」をいう。しかし、この声明は「歴史解釈の問題」に焦点を当てつつ、(「慰安婦」とされた)「女性たちがその尊厳を奪われたという歴史の事実を変えることはできません」ということを根底におく。さらに中国・韓国への批判を含み、「「慰安婦」制度」の問題に言及し、「この問題は、日本だけでなく韓国と中国の民族主義的な暴言によっても、あまりにゆがめられてきました」ともした。

「二〇世紀に繰り広げられた数々の戦時における性的暴力と軍隊にまつわる売春のなかでも、「慰安婦」制度はその規模の大きさと、軍隊による組織的な管理が行われたという点において、そして日本の植民地と占領地から、貧しく弱い立場にいた若い女性を搾取したという点において、特筆すべきもの」とし、「慰安婦」にとっての歴史という立場からの、歴史批判をおこなう。主要な批判の対象は日本における修正派だが、あわせて「韓国と中国の民族主義的な暴言」にも言及するのである。そして、アメリカという自国の歴史の利用にも言及する――「多くの国にとって、過去の不正義を認めるのは、未だに難しいことです」といい、「第二次世界大戦中に抑留されたアメリカの日系人」とネイティブ・アメリカンに言及した。

Aのこの声明が、「今年は、日本政府が言葉と行動において、過去の植民地支配と戦時における侵略の問題に立ち向かい、その指導力を見せる絶好の機会です」と、八月に出される予定の「安倍談話」への牽制にひとつの眼目をおいていることは明らかである。〈いま〉が戦後日本において決定的な時期であることを見越したうえで、アメリカの日本研究者たちは、かかる声明を出している。

「私たちは歴史研究の自由を守ります。そして、すべての国の政府がそれを尊重するよう呼びかけます」「過去の過ちを認めるプロセスは民主主義社会を強化し、国と国のあいだの協力関係を養います。「慰安婦」問題の中核には女性の権利と尊厳があり、その解決は日本、東アジア、そして世界における男女同権に向けた歴史的な一歩となることでしょう」と、ことばを重ねていく。

これに対し、Bの日本人・歴史家たちの声明(「「慰安婦」問題に関する日本の歴史学会・歴史教育者団体の声明」)は、自己の立場の表明に力点が置かれている。「日本の歴史学会・歴史教育者団体」が、「一部の政治家やメディア」にみられる「不当な見解」に対する問題点の指摘をおこなうという体裁をとり、第一は、慰安婦の「強制」という論点にかかわり、「多くの史料と研究によって実証されてきた」ことをいう。(「強制」の論点は)吉田清治・証言に基づくものではなく、吉田証言が「取り消し」されても、「慰安婦」の強制性は揺るがず、「本人の意思に反した連行」として把握すべきであるとした。

第二は、「「慰安婦」とされた女性」は、「性奴隷として筆舌に尽くしがたい暴力を受けた」ということ。「近年の歴史研究」は、「動員過程の強制性」のみならず、女性たちが「人権を蹂躙された性奴隷の状態」に置かれていたことを明らかにした、とした。さらに、「「慰安婦」制度」と「日常的な植民地支配・差別構造との連関」も明らかであるといい、「問題の全体像」のために「政治的・社会的背景」を捨象することは許されないと述べた。

そして、第三には、「「慰安婦」問題と関わる大学教員とその所属機関」への「脅迫などの不当な攻撃」を非難する。「学問の自由に対する侵害」と、批判するのである。

この声明Bは、「日本軍「慰安婦」問題」に関し、一部の政治家やメディアが「事実」から目をそらすならば、「日本が人権を尊重しないことを国際的に発信するに等しい」とし、また「過酷な被害に遭った日本軍性奴隷制度の被害者の尊厳」をさらに「蹂躙」することになるとも述べた。さらに、「河野談話」を尊重し、「歴史研究・教育をとおして」、かかる問題を「記憶」にとどめ、「過ちをくり返さない姿勢」をとるように求めた。

Bの声明で述べられていることは正論であり、正論をきちんと認識するように要求している。だが、輿論に訴えかける実効性よりは、自らの正当性をいうことに急である感をいなめない。議論を伴う「日本軍性奴隷制度」という語がそのまま使用されていることはその一例で、賛同者をあらかじめ限定することになりはしまいか。たしかに、「性奴隷制度」という語―概念は、これまでの「慰安婦」という認識を塗り替える力を持つ。だが、そのゆえにいまだ議論が継続されている概念―用語でもある。声明の実効性をみてとり、この概念を回避したAとの差異がうかがえる。

A、Bの声明は、同じ歴史家による声明でありつつ、論の立て方、要求のし方、語彙の用い方など、微細な点での差異と、姿勢の温度差がみられる。ここに現時の危機への認識と対処作法の差異がうかがえよう。

Bの声明を出した団体のひとつとしての歴史学研究会だが、その年次大会は、「戦後七〇年」を横目に見た。「全体会」のテーマは、「環境から問う帝国／帝国主義環境史」であった。大会での「戦後七〇年」に対する歴史学研究会の態度は、「戦後七〇年からの問い直し――象徴天皇制・植民地支配の未清算・植民地認識」(近代史部会)にかろうじてうかがえ、特設部会でこそ、「危機の時代の歴史教育を考える」(副題。主題は「地域から世界へ」)とされたが、現時への危機意識は前面には出されなかった。

3

再び歴史学の作法を、考察してみよう。歴史学界における日本近現代史研究は、大づかみに言うと明治維新研究とアジア・太平洋戦争研究を軸にし、少しずつそのあいだを埋めるように展開してきた。また、最初は著作―単行本から、さらに雑誌、そして新聞へと、用いる資料も細かくなった。こうしたとき、戦後史は、もっぱら同時代史として展開されてきた。専門領域を他に持つ歴史家が、同時代を歴史的に考察するという作法によって、戦後の歴史が論じられた。そのためもあって、戦後史は、歴史家の手にかかるとき、しばしば「通史」として叙述されてきた。戦後史を専門領域とする歴史家が登場してくるのは、ここ三〇年ほどのことのように見受けられる。

さて、現時の「戦後日本」史像を考えるとき、その代表的な著作である、中村政則

『戦後史』(岩波書店、二〇〇五年)は、戦後の「成立」(一九四五―六〇年)―「定着」(一九六〇―七三年)―「ゆらぎ」(一九七三―九〇年)―「終焉」(一九九〇―二〇〇〇年)という時期区分を提唱する。「戦後六〇年」―二〇〇五年の刊行であるので、二〇〇〇年以降の位置付けは組み込まれていないが、成立―定着―ゆらぎ―終焉という、歴史学のお手本のような時期区分を提示する。戦後もまた、「終わった戦後」と「終わらない戦後」という「二重構造」での把握を提起しており、その終わらせ方も、「戦争への道」か、「平和への道」かとし、模範的な歴史認識を示している。

この中村による戦後史像は、(1)時系列的な発展段階を基礎に、(2)占領期を、非軍事化と民主化―政策転換―朝鮮戦争と講和という三期に区分し、原点として「非軍事化と民主化」を設定する。そこから、戦後の物語が紡ぎだされはじめるという構成である。

さらに、中村は、(3)二重構造―二項対立で、戦後の過程を解析していく。戦後を貫く論理そのものが二項対立であることを考え合わせれば、戦後の論理で戦後を解釈する、という作法となっていよう。

これに対し、社会学でも、戦後の時期区分にかかわる提言がなされている。見田宗介は、「現実」の対抗概念を軸に、「理想の時代」(一九四五―六〇年)―「夢の時代」(一九六〇―七〇年代半ば)―「虚構の時代」(一九七〇年代半ば―九〇年)とした(『現代日本の感覚と思想』講談社、一九九五年)。大澤真幸は、これを修正し、「理想の時代」(一九四五―七〇年)―「虚構の時代」(一九七〇―九五年)―「不可能性の時代」(一九九五年―)とした(『不可能性の時代』岩波書店、二〇〇八年)とする。

この時期区分は、(1)直線的な、発展型の時期区分を避けるとともに、(2)高度成長期をひとつの足がかりにした区分となっている。すなわち、(3)「近代」ではなく、「現代」社会としての戦後社会を考察しようとする。さまざまな現代社会分析の枠組み――大衆社会論、消費社会論、情報社会論、リスク社会論などが念頭に置かれたうえでの時期区分である。

日本の歴史家が描く戦後史像は、「近代」に固執するとともに、叙述の際に、文献・文書のほか、「著者の生活体験」が入り込み(中村政則)、なかなか経験と実感の戦後から離陸しえない。

さきのキャロル・グラックは、『歴史で考える』(梅﨑透訳、岩波書店、二〇〇七年)において、すでに「日本の現在は変化している。それに伴い、過去も変化している」と述べていた。

おわりに

一九四五年の光景は、いまや大きく異なって著されるようになった。象徴的な、二つの著作を挙げることができる。一冊は、佐藤卓己『八月十五日の神話――終戦記念日のメディア学』(筑摩書房、二〇〇五年、増補版二〇一四年)であり、佐藤は戦後の原点とされる「〈終戦〉の日」を考察し、終戦の日―八月一五日をめぐる戦後の作為をいう。グローバル・スタンダードでは、敗戦は降伏文書への調印の一九四五年九月二日となるはずだが、八月一五日とされたことの戦後史的な意味――政治性の検討をおこなう。そして、あわせて八月一五日を軸とする「終戦報道」が、一九五五年を契機に確立したことをいう。八月一五日の神話が、この時期に作られたとした。

いま一冊は、加藤聖文『「大日本帝国」崩壊――東アジアの一九四五年』(中央公論新社、二〇〇九年)である。加藤は、「大日本帝国」の崩壊に焦点を当て、朝鮮半島、台湾、「満州」、樺太、南洋群島などの帝国の領域での敗戦を描き、そこからの人びとの移動――復員と引揚げによる戦後史のはじまりを記す。「玉音放送」から戦後が始まった、という認識を覆す叙述がなされている。

戦時と戦後の連続と断絶の考察(加藤)であり、戦後における戦時の想起の政治性と作為の解明(佐藤)である。一九四五年のこうした歴史化により、あらたな戦後史像――戦後の歴史化が開始されようが、ことは、戦後史の入口に立ったばかりである。構想―時期区分といったことは、これほどにゆっくり進んでいる。

戦後の歴史化とは、戦後の価値観によって戦後の過程をなぞることではない。あらたな認識のもとで、戦後の歴史的位相を明示することであり、同時代として展開し、内部観察をおこなっていたものを外部化する営みである。『歴史学研究』九二〇・九二一号(二〇一四年七・八月)は、二号にわたって「「戦後日本」の問い方と世界史認識――冷戦・脱植民地化・平和」の特集を組んだ。ここには、冷戦体制に関する認識、植民地―脱植民地に関する意識がともに希薄であり、平和を言いつつ、それがアメリカとの軍事同盟のもとでのものであったという認識がうかがえる。

「「戦後日本」の問い方」を「世界史認識」との関連で歴史化するということは、戦後の歴史化への一歩である。この「問い方」の検証が、歴史像、さらに戦後史の構想―叙述へと至らなければならない。歴史学がいまの危機に対応するためには、そうした処方がなによりも求められているであろう。

I

3・11以後——「核時代の歴史学」へ

第4章　「3・11」を経た歴史学

――歴史学は災害にどう向き合ってきたのか

はじめに

東日本大震災は、衝撃的な出来事であった。いや、いまだ継続している事態である。地震とともに津波が起こり、原発事故を誘発し多くの犠牲を出した。混乱と困惑、不安と不自由が一挙に押し寄せてきている。この東日本大震災に遭遇し、私なりにさまざまに想念をめぐらせてきた(その一端を、岩波書店編集部編『3・11を心に刻んで』岩波書店、二〇一二年、に寄稿した。本書第1章)。同時に、歴史を学ぶものとして、この事態にいかに対応するかも考えてきたつもりである。ここで論議するのは、後者の局面である。

事態をいくらか敷衍していえば、災害にはさまざまな二重性が渦巻いている。災害によって日常が切断され、非日常的な時間と空間、状況が一挙に出現し、このなかで普段は見えにくかった社会の深層が露呈する。同時に、個/公共性の関係が問いかけられ、さまざまな主体による実践／思索が繰り返される。ここでは、生活者／専門家の関係から、いま／過去の知が求められる。目の前の状況への対処が優先されるなか、そのことの理解と指針があわせ問われる。各項の後者の観点から前者が問われ、双方の関連のなかから行動がなされるのである。

だが、東日本大震災はここに止まらぬ災害となっている。原発事故は、日常に復帰したように見えるいまでも継続している。日常のなかに非日常が抱え込まれ、緊張が強いられている。東京圏は、直接の被害のなかにある地域と、そこからは距離を有する地域とのあいだにあり、とくにそうした感覚が強いであろう。地震・津波が自然災害によって引き起こされ(乱開発など)人災の要因を加えながら大きな被害を出したのに対し、原発事故は徹頭徹尾、人災となっている。前者は(都市直下型とは異なるが)復旧―復興のモデルを有する近代的災害だが、後者はそれを持たないあらたな災害―現代的災害であり、東日本大震災はその複合的災害となっている。

こうしたなかで、歴史学の位置と役割も当然、問いかけられている。東日本大震災を経過しての歴史学とは、いったいどのような歴史学であるのか。その問いもまた、さまざまな次元に亘るが、ひとつは、非実学としての歴史学の実践とは何かということ、いまひとつは歴史学の認識―対象―方法―叙述を再検討すること――こうしたことに向けられていると思う。本章は、この問いに向けての私なりの実践の試みである。

1 災害と歴史家たち

いくつかのことを入口としたい。第一には、災害史の構想力をめぐってであり、第二には、原発事故にともない、そこから見えてきた歴史学を規定する〈いま〉をめぐってである。前者に関しては、歴史家たちの災害に関する叙述を検討しながら考えてみたい。後者に関しては、これまでにない災害としての原発事故がもたらしたことを、歴史学との関連で考えてみる。

手がかりとして、『歴史学研究』八八四号(二〇一一年一〇月)、緊急特集「東日本大震災・原発事故と歴史学」を取り上げよう。普段は慎重なはずの歴史学界の対応の素早さに、まずは驚いた。東日本大震災が、それほどまでに衝撃的な出来事であったことが示されている。

歴史学研究会編集委員会の名による「特集によせて」では、(1)「地震史・災害史という分野が持つ重要性を確認し、これを歴史学全体のなかに正当に位置づけ直して、今後のさらなる発展を追求すること」をはじめ、(2)「史資料の保全・復元という活動が持つ重要性」、(3)「原発問題を歴史学の本格的な検討の対象に据える必要性」、(4)「同時代史・現代史研究の立場から、今回の危機を記録・分析することの重要性」という四つの論点が挙げられている。一〇本の論文、三つの報告、さらに「史料・文献紹介」にいたるまで、全号挙げての特集であり、それぞれに論点を提示している。

こうした特集で歴史家たちがそれぞれの実践と知見を提示する背景には、阪神淡路大震災、宮城県北部地震などの経験と対応が踏まえられていよう。それぞれに生活者として東日本大震災に遭遇したことを出発点とし、特集では歴史家の観点から事態に向き合っている。

なかでも巻頭に置かれた、平川新「東日本大震災と歴史の見方」は、自らの体験を導入とし、災害史―環境史に触れ、今回の地震・津波に「警告」を発することができなかったことを悔い、海岸沿いの浜街道が津波の浸水を免れていたことを指摘する。同時に、回復力を意味する「リジリエンシー」を持ち込むことにより、災害研究に「被害や悲惨さだけではない要素」を持ち込むことになると提言し、そのことによるあらたな歴史の解釈をいう――「どこに視点をおくかによって、描かれる歴史像は大きく異なってくるのだ」。「希望」を掲げた人びとを「発掘し再評価すること」をいい、それが歴史におけるリジリエンシーの在り方を明らかにする方法のひとつとする。そして、災害が起こる前に、資料保全をしてきた実践を語り、この失われる前からの取り組みの意義を説く。

生活者としての体験と研究者の視点、歴史学の役割と実践、解釈(―歴史意識)の次元と史料の局面からの歴史学のありようを順を追って記し、的確に論点と課題を指摘している。日常における、これまでの平川の研ぎ澄まされた問題意識と実践がうかがえる一文となっている。*

＊『日本史研究』四一二号(一九九六年一二月)は、「日本史における災害」として史料論を論じ、史料を介しての災害史となっていた。その議論の蓄積が、奥村弘「東日本大震災と歴史学」をはじめとし、『歴史学研究』特集にも反映されている。

そうであれば、さきの「特集によせて」が「〔地震史は―註〕歴史学界全体によって充分に意識化されてはこなかった」「歴史学の分野では、災害史全般に対する認識が不十分だっただけでなく、原発問題はほぼ「死角」となっていた」と、あっさり述べてよいのであろうかと思う。

たしかに、地震史にも災害史に対しても認識が不十分と言えば不十分であり、指摘は「しかり」と言わざるを得ないであろう。これまで、「災害史」を名乗るものは、消防署や気象台、防災協会、自治体によるものが代表しており、啓蒙を目的とし防災を喚起するものであった。歴史学において災害研究はなされてはいたが、それはひとつの領域、あるいは対象として認識されていた。

だが、「しかし」とつづけなければ、災害を単なる研究対象としてのみ考えてしまうことになる。災害を考えるとは、平川が記したように、多様な局面と多層的な問題系に分け入ることに他ならないであろう。自らの立ち位置と、歴史学に託したもの、歴史学の理解といったこと、そのすべてが問われることになる。特集における、保立道久「地震・原発と歴史環境学」は、「地震研究が歴史学の社会的な責務」とし、歴史学の姿勢――課題設定と方法について自省する論となっていた。

このことは一例を挙げれば、『歴史学研究』の続く特集「歴史のなかの「貧困」と「生存」を問い直すⅠⅡⅢ」(『歴史学研究』八八六―八八八号、二〇一一年一一月―一二年一月)が、東日本大震災後に企画・構想されたなら、どのようなラインアップになったろうかと、想像力を働かせることでもある。

災害を扱えば、それが自動的に災害史になるのではないことは自明である。歴史学の役割をいうならば、対象の設定の仕方、そこから導き出される認識とそのための方法、そして叙述こそが問われる。初発に去来するのは、災害を扱ったときに、その災害の復元を提示することでよいのかということであろう。そもそも、歴史的出来事の復元が可能かということがあるが、それ以上に、復元を目的とすることでよいのか。しかし、対照的に、ある何かの教訓なり、知恵なりを性急に引き出すことが歴史学に求められているのであろうか――。ことは、災害史に止まらず、歴史学の目的、役割、作法、そして存在意義にかかわる問いかけがなされているのである。

たとえば、『日本災害史事典』(日外アソシエーツ、二〇一〇年)は、台風、地震、噴火、雪崩、火災、鉱山事故、鉄道・航空事故、原発事故、公害、伝染病、薬害事故までを射程に入れている。この事典の「刊行にあたって」では、二〇一〇年に九州・宮崎で起きた家畜伝染病の口蹄疫から書きはじめられている。次々に起こりくる災害は、被害を受けた人びとにとっては、当然にもそれぞれに深刻である。

しかし、そうしたなかで、歴史学にとって東日本大震災を決定的な出来事とするならば――私自身は、そのように認識するものだが――そのことが、歴史学と歴史叙述のなかに刻印されていかなければならないであろう。自らの歴史学における対象の設定、方法の選択、そして叙述の営みに、その認識が提示されてこそ、歴史家としての実践といえるであろう。大きな口をたたいたが、多くの試練を受けている歴史学にとって、さらなる試練の事態がやってきているということである。

いまひとつは、一挙に噴出したように論じられている「3・11」への言及――東日本大震災論との関連である。「論」と「史」とは、いつもその関連が問われている。「論」としての知見と把握を、いかに「史」として認識し叙述していくか。このこともあらためて問い掛けられている。ここでも一例を挙げてみよう。

東日本大震災後に、あらためてよく読まれたという、レベッカ・ソルニット『災害ユートピア』(高月園子訳、亜紀書房、二〇一〇年。原著は、二〇〇九年)をめぐり、先の『歴史学研究』特集で、北原糸子は自らの著作『安政大地震と民衆』(三一書房、一九八三年)などを引き合いに出し、次のように述べる。

外国の事例に頼らなくても、わが国の過去の災害でも似たような現象がもっと身近な例としてあった。……安政大地震しかり、また関東大震災においてもこれまでの見方を変えれば当てはまるのではないか、と内心思っていた。（「災害にみる救援の歴史」）

ここでも「しかり」と「しかし」というべきであろう。北原は穏やかに述べているが、一般の読者にとって、歴史家の作品（「史」）ではなく、「論」が幅広く受容されるのにはいくつもの理由があろう。歴史家は過去に対象を求めるが、⑴過去を過去として探るか、⑵〈いま〉の認識を過去の事例を対象として叙述するかがもっぱらである。純然と過去が復元できるかは別として、⑴の叙述ではそこでことが完結してしまうであろう。その過去の事態に関心を持たない人びとを引きつけることはできない。これに対し、⑵のばあいは、なぜ事例がいまではなく、過去から呼び出されるのかということが問われよう。いずれにおいても、歴史家は分が悪く、北原の憤懣を、私も分け持つものである。

だが、歴史家として考えるべきは⑴と⑵との往還であり、双方を包み込む認識と方法による叙述をなすことではなかろうか。事態をいったん過去（＝同時代）の文脈で解釈し、再構成したうえで、あらためて現在的な意味で解釈しなおすという作業である。過去の出来事を過去の文脈で示したうえで、いまの文脈で意味づけることに、歴史家の独自の役割があると思う。こうした作業を行ってこそ、歴史認識にまで届く議論が提起できるであろう。

北原の引用の後段に関しては、東日本大震災が「これまでの見方を変え」るきっかけとなるという指摘にほかならない。東日本大震災を経験したことによって、歴史像がどのように変わるのか。このことが肝要である。

さらに付け加えておけば、「3・11」自体の歴史学的把握と叙述もまた必要である。『歴史学研究』特集も、このことは指摘していた。しかし、史料といったとき、東日本大震災の史料とは一体何か、また、それはいかに保全されるべきか。また、数多くのルポルタージュと歴史学の視点からのものはいかなる関係にあるだろうか。社会学者をはじめとする人びとが、東日本大震災にかかわる資料保全と公開のプロジェクトを開始しているが、歴史学からの寄与も考えなければなるまい。

2　災害史のメタヒストリー

1　災害叙述の検討

まずは、歴史家たちの災害の叙述を検討してみよう。手がかりとして、代表的な通史における関東大震災の記述を見ることから始めると、まずは、今井清一『日本の歴史23

大正デモクラシー』(中央公論社、一九六六年)を挙げることができる。「関東大震災」の章を立て被害の概要を叙述したあと、朝鮮人虐殺と亀戸事件に触れる。「大震災による火災延焼情況」の地図が掲げられ、『大震災絵巻』(服部亮英)が四ページにわたりページ上段に記される。横浜を取り上げ、言及している。

鹿野政直『日本の歴史27 大正デモクラシー』(小学館、一九七六年)は、「〝改造〟の時代」という章のひとつの節を「報復される都市」とし関東大震災を扱う。「午前一一時五八分」「崩壊感覚の出現」「かくされた死」の項目を立てるが、「震災について書かれた書物は多いので、委細はそれらにゆずることにする。近年の作品では、『東京百年史』四と、吉村昭『関東大震災』(昭和四八年)が、ことに要を得ているように思われる」と述べ叙述を回避している。

金原左門『昭和の歴史1 昭和への胎動』(小学館、一九八三年)は、「関東大震災と天譴論」という章を立てる。そして、「地震がもたらした数々の災害」(九月一日一一時五八分四四秒　被害の惨状　朝鮮人の虐殺　戒厳令の施行)、「震災復興と思想統制」(亀戸事件と大杉事件　市町村の救護運動　復興計画の骨ぬき　震災は天の譴責)、「思想善導の高まり」(国本社の結成　思想国難の叫び　批判の安本多羅経)。全体状況を数値で説明し、個別の状況を、大曲駒村『震災日誌』を用いて叙述する。

小松裕『日本の歴史14「いのち」と帝国日本』(小学館、二〇〇九年)は「関東大震災」

という章だが、「震災の発生」を記したあと、そのほとんどが朝鮮人・中国人の虐殺に当てられる。

四つの通史は、いずれも公的な記録で被害状況を説明し、体験記、あるいは文学作品に個的な状況を代位させている。地震発生後、混乱―避難―復旧―復興という筋道で記し流言とそのもとでの朝鮮人・中国人虐殺、軍隊による治安維持が強調される。

通史に限らず、一般的に歴史学における関東大震災の考察は、なによりも朝鮮人虐殺に向けられていた。このことは、帝国日本における、人びとの持つ排外主義的な意識を表出しており、その解明と論述は大きな意味を持つ。しかし、関東大震災のその他のことに関しては、復旧―復興を除き、分析―考察はなされていない。関東大震災について、歴史学では、地震直後の混乱と避難を、分析ではなく、現象を記し、描写として行っていると言わざるを得ない。

歴史学が分析し考察するのは、社会運動と一体化した問題がもっぱらであり、関東大震災時の混乱―避難のような現象を考察する問題意識と方法を欠いている。日常の考察のみならず、非日常の局面でも、歴史学は不得手な領域が多い。だが、東日本大震災や阪神淡路大震災のときに示されたことは、災害の混乱時と避難時の恐怖であり、そのときの記憶である。歴史学が関与しなければ、東日本大震災は、たとえば佐野眞一（『津波と原発』講談社、二〇一一年）らに任せてしまうことになる。歴史学の立場と方法から、災害時の混乱―避難を考察するための方法と問題意識を持つことが必要であろう。

私がかつて「関東大震災のメタヒストリーのために――報道・哀話・美談」(『思想』八六六号、一九九六年八月)を著した理由のひとつは、この点にあった。震災において、混乱―避難を扱い、全体の被害と個的な状況との関連を考察した。また報道と情報にも目を向け、震災のなかで伝えられる「美談と哀話」をも考察の対象とした。人びとの震災時におけるそうした行為を歴史化したときに、個のかけがえのない経験が、歴史の名のもとに回収されることへの批判をも行った。災害をめぐる構想力と想像力は、この混乱―避難の時期に焦点のひとつを有しているとの思いが、この背後にある。

もっとも、これらは、阪神淡路大震災の出来事に触発されてのことであった。今回の東日本大震災では、ここから先が問われている。本章は、そうした意味合いにおいて、「関東大震災のメタヒストリーのために」の続編であり、あらたな叙述のための試行である。

いまひとつ、混乱―避難の時期をめぐっては、死者を悼むことにかかわる問題系も意識される必要がある。多くの死者をどのように悼むか。とくに、今回の東日本大震災は複合的な災害であり、地震―津波―原発事故の局面が重なり合っている。津波では、インドネシアやアメリカ西海岸で死者が出ており、原発事故に至ってはこの先の行方が知れない。これらは、関東大震災の分析―考察と叙述にも投影されるべき事柄であろう。

被害の範囲は「日本」を越え、出来事は完結しないのである。

2　災害史の構想

阪神淡路大震災に影響を受け、歴史認識や歴史叙述にそのことを及ぼす敏感な歴史家もいる。北原糸子はそのひとりで、『磐梯山噴火――災異から災害の科学へ』(吉川弘文館、一九九八年)は、「阪神大震災で受けた衝撃」を「直接の動機」とすると明言している(「あとがき」)。かねてより災害に関心を寄せていた北原だが、『磐梯山噴火』では、第一に「災害の科学」の生成に関心を寄せる。第二に、報道と援助、救助のされ方を歴史的に検証し、近代における「報道」(義捐金を含む)「救済」のかたちがここに出来上がったとする。そして、第三に「災害観」の推移を追う。現在の災害にかかわる原型を、一八八八年の磐梯山噴火をめぐる出来事にみている。

「過去の災害の直接的体験者ではないわたしたちが、その災害を理解するには、まずその当時の社会の価値体系の枠組を通してそれを追体験することでしかない」

「人々が受けた災害の実像がそこに再現されているかどうか」

という態度が、北原の方法であり認識となっている。

こうした災害に対する問題意識、対象、叙述は、北原糸子編『日本災害史』(吉川弘文館、二〇〇六年)へと拡大されても、変更はされていない。「いま災害史を編むことの意義」と副題を持つ「はしがき」で、北原は「災害を受けた時代ごとの社会対応を明らかにすることに努めた」という。「災害」と「復興」という視点から「人々は災害の被害をどのように克服してきたか」を問うた。考古学や土木学、理学・工学系の学知とともに学際的な手法をとりつつ、北原は災害史を構成していった。

軸は二つある。ひとつは社会の相違による、災害への向き合い方の差異の指摘である。北原は「情報」という関心から、近世社会の災害に接近する。たとえば、浅井了意『かなめいし』を地震誌のスタイルを確立したものとし、歌川広重の「名所江戸百景」を「災害情報を取り込んだ錦絵」という観点から読み解く。「被害者への励ましや癒し」を描く地震鯰絵にもふれる。こうした叙述を行い、北原は「安全」(災害対策の「ハード側面」)と「安心」(「ソフト側面」)との点を抽出し、近世社会は「安全への効率を求めた社会ではなく」「安心を求める人々への対応」がなされたとした。

他方、近代は、立法による救済と災害の制御があり、前者は人的救済を中心とする災害救済法、後者は鉄道を主体とする近代交通網への転換期における河川災害への着目ともなる。この点をふまえ、北原は金銭面にも着目し、社会インフラと復興資金、救済金、恩賜金・義捐金などに言及する。近世の災害と近代の災害をこうして区別し、北原は災害への対し方を分析した。近代の災害の特徴を明らかにするのである。

北原による災害史のいまひとつの軸は、被災者の動きを追うことである。北原は、東日本大震災後に著した『関東大震災の社会史』(朝日新聞出版、二〇一一年)で「避難民の動き」を追いつつ、復旧の過程に力点を置く叙述を行う。

群馬県公文書館の行政簿冊を用い両毛線沿線に逃れくる避難民を受け入れる「地元の動き」を考察し、あるいは、避難者カードに記された記述をもとに、罹災者の行動と動向を探る。罹災者の行動結果は、これまで刊行された報告書に記されていたが、その原票に当たることにより、具体的な動向を読み取っていくのである。歴史学の手法として、実に模範的なやり方であり、また継続的になされる点に北原の営みがある。しかし、史料の性格からして政策と対応を追うのに忙しい作業となり、人びとの心性も示唆されるが追求はされない。

『日本災害史』においては、個別の災害の考察と「災害史」の関係は議論されず、災害のヤマを連ねる手法となっている。災害は、時間的・空間的にある地域を切断し、そこに継続する空間と時間がかかわってくる。社会の断面が明らかになる瞬間であり、歴史意識と社会認識に連動している。北原もそのことを熟知したうえで災害に接近する。

この点は別の観点からいえば、災害史での論点は、天災か、人災かというところに置かれてきた。「災害」は、人災/天災と区分し、問われてきた経緯があったが、しかし、人を扱う限り災害史は人災であり、ことは地域史のなかで問うことが求められることとなる。災害のヤマのみを結びつけることは、安易なことになろう。そうであればこそ、問題設定―問題意識が要となる。そこから何を読み取るのかが、いっそう重要となる。

いまひとり、大門正克もまた、阪神淡路大震災から課題を導きだしている。大門は、「震災が歴史に問いかけるもの」(一九九七年。『歴史への問い／現在への問い』校倉書房、二〇〇八年、所収)で、現在と歴史をいかにつなぐかという関心から、

歴史家は阪神大震災から何を見たのか、そこには歴史家の現在と過去への見方が反映しているのではないか。

と問題を提起している。そのうえで、「まなざしの方向」を抽出し、「なおつながりの再生を求めようとした人びとの営為に自律的意味を見出すか否か」とその方向性を問うた。

大門自身は、さらに思索を深め、「多様性(差異)を認識すること、そのうえで差異をつなぐ結び目に目をこらすこと」をいい、そこから歴史の側に問題を投げかけるとした(「差異をつなぐもの／時間をつなぐもの」二〇〇一年。同右)。

災害時の「つながり」から、人びとの結合に着目し、「きずな」と「しがらみ」というつながりとともに、体験することとそれを記述すること、さらに他者の経験を綴ることの意味と作法とが、重層的に認識されている。しかも、大門は記憶―死者の記憶を〈いま〉へとつなげる。歴史と現在の往還を「〈経験〉という視点」とするのである。

大門は、私の「関東大震災のメタヒストリーのために」を、牟田和恵や中井久夫の議論と対比し、牟田・中井の「きずな」の再生重視に比し、私の議論は「しがらみ」を強

調しているとしても、まなざしの方向の相違をいう。大門の理解に誤解があることはすでに述べたことがあるが、大門が提示する問題意識は共有しているつもりである。ただ、その処方がわずかに違い、その小さな違いがだんだんと大きくなってきているようである。これまで論議してきた歴史学のありようが、ここでも問われているのである。

東日本大震災に際し、東日本復興構想会議にかかわった、赤坂憲雄や御厨貴もまた積極的に自らの学知から災害に向かい、状況を論じている。御厨貴(『「戦後」が終わり、「災後」が始まる。』千倉書房、二〇一一年)は、「水力と原子力による国土の流出という事態は、復旧、いや復興をさえ超えた、新たな国産み、〝国土創造〟を想起せねばならぬ事態の到来ではないのか」という危機認識のもとでの著作である。御厨の構想も、「つなぐ」ことによる「希望」である。

御厨は関東大震災後の帝都復興過程を呼び起こし、後藤新平を論じる。馬渕澄夫(当時は、首相補佐官)もまた、逸早く「システムとしての後藤新平」を提唱しており、力強いリーダーシップの象徴として、後藤新平が呼び出されている(『AERA』二〇一一年四月一〇日号)。

御厨は、東日本大震災の復興に際し、政治的リーダーシップを実践的課題とし、歴史のなかにそれを探った。こうした御厨は、「つなぐ」ことによる「日本の新モデル」の提示を目論んでおり、「日本」という枠組みは疑われていない。災害とナショナリズムにかかわっての論点が浮上する。

他方、赤坂憲雄「震災論」(『仙台学』一三号、二〇一一年一一月)は、「わたしは民俗学に連なる者のひとりとして、何をなしうるのか」と自ら問い、「広範に、記憶の場を組織しなければならない」という。赤坂にとり、目の前で進行する事態は「二十五年の後に、この大震災はどのように語り継がれているのか」という点への関心とされる。「記憶の場」を「鎮魂の碑」とし「未来へと架け渡される希望の礎」とすることに赤坂の関心がある。

だが私は、赤坂が、震災から日が経たない三月二九日にすでにこの文章を公表していたことに驚く(「広やかな記憶の場を」『日本経済新聞』)。まだ行方不明者が大勢おり、原発事故の行方も定かでない時期の発言である。赤坂は、〈いま〉進行している事態から一挙に未来に向かい、その未来も〈いま〉の単線的な延長であると考えている。

東日本大震災では、あらためて災害とは何かという根源的な問いかけが導き出され、そこに「犠牲のシステム」(高橋哲哉)とその際の「社会的な不平等」が見出された。そのことを指摘し続けることが、歴史学の役割にあるだろう。とともに、歴史学への問いかけは、災害がきっかけとなったが、その問いかけは災害に止まらないことも明らかである。〈いま〉への問い、〈いま〉からの問いが、災害を契機に明示されたといいうる。

3　核時代の歴史学へ――「現代的災害」を扱うということ

ここまでは主として、地震と津波を念頭に置きながら論じてきた。すでに述べたように、地震と津波に関しては、いくつかの災害のモデルがあった。しかし、東日本大震災が引き起こした原発事故にはモデルがない。たしかに、スリーマイル島やチェルノブイリでの事故はあり、東電福島第一原発での事故もそのことと比較されている。だが、今回は低線量被曝の恒常化をもたらし、海水に放射性物質を流し続けており、いまだモデルを有さない災害となっている。この事態を、歴史学の問題として考えてみたい。

さきの『歴史学研究』特集においても、逸早く原発にかかわる論文が掲載され、福島第一原発の設置や、マンハッタン計画、あるいは原発設置における先住民との関係などが論じられている。このとき私は、歴史学の対象と方法、認識と叙述という観点から原発事故を考えること、同時に原発事故により明らかになった現代社会の特徴を解析するための歴史学の刷新とを、あわせ考えることが必要であると思う。このふたつは、作業としてはまったくの別の営みとなるが、認識としては表裏をなしている。前者を入口にしながら、後者へと分け入ってみよう。

原発事故は、巨視的に見れば、国民国家が創り出しつつ、国民国家の領域を越え、国民国家を自壊させる災害に他ならない。原発そのものが、すでに核分裂の連鎖反応を基盤としており、その制御がおおごとであるに止まらず、そこで出される核廃棄物の処理もままならない。いったん事があれば、国境を越え、その国民に止まらず人類におよぶ災害となる。この意味において、原発事故は「現代的災害」となるのだが、今回、その事態が起こってしまったのである。

いくらか迂回をしながら、問題の所在を論じてみよう。近年の歴史学研究は、(東日本大震災・原発事故の「緊急特集」のあと、『歴史学研究』が特集を組んだことにもうかがわれるように)かつての貧困から、さらに「生存」に焦点を当て考察を行うようになっている。

このとき、生存にかかわる論点を、一挙に人類へと拡大し問題を拡散するのではなく、逆に国民国家による生の政治を看取することが肝要であるだろう。生存をめぐっては、権力によって生きるべきものとそれに値しないとされるものとが分別され、序列化がなされている。この点を踏まえずに生存を論じ社会を語ると、目前の差別を見損なうこととなる。

原発事故も同様であろう。原発が人口過疎地帯に設置され、非正規の下請け労働者が原発(事故)に従事していることは周知のことである。そして、同時に、誰も原発事故の影響から逃れられないこと——その外部にはたちえないことも自明のこととなっている。原発を導入し、非正規作業員に危険な労働を押し付けることを電力会社と政府が推進し、

〈いま〉の問題を刻印しているとともに、今回のような事故が起こったときには、誰もその放射性物質による汚染からは逃れられなくなっている。あきらかに加害者がおりながら、その加害者さえをも巻き込む災害が、原発事故である。ここに、原発事故が「現代的災害」たるゆえんがある。

こうした観点から、再び災害史へと向かうとき、原発事故は、核エネルギーをめぐる政策の産物であり、(1)ヒロシマ・ナガサキの経験以降の流れにあること、(2)核エネルギーを含むエネルギー政策という現代社会の根幹に触れること、(3)核兵器との関連、すなわち冷戦体制と密接に関連していることを指摘しうる。凡庸な言い方となるが、原発事故を考えるに当たって、ヒロシマ・ナガサキからの射程を持ち、現代社会と現代世界を解明するという対象(1)把握、認識(2)(3)の自覚が求められるということである。

(1)にかかわっては、史学史的な観点からすれば、あらためて原爆の叙述が問われることとなる。先行する歴史叙述における、原爆記述の検討は省略するが、ここでの基本的な叙述は、さきの関東大震災のばあいとさほど変わらない。原爆による全体の被害状況の提示と、そのもとでの個の体験の観点から叙述がなされる。

しかし、原爆には、破壊力の大きさとともに、後々までも続く放射性物質の影響力があり、被害が深刻である。また、戦争に兵器として用いられたことによって、語り方には検討が重ねられてきている。文学作品としての提供のほか、映画という手法でも原爆の描き方が考察されるが、これらは核兵器反対の社会運動と並行してもいる。

そして、この観点から、ビキニ水爆と第五福竜丸の被曝、JCOの臨界事故という時間的な射程―連続性も認識されている。核にかかわり、近代の災害とは異なる「現代的災害」の系譜として、原爆以降の核にともなう「災害」が位置づけられ把握されてきている。

(2)は、社会を考察する際の再文脈化にかかわってくる。社会の存立を生産／消費に求めたとき、現代社会はエネルギーをその基底に置いていることが否応なく明らかになる。むろん、近代社会も同様で、その供給は周縁的地域に求められた。このとき、火力・水力エネルギーと核エネルギー(原子力)とでは共通性を有しつつも、差異が今回の事故で明らかになった。

政界・財界・と学者、それに中央と地域の官僚と地域の主導者たちが一体となって作り上げた「原子力ムラ」には、過疎地域の貧困問題があり、中央／地域という非対称的関係が刻印されている。赤坂が述べる「東北論」はこうした文脈を包含しているが、地域に止まらず、地域におけるヒトの分別までもがなされている。そして、いったん事が起これば、地域は直接にその被害を受け、周囲にも影響を及ぼしていく。放射性物質のばあいは、「現代的災害」として影響範囲が確定できないことになる。

(3)にかかわっては、核エネルギーを、原子力／核兵器と区分してきた恣意性があらためて問われる。アイゼンハワー大統領の「原子力の平和利用」の持つ欺瞞が東日本大震災以降、認識されるようになった。考えてみれば、原子炉を搭載した原子力潜水艦、それが常駐していた沖縄は冷戦体制のもとで、たえず「現代的災害」に脅かされていたということになる。本土においても、原子力空母の寄港が、核兵器とあわせ放射性物質の観点からも問題にされていたことをあらためて想起するが、原子力発電所に止まらず、核エネルギー全般に目を向けることにより、問題が連接される。

私たちの日々の営みが「現代的災害」を準備しているということだが、これは換言すれば、「現代的災害」には外部がなく、内部から内部が作りだした災厄であり、しかも生存の基盤を自壊させていく災厄となる。

こうして「現代的災害」の観点から歴史を語りなおすことが、東日本大震災「3・11」以後の歴史学のかたちとなろう。歴史学の対象とそれを考察する論理、対象選択の範囲と論ずる射程に、東日本大震災は問題を投げかけている。歴史学にかかわっては、その災害をどのように認識し、叙述していくのかということとなり、史学史の議論に接続させれば、国民国家批判のあらたな論点が浮上してきたともいえるであろう。

焦点となることはいくつもあるが、叙述にかかわっては、歴史家の位置をどこに定めるかが焦点となり、認識と対象に関しては、「戦後」の歴史的な位相を明らかにすることが求められる。「戦後」のつくりだした価値を、いわば普遍的な価値軸としてこれまでの歴史叙述がなされてきたが、「戦後」の歴史的位相を解明することが、以後の歴史学の検討に通じていく。

こうしたなか、何よりも深刻なことは、「未来の時間」が見えているのかということであろう。未来の時間なくしては、歴史は描けないというのが近代歴史学の作法であった。事実、過去―現在―未来という時間軸に沿い、出来事を認識し叙述がなされてきた。しかし、東日本大震災のなかでの原発事故により、なんとも知れぬ未来に直面し、この時間軸はゆらぎをみせている。

かく「現代的災害」に触発された歴史学を、私は「核時代の歴史学」として考えていきたいと思う。いささか大仰であること、あるいは、いまさら核時代とは、といわれるであろうことは重々承知している。しかし、「3・11」によって引き起こされた原発事故を歴史認識のなかでとらえ返す歴史学は、やはり「核時代」と切り離しては考えられない。すでに四〇年前に、大江健三郎は『核時代の想像力』(新潮社、一九七〇年)という連続講演集を刊行し、戦後史認識の再規定を求めていたことを想起し、さらに加えて、災害に即して述べてきた近代/現代の弁別も意識している。

「核時代の歴史学」という含意を、災害に即してつづければ、(1)対象として「現代的災害」を取り上げるとともに、(2)近代的災害も「核時代」の視点によって歴史的評価を与えるということである。現代の特徴として、外部がないこと、および未来のモデルがつくりにくいことを指摘したが、(1)をめぐっては、「現代的災害」において、外部がなく、加害者／被害者の非対称性が出発点になりながら、加害者の位置にあったものさえもが被害者になってしまうことに対応している。こうした「現代的災害」においては、復興とはどのような状態を指すことになるのであろうか。「近代的災害」における復旧の延長上にある復興とは様相を異にしていよう。

(2)の点は認識にかかわるが、「近代」を価値軸とせず、「現代」の認識での把握をするということになる。「近代」と区別される意味での「現代」に照準を合わせ、現代の認識を歴史認識の軸とする試みである。たとえば、関東大震災を考察するとき、「心の戒厳令」(辺見庸)を抽出することなどはその一例である。関東大震災のさなかの朝鮮人虐殺事件を考察する際に、そこでの「自発性」を、「われわれ」による「私」の統制という「3・11」の観察のリアリティを重ね合わせてみるということでもある(この点に関しては、辺見庸『瓦礫の中から言葉を――わたしの〈死者〉へ』NHK出版、二〇一二年、が示唆的である)。

すでに繰り返すように、「核時代の歴史学」を東日本大震災が、直接にもたらしたというのではない。この災害によって、現代社会の深部が見えてきたということである。歴史学がこれまで問われてきたことが、あらためて不可避の課題として問われてきているということにほかならない。

おわりに

東日本大震災のあと、少なからぬ歴史的考察がサブカルチャーにむかっている。近代以後の社会は、もっぱらサブカルチャー（マンガ、アニメーション、SF小説、映画……）が中核をなしていたということであろう。サブカルチャーの持つ射程と想像力とが評価されている。そのなかの一冊である、川村湊『原爆と原発』（河出書房新社、二〇一一年）は、『ゴジラ』や『鉄腕アトム』はむろんのこと、東宝の特撮シリーズなどをたんねんに分析する。

また、宇野常寛『リトル・ピープルの時代』（幻冬舎、二〇一一年）は、さらに『ウルトラマン』と『仮面ライダー』を対比し、現代社会に接近しており、いずれも戦後の位相を問う行為となっている。歴史学が不得手としてきた対象であるが、「核時代の歴史学」はなにを対象とし、方法と認識は、と矢継ぎ早に問われることにもなろう。

このとき、歴史認識を叙述することが歴史学の作法であり、考察すべきことであろう。ほんの一例として挙げるのだが、遠藤薫編著『大震災後の社会学』（講談社、二〇一一年一二月）は「われわれはいま、何を考えるべきか」として「未曽有の大災害におけるミクロな「現実」の精査」「マクロな社会システムの分析と再設計」をはじめとする「六つのポイント」を挙げる。出来事によりディシプリンを問うのではなく、課題をそこに設定している。社会学とは、なんともたくましいディシプリンであると思い、それに比しての歴史学はいかにも頼りなげと見える。

しかし、原発事故の語りと、アジア・太平洋戦争の敗戦をめぐっての語りは酷似している。危険だとは知っていたが、やはり……との原発事故の語りは、無謀な戦争だと思っていたが、やはり敗北した、という言い方と相似形をなしている。敗戦後に反戦を貫いた人びとを見出したように、原発事故後に、あらためて原発に警告を発していた人びとの発言が取りざたされる。

他方、まったく別の観点からの問題提起もみられる。さきの宇野常寛は、対談で、

現実はまったく酷くないんですよ。日本の条件を視点を変えて見つめれば、そこにハッキングの道はたくさんある。それを淡々とこなすことが重要になってくるんじゃないでしょうか。

と述べている(宇野・濱野智史『希望論――二〇一〇年代の文化と社会』NHK出版、二〇一二年)。上の世代が戦後の「崩壊」を言い、「君たちは絶望的な世界で生きている」という

把握と認識とを「強いる」とし、そこからの異議申し立てである。「社会はつねに変化し、良くなったところもあるし、悪くなったところも当然ある。前者を伸ばし、後者をあらためることでしか、住みよい社会は建設できない」とも述べている。その認識のもと、宇野は東日本大震災の復興に対し、「この数十年かけて進行した現実との対峙を意味する」とし、「逆を言えば、戦後史の、いや冷戦終結後を含めたポスト戦後史の総括なくして復興はあり得ない」と続けた(同右)。あらたな地平と認識のなかからの戦後と戦後後の把握が主張され始めている。

戦後の六〇年の時間とは何であったのか。こうした「戦後」をいかに把握しなおすか。ここが正念場である。

付記　本章は、二〇一二年一月二九日に行われた、「東京歴史科学研究会　歴史科学講座　歴史学は災害にどう向き合ってきたのか」での報告原稿をもとにしたものである。そのため、報告後に刊行された、奥村弘『大震災と歴史資料保存――阪神・淡路大震災から東日本大震災へ』(吉川弘文館、二〇一二年)には言及することができなかった。講座を準備いただいた方々、また当日、お聞き下さった方々にお礼申しあげます。

第5章 「被爆」と「被曝」をつなぐもの
――井上光晴『西海原子力発電所／輸送』をめぐって

状況や出来事が、過去のある作品を再発見するということがある。東日本大震災に伴って起きた福島第一原子力発電所の事故によって発見された「原発文学」の諸作品はそうしたひとつの例であり、事故後には『日本原発小説集』(水声社、二〇一一年)と銘打った作品集も刊行されている。

実のところ、原子力発電所を舞台にした作品にはエンターテインメントが多く、これまでジャンル化されたり、蓄積されたりすることがなされてこなかった。他方、野坂昭如、水上勉、井上光晴ら、原発に関連し取材した作品を書く作家たちがおり、双方の作品があらたな事態のなかで重ねあわされ「原発文学」とされたのである。むろん、「原爆文学」ということをめぐり当初から論争があったように、「原発文学」と軽々にいうことには注意しなければならない。

だが、核をめぐっての議論が原発事故によりあらたな論点をつくりだし、そのことが過去の文学作品を見る目を変えていった。核をめぐる問題系をあらたな視点で探っていくために、「原発文学」はとりあえずの括り方として効果を有するはずである。

いうまでもないことであるが、こうした文学作品のばあい、時間の流れに沿って読まれ解釈されてきたことが、同時に、時間を遡行した視線をうけその観点からも読まれることになり、これまで以上に作品としての強度が要となってくる。本章で考察する井上光晴(一九二六―九二)の原子力発電所を素材としたふたつの小説(『西海《さいかい》原子力発電所』『輸送』)は、そうした作品群に属している。そしてそのことを示すように、東日本大震災後に、若い研究者によって『西海原子力発電所』をめぐっての考察がいくつも出されてきている。

『西海原子力発電所』(文藝春秋、一九八六年)も『輸送』(文藝春秋、一九八九年)も、九州の玄海原子力発電所を念頭に置いた小説である。玄海原子力発電所は一九七五年に運転を開始し、井上の執筆時には2号機(一九八一年)までが設置されていた(二〇一四年には、4号機まで設置されている)。両作品の背景にあるのは(1)井上の原爆と被爆者への関心、(2)おりからの原子力発電所をめぐっての反対運動と議論、反核運動の広がり、(3)(スリーマイル島原子力発電所事故〈一九七九年三月二八日〉もあったが)チェルノブイリ原子力発電所の事故である。

原体験を研ぎ澄ます井上光晴がつくりだす虚構。井上は、炭鉱を舞台とし、あるいは天皇制と戦争体験を主題とし、さらには共産党との確執を描くなどして状況に拮抗してきたが、「原爆文学」もそうしたひとつの領域であった。井上の原爆を扱った作品は『日本の原爆文学』(全一五巻、ほるぷ出版、一九八三年)シリーズのなかの一冊(第五巻)としてもまとめられている。「手の家」(一九六〇年)、「地の群れ」(一九六三年)、「夏の客」(一九六五年)、「母・一九六七年夏」(一九六七年)、「明日——一九四五年八月八日・長崎」(一九八二年)などであり、被爆者を登場させ、被爆体験のその後を主題とするとともに、被爆をめぐっての差別やその重層性を抉りだしていた。

このかん一九七八年には、井上は戯曲『プルトニウムの秋』も執筆する。原発で働く技師と妻、作業員と周囲の漁民を登場させての対話劇で、原発の問題性を多角的に訴えていた。「原爆文学」と「原発文学」の双方を執筆したのは、林京子、堀場清子を除いてはほとんど見当たらず、井上の核にかかわっての延長線上での原発への関心がうかがわれる。

こうしたなか、一九八六年四月二六日にチェルノブイリ原子力発電所の事故が起きる。おりしも、『西海原子力発電所』の執筆の最中であったという。「一九八六年六月追記」と記された、文庫版『明日——一九四五年八月八日・長崎』(集英社、一九八六年)の「あとがき」には、「九州西域の原子力発電所を主題にした小説を書き進めていく途中、チエルノブイリ原発の事故が伝えられて、私のペンは全く動かなくなった」と記されている。『西海原子力発電所』の初出が雑誌に分載されたのもこの理由からだという。

したがって、『西海原子力発電所』では決定的な事故そのものは描かれず、のちに書かれた『輸送』によって、原発の事故と事故後の様相が記されることとなる。ただ、この二つの小説では原発事故の内容が異なっており、その点については後述しよう。

『西海原子力発電所』と『輸送』とをつなぐものは、アメリカ原子力学会による『核燃料と廃棄物』というパンフレットである(実際には、『原子力とその周辺——質問と回答 book2(核燃料と廃棄物)』アメリカ原子力学会編、エネルギーと暮らし・市民の会訳編、一九八五年)。両作品に引用され、使用済みの燃料の輸送——「死の灰を輸送する手だてが綿密に記されて」いると説明されている。

＊

『西海原子力発電所』は『文学界』四〇—七・八(一九八六年七・八月)に掲載されたが、井上光晴の作品の特徴をよくあらわし、地域のさまざまな集団や家族、そのなかの一人ひとりが、同じ比重で書き分けられる。エピソードがいくつも積み重ねられ、群像が主体となるため、事実が事実として明示されず、うねるような書きぶりである。読者には、すべてが確定的に伝えられず、たとえば発端となる事件の核心にいる人物・浦上耕太郎の像は、登場する話者によってさまざまに変わり、事件の謎をいっそう深める。

『西海原子力発電所』は原発を近くにもつ小さな町―波戸が舞台であり、魚市場に勤務する小出芳郎がひとつの中心をなす。地元の定住者がつくり出す渦である。いまひとつの中心は、芝居集団・有明座で、『プルトニウムの秋』を上演している。前身の浦上座は「原子爆弾専門」であったため、西海原発の関係者が「目の敵」にしており、地域からは遊離している。

二人の男女の焼死という事件を入口とし、水木品子(彼女を代弁する唐津の二宮ソノ江)、「原発の情報調査を担当」する(したがって、有明座の座員からすれば「原発のスパイ」)名郷秀次らの複雑な人間関係と背景がすこしずつ、明らかにされてくる。

背景を説明するのは、役場の人物(藤方)の言である。藤方は水木を論難する――「何もかもが原発に結びついとる町で、朝から晩まで垂れ流しのごと原発の悪口をいうて歩かれとったら、誰もよか気色にはならんしね。……」「今年か来年のうちに、西海原発で大きな事故が発生する。それで波戸の者はみんな犬か猫みたいな顔になってしまう。……これが、まともな人間のいうことですか」。物語中に原発責任者は出てこず、役場の人間が代弁する構図となっている。

これに対しては、二宮ソノ江が「事故が起こったらお仕舞だって、誰でもいうとることでしょう」と反論している。

すでに、『西海原子力発電所』に原発事故は書きこまれている。一九八R年秋に、3

号原子炉の運転がなされてすぐに二人の労務者が被曝した――「原子炉格納容器の入口附近でパイプを補修していた際、許容量をはるかに越えた放射線を浴びた」。そのうちのひとりは自殺した。また、附近のネコが「除染作業員」の使用する手袋を銜えてきて様子がおかしくなり、生まれた仔ネコもおかしい。町の人びとに不安があるのは当然だが、そのうえで原発をめぐっての人びとの対立と議論がなされるのである。

とともに、『西海原子力発電所』では構想を修正したため、あらたな主題が展開される。「贋被爆者」問題である。有明座の座長・浦上新五は長崎で被爆したというが、「長崎にピカドンが落とされた日」、「何処におって、何をしていたのか」と問い詰められる。

そのことを座員に報告したところ、有明座のなかからもさまざまな意見が出る。被爆者の座員に詰め寄られる一方、座のなかから他の「贋者」があらわれる――「座長とおなじなのよ。何もない、零みたいな運命を自分も引受けて行こうと思ったの」。だが、それに対し「贋被爆者の、甘っちょろい動機なんか、ききとうもないけんね」とのやり取りがなされる。

「贋被爆者」は彼らだけではなかった。浦上耕太郎もそのひとりで、「一歳の被爆者」という「通行手形」を片手に、「原発の犠牲者となった未亡人」を誘惑するが、それが「贋の通行手形」であった……。原爆の被爆者と原発の被曝者、双方への差別と偏見をめぐるなかでの互いの被害―加害という井上のテーマが展開されているが、そこに「贋被爆者」が絡み合ってくる。

　ここでの議論は、被爆者とは誰であるかということだが、被爆者として生きること、証言するということにかかわってもいる。「贋被爆者」であった耕太郎だが、「胎内被爆という、押しつけられた負い目から出発して生きる術しかない」女性の「苦悩」を受け止め、励ましている――「あんなものに人間は破壊されはしないという証言のためにも、途中で倒れるわけにはいかない。数多くの被爆者が証言者とならなければいけないんだよ、何時か審判の日に」。

　他方、『輸送』は使用済み核燃料の輸送事故とその後の様相を描き、『文学界』四二―三・七・一〇(一九八八年三・七・一〇月)に掲載された。単行本『輸送』の「あとがき」に、「チェルノブイリ原発の爆発に直面して、私は急遽テーマを改変したが、今になって思えば、構想した通り、西海原子力発電所の原子炉事故によってこの上もなく汚染されて行く町や港の状況を克明に描写すればよかったのである」と述べている。

　だが『輸送』で描き出された事故は、構想されていた「原子炉事故」ではなく、「核燃料」の輸送にともなっての事故である。チェルノブイリでの原子炉事故が起こったあとで、後追いとなってしまう叙述を回避したのであろうが、原発にかかわる事故の多元性が示唆されることとなった。

　『輸送』でも港や病院、施設が舞台となり、さまざまな集団・家族の群像が記される。

『西海原子力発電所』に比し、扱われる地域が広がり、釜浦、牛津、吉津、六ツ島が主となり、その地域での群像が記される。夢や回想、ビデオやテレビのナレーションがそのことを明示しないまま挿入される。

「輸送」「青い空 黄色い日」「クレパス」の三つのパートに分かれており、まずは一九九一年二月一五日早朝に起こった輸送事故まで(「輸送」)、そしてその後の様相が記される(「青い空 黄色い日」「クレパス」)。「輸送」は、原発の「使用済み核燃料」を輸送する運転手・陣将治が軸となる。早朝に「隠密裡に」大型ジープの先導のもとで使用済み核燃料を輸送する物々しい様相が記されるなか、陣はトレーラーもろとも釜浦の海中に突っ込む。「発作的な脳障害」と報道されるが、事故の責任に関し、マスコミが妻・由乃に殺到する。

多くの紙数を割いて描かれるのは、事故後の人びとの不安の様相である。「西北九州全域にわたる緊急避難」が出され、「外気に触れないように」注意がなされ、二月一五日から三日間、附近の人びとは「まるで水中都市で生活するような刻々」を過ごしたとし、いくつものエピソードがつらねられる。

牛津の隣人荘(特別養護施設老人ホーム)はただちに避難し、警報解除とともに三週間余を経て復帰したが、施設長は「雨しぶきを絶対に部屋の中に入れないで下さい。窓硝子をきっちり閉めること。濡れた空気も入れてはいけません」と述べている。そのことを

伝えたとき、

「放射能の安全が確認もされとらんのに、おれたちを此処に戻したとですか」

「放射能の心配は一切ないんですよ。そうでなければ避難命令を解除されるわけがありません」

とのやりとりがあった。

「放射能事故」のあと、「釜浦の家々は、すでに半数以上が空家になっていた」とされる。人びとは放射能汚染に対する警報が解除されて、戻ってきたものの「胸苦しい大気」や「噂」に苛まれ、「現地産の野菜と魚」を食べられないという生活の不便や、外来者がおらず「家業の生計」がたたないためである。妻子とともに「家郷」を捨てた人物の親は、「なして釜浦に残っとるとね」と問われ、「なしてやろうかな。おいにもわからん」「出て行きたか者は出て行く。それでよかとじゃないか」と答えている。

海も家も、目に見えない霧がかぶさっているようであり、原発の上りで作ったマーケットへの不満もあらわれる。

『輸送』の物語の最後は、いく人かが集団での自殺を図る。「一人ならただの自殺で片付けられるが、二人三人同時に行えば、それはこんな世の中に対する意志となり得るだろう」。そして、「おれは人間として死にたい」といい、「この三人を金輪の中に嵌め込んだものは何だったのか。衰弱死を約束された下痢症状、それだけだろうか」とするのである。

*

「原発文学」としての『西海原子力発電所』『輸送』は、原発をめぐる町のなかでの対立が記されている。『西海原子力発電所』ではかつての作品(『プルトニウムの秋』)を効果的に用い(技師の名を「小出」から「石本」に、原発の名を「玄海」から「西海」に替えて全文が挿入されている)、町レヴェルでの議論に、芝居が提起する原理的な問題提起を付け加え、議論を重層的にする。また両作品に「被曝要員」といわれる原発労働者を登場させ、『輸送』は二次被曝─内部被曝の恐怖とその様相について書きこんでいく。

井上は『反原発事典』など、実際に刊行されている著作をもちだし引用することによって、現実との接点をつくりだす。とともに作中の小出は、推進派にも反対派にも全面的に賛意をもたず、原発をめぐってはどちらの論理も信用しかねる「白か黒かではなく、奥底にもっと深いどろどろした怪物が潜んでいる」と感じられるとした。

『西海原子力発電所』『輸送』を「原発小説」として読むとき、三つの論点を提供し得るように思う。第一は、事故に対する予感と事故後の事態への想像力である。『輸送』単行本の「あとがき」に、井上は、

あえていうが、『輸送』は近未来小説ではなく、SFでもない。この作の主題は

文字通り「明日」にかかわる「今日」そのものの現実におかれている。

ストーリイの行く末に「壊滅の状況」をあえて採らなかったのも、飽くまで「今日」の生活に密着した人間の痛苦と情感を描写したかったのだ。

と記している。だが、事故が起こった「明日」として、ある人物に「目に見えんもののたたかいやからね、これは」と述べさせ、人びとのかこつ(A)不安と、そこで生じる(B)対立・齟齬に着目した。(A)にかかわっては、食生活と情報の不足と混乱、(B)では、集団や地域内での対立や感情の齟齬を記す。

(A)は身体への過敏な観察である。人びとは自らの身体を仔細に点検し、とくに下痢には敏感である――「下痢が兆候なんだ」。隣人荘のひとりは、下痢が止まらず、そのたびに顔色を点検し「前回に比べて顔色はどうか。目の光が鈍ってはいないか。皮膚の状態に異常の兆しはあらわれていないだろうか。顔を近付け、或は一、二歩遠ざけて彼は仔細に探る」。下痢の原因をあれこれ探り、「不安材料」を掬い上げるのである。

食生活への不安は、とくに大きい。その不安が反転して「あたしはああた、野菜でん何でん食べよりますばい。いちいち警戒しとったら切りのなかですもんな。……」「そいでも矢張り、生の魚は食べきらん。……」。

情報をめぐっても、不安が大きい。たとえば、四人の精神障害者が同時に投身自殺したとき、それを伝える女性は、「本当はみんな放射線にやられたとです」とする。あるいは、情報の不足もある。「チェルノブイリなどとはまるっきりレベルと質の違う「小さな事故」」と公式報道されるが、人びとは「だとすれば、あのものものしい水びたし作業は何のためであったのか」、と思うのである。

実際、「安全宣言」によって避難から帰ってきた人びとのひとりは解放感をもつが（「避難生活から解放されて浮々していた」）、息子がネコのようすがおかしいことに気がつく。「毛の艶は失せ口からは涎を滴らせた見るかげもない姿」であり、さらに砂浜では、おびただしい猫たちの惨状を目の当たりにする……。

また、(B)にかかわって、人びとが避難も退避もしなかった六ツ島で地域のなかでの分裂がみえてくる——「放射能の潮風をまともに吸い込んだ者と、そうでもなか人間は違うとやろうか。現に、その証拠に六ツ島でもヒステリーのごとなっとる人間と、案外のほほんとしとる人間がまざりあっとる」。事故後の事態が、なんとも切実に描きだされ「原発文学」としての相貌をみせている。

第二には、事前と事後の関係である。この点をめぐって、井上の「原爆文学」である『明日』を補助線としてみよう。『明日』（集英社、一九八二年）は、一九四五年八月八日の長崎を描くが、これはその翌日の出来事を知っている眼による事前の再構成であり、読者もそのことを共有して読む（「あとがき」で、井上は原爆の地域ごとへの影響を記してもいる）。

すなわち『明日』の登場人物たちは、『西海原子力発電所』の登場人物たちと同様に、明日の出来事を知らない。これに対し、『輸送』の登場人物たちはその日を体験し、事後に踏み込んでしまっている。

このとき、作者・井上光晴にとってみれば、『明日』は事後(原爆投下)を体験しているものの、『西海原子力発電所』と『輸送』では事後(原発事故)は想像力のなかにとどまっている。しかし、東日本大震災後には、作品としての『西海原子力発電所』『輸送』は、事後―原発事故後のなかに投げ込まれてしまっている。

ややこしいいい方をしているが、井上は原発事故を想像力で描きだしたが、『西海原子力発電所』『輸送』の読者は、いまや原発事故の環境のなかで、その日以後を体験しながら読むことになったのである。読者からすれば、登場人物の不安と対立・齟齬を体感することになる。「放射線のベクレル」「放射線許容量」「放射能汚染に対する警報」「除染」と作中で使用された用語や出来事に現実世界で直面するなか、この作品に接するのである。

加えて、『輸送』では、(チェルノブイリと比較しながら)「原子炉の破壊と使用済み燃料が洩れたという事故とでは、性質が異なります。比較にも問題にもなりません」とテレビ番組が報道する個所がある。しかし、炉心が溶融する大事故を経験したいま、『輸送』での事故を超える事態が現実になってしまった。そうしたなかに、作品『西海原子力発電所』『輸送』がおかれることになった。

いまひとつ、第三には構想を変えたことにより、『西海原子力発電所』で「贋被爆者」が前面に出たことの評価である。『西海原子力発電所』で井上は、『原爆前後』二九号（一九七四年）に収められた、岩永悌二「長崎原子爆弾記」を引用している（表記や句読点は改められている）。このことは、井上において、当事者の証言が用いられ、当事者性が優位におかれていることを示すようにみえる。

だが、いったい誰が、被爆者として当事者であるのか。その日に、広島、長崎にいたものでも爆心地からの距離の差異がある。他方、核状況に覆い尽くされた現代世界では、総ての人びとが被爆者となる危険性から離れられない。このことは、東日本大震災による原発事故の当事者とは誰を指すのか、ということにもつらなる。有明座の座長・浦上新五は「確かに原子爆弾の白い熱線を直接身に受けてはいない。だが、被爆者だと称しながら生きてきた年月に、ごまかしの思想もからくりもないはずだ」と述べている。

「生きるための夏――自分のなかの被爆者」（『世界』二三七号、一九六五年八月）で、井上は、広島にいたことさえも語りたがらない娘たち、「浦上の記憶」を自ら「抹殺」しようとする、親たちの存在を指摘していた。原爆から不在であることをいう被爆者がいる一方で、なぜ「贋被爆者」たらんとするものたちがいるのか。

なるほど、井上は「被爆者とは、アメリカの飛行機から投下された原子爆弾によって壊滅した地域に住んでおり、死んだ人間と生き残った者のすべてである」(「生者も死者も被爆者」『朝日新聞』一九七一年八月九日)としている。しかし、この限定は「原爆症」の認定基準に躍起になっていた日本政府への批判である。井上は、さらに核への議論を練り上げ、「贋被爆者」の存在へと至っているといいえよう。

このことを「原発文学」との関連でいいかえれば、『西海原子力発電所』は当初の「原発文学」の構想から「原爆文学」へと至り、さらにいまや、あらたな環境のなかで「贋被爆者」の議論を介してあらたな「原発文学」としての方向性を示唆していくことになった。

『輸送』でも、集団自殺を図るものたちが、その仲間たちと会話をしている――「はじめて見るな、こんな妙な月」「長崎に原爆の落ちる前の晩、赤か月の出たらしか」。

＊

「原爆文学」と「原発文学」とのあらたな関係。『西海原子力発電所』『輸送』は、こうして大震災後のあらたな事態にかかわり、いっそうの論点を読み取ることができるであろう。こうした論点は、井上光晴の思索と方法的営為の結晶に他ならない。

井上は、「作家における虚構の内質は原体験に深くかかわっている」と述べていた。原体験とは「過去から未来を撃つ思想の核、或は、未来から過去を撃つ思想の核」である（「想像力の具体化」『岩波講座　文学2　創造と想像力』岩波書店、一九七六年）。このことにより、事後にも読み得る作品として、『西海原子力発電所』『輸送』を提供したのである。

　だが、問題はここにとどまらない。いまや、この井上の営みを、私たち自身が体験しなければならない事態に立ち至っている。「病める人間から発せられる裸の視線こそが、戦後という時間の底を流れる欺瞞と頽廃を最も鋭く抉りだす」（「狂気のみなぎる現代」『朝日新聞』一九七一年八月三〇日）。だが、事後（＝「戦後」後）のいまや、すべての人が病む側に回ってしまったのである。

　『明日』「あとがき」は、「一九四五年八月八日の長崎は、一九八二年の今日、一九八R年八月八日の「明日」にそのまま通じるという言い方はむしろ蛇足となろう。その日にもはや、〔原爆の閃光を遮った―註〕「蛍茶屋」と〔原爆が投下された―註〕「浦上」に左右される運命の区別はない」と一九八二年四月の日付で記している。

　この予感が現実化し、井上の「虚構」が文字通りの「現実」となっている。さきの「想像力の具体化」のなかで、井上は「現実をさらに現実化する方法こそが虚構なのだ」といい、「現実に迫り、また現実に追い詰められる虚構」として『西海原子力発電所』『輸送』へと至った。「虚構」と「現実」の交錯のなかで、この作品が再び読まれることとなる。

II

東アジアのなかの歴史学

第6章　人間的想像力と歴史的記憶

1

第二次世界大戦の「戦後」と冷戦の「戦後」。いまほど、この二つの「戦後」が世紀転換期の「日本」をとりまいているのだ、という認識が必要なときはなかろう。

第二次世界大戦の終結から五七年、冷戦の終焉からでも一三年経って、二つの「戦後」の問題が重なり合うようにして私たちの歴史認識を問うている。第二次世界大戦の「戦後」は「いまだに」アジア諸国とのあいだに未解決の問題を残している。かたや、冷戦の「戦後」は「あらたに」そのなかで引き起こされた出来事を明るみに出しつつあり、二つの「戦後」のつくり出す問題が捩れ合いながら現出する状況が、目の前で展開している――北朝鮮(朝鮮民主主義人民共和国)との「国交正常化」への交渉やそのなかで明らかにされつつある「拉致事件」の報道を耳にしながら、そのように思う。そしてこの「いまだに」と「あらたに」の重層性が、事態への語りにくさを生じさせる要因となっている。

第二次世界大戦の「戦後」が「いまだに」終了していないのは、「戦後補償」を要求する裁判が多く起こされていることひとつ見ても明らかである。アジア諸国は冷戦の力関係のなかで金銭による賠償を放棄させられ、「戦時賠償」は「経済協力」に変えられた。このことをもって日本政府は、国家間の「戦時賠償」はすでに「解決済み」としている。しかし、そのために冷戦の終焉の頃から、日本や企業を相手取って個人補償に訴える人びとが相次いで現れ、「戦後補償」の裁判が起こされている。「慰安婦」や強制連行に関する訴訟を含め、その数は七〇件近い(近年のものでは、内海愛子『戦後補償から考える日本とアジア』山川出版社、二〇〇二年、を参照)。「戦後補償」が提起されたのは、第二次世界大戦の戦争責任とともに、その「戦後」責任を考えるなかからである。第二次世界大戦の「戦後」の過程は冷戦の過程であり、一方で冷戦下のあらたな問題を形成していったが、冷戦が終焉した後に第二次世界大戦を問うことで、冷戦後の始まりには、第二次世界大戦の「戦後補償」が要求され第二次世界大戦の戦争犯罪が再審された。

だが、現在まで国交のない北朝鮮に関しては(国交の断絶した台湾〈中華民国〉とともに)、その賠償について、「個人補償」はおろか、「戦時賠償」の交渉もまだ終わっていない。今回(二〇〇二年)の日本と北朝鮮の首脳会議ではそのことが主要な議題のひとつであり、「いまだに」第二次世界大戦の「戦後」処理が終わっていない——この当たり前のことを、まず確認しておかなければならないであろう。北朝鮮とのあいだには、言ってみれば、戦後処理が「いまだに」二重に未処理のままである。

しかし、いま進行している事態は、こうした第二次世界大戦とその「戦後」をめぐる問題に加えて、「あらたに」冷戦下での戦争犯罪が明るみに出てきたということである。今回の「拉致問題」は、北朝鮮による国家犯罪であり、また冷戦下の戦争犯罪にほかならない。日本政府と北朝鮮の双方が認知した「拉致事件」(一〇件一三人)〔補註〕は、一九八〇年前後、とくに一九七八年に五件八人の事件が起こり、この時期にその大部分が集中している。このことの意味について、私はささやかな論評をおこなったことがあるが(「eメール時評」欄、『朝日新聞』二〇〇二年一〇月三一日)、この時期は一九七〇年代に模索されていたアメリカ、ソ連の冷戦の緊張緩和政策(デタント)が終焉を迎えようとしていた時期にあたる。一九七八年は、一一月に「日米防衛協力のための指針」が決定され安保体制が強化され、日本で有事立法が取り沙汰された年であった。一九七九年のソ連のアフガニスタンへの進攻は、アメリカに強硬姿勢をとらせ、「新冷戦」が言われるようになった。

韓国とのあいだの「統一」を希求する北朝鮮は、韓国とアメリカの関係に神経を尖らせる一方、社会主義陣営内の中国やソ連といった大国との関係を見据えており、そこには国際関係―冷戦の影響がそのまま及んできていた。韓国、アメリカとは、戦争の「中断」状況にあり、それを背景に北朝鮮は冷戦下のなかで戦時体制を維持し、国家規模の犯罪をおこなった。冷戦下の戦争犯罪として、「拉致事件」を位置づけることができるであろう。

このとき、北朝鮮は「抗日遊撃隊をモデルとしている遊撃隊国家」(和田春樹『北朝鮮——遊撃隊国家の現在』岩波書店、一九九八年)である。——北朝鮮の臨戦体制が日本の植民地主義から発しているという和田の議論に従えば、ここでも第二次世界大戦と冷戦が折り重なり、二つの「戦後」が重層性をつくり出している。第二次世界大戦が「戦後」と冷戦を創出し、それぞれの戦時の戦争犯罪が折り重なるようにして増幅し戦後に噴出することこそが、二つの「戦後」のいま、目の前で展開していることがらである。このことを二つながら問題化する歴史的想像力が必要とされ、このことを抜きにしては「拉致事件」を語る文脈を見失ってしまう。第二次世界大戦のなかでおこなわれた朝鮮半島からの強制連行は、第二次世界大戦下の日本による戦争犯罪であり国家犯罪であったが、今回の北朝鮮による国家犯罪としての「拉致事件」も冷戦下の戦争犯罪である。そうした歴史的想像力を欠落させたとき、「あらたな」国家犯罪を強調し被害者の顔をして煽り立てるナショナリズムに巻き込まれていくか、「いまだに」解決していない強制連行などを(無意識にではあれ)バランスシートのようにもち出すことになり、不毛な議論に巻き込まれてしまうのであろう。金石範《キムソクポム》が厳しく批判するように、「拉致事件」によって「過去の植民地支配の歴史清算を相殺し、帳消し」することは許されない(「歴史は全うされるか――日朝国交正常化について」『世界』七〇八号、二〇〇二年一二月)。また、「拉致事件」も同様に決して相殺はされない。

2

今回の「拉致事件」は、生存していた当事者たちの「帰国」によって、新しい展開をみせている。国家犯罪に巻き込まれた当事者たちを目の前にして問われているのは、人間的想像力であろう。彼ら彼女らの言葉や表情が、出来事の異常さとその重みを語っている。新潟県真野町の町役場での記者会見で、曾我ひとみは「二四年ぶりにふるさとに帰ってきました。とてもうれしいです」「今、私は夢を見ているようです。人々の心、山、川、谷、みな温かく美しく見えます。空も、土地も、木も私にささやく。『おかえりなさい。頑張ってきたね』。だから私もうれしそうに『帰ってきました。ありがとう』と元気に話します」と述べたという(『朝日新聞』二〇〇二年一〇月一八日)。印象的な言葉で、「拉致事件」に巻き込まれながら、帰国できたことへのさまざまな想いが込められた言葉である。しかし曾我が誰に語りかけ、何を語ろうとしているか(このことは、何を語っていないのか、ということでもある)を考えなければ、あまりにも素朴な「故郷」賛歌や「日本」への同一化に、この言葉を巻き込んでしまうことになろう。曾我の会見を報道した新聞の見出しは、「懐かしいふるさとでの会見」とされている。「帰国」と「帰郷」とが無媒介に重ねられ、「故郷」である日本での生活が当然であるかのような論調が、当事者たちの周囲を取り囲んでいる。メディアをはじめ自治体までが「故郷」をもち出し、「故郷」を楯にとってのさまざまな言葉がとびかっている。週刊誌など、「このまま日本で暮らせたら」などとの見出しを当然のようにつけている。

「故郷」という言葉をもち出すときには、それをえらぶか捨てるか、という選択が伴いがちである。この間の報道のなかで用いられる「故郷」という言葉は、あまりにも素朴に用いられ、その故に「故郷」がもつ磁力の強さに幻惑されている。誰でも皆、自分は美しい「故郷」をもっていると思っているように、「故郷」は懐かしさの感情を中核とした、強大な吸引力をもっている。しかし、「故郷」は懐かしさの場所であると同時に、しばしば疎ましさの空間でもあり、ことは単純ではない。「故郷」を尋ねられ、胸を張ってこたえる人があるなか、「故郷」に対する複雑な思いから、ついつい口ごもってしまう人もあろう。「故郷」という場所はアイデンティティの唯一の要素ではなく、「故郷」がすべての人格を決定するものでもない。「故郷」はアイデンティティを構成する要素のひとつであり、逆にアイデンティティが問われる空間である（成田龍一『「故郷」という物語――都市空間の歴史学』吉川弘文館、一九九八年）。

蓮池薫が、『薫を（北朝鮮に――註）帰さないために来た』という幼なじみの四人との「議論」のなかで、「二四年間、おれはおれなりにやってきたんだ。それを無駄だったと言うのか」と難じたと報道されたが(『朝日新聞』一〇月二三日)、この苛立ちは当然のことと思われる。「故郷」とともに、四半世紀という時間を過ごした現在の場所があるのだから。

こうしたなか、中山恭子内閣官房参与(当時)は、記者団に向かって、「私は当初から国として対応する問題だと言っている。本人の意思も大事だが、今はそれよりも、国としてどう行動するかの問題だ」と述べた(『朝日新聞』一〇月二三日夕刊)。また、日本政府は一〇月二四日には、「本人の意向にかかわらず」五人を日本に「永住」させたうえで北朝鮮にいる家族の「早期帰国」を求めるとの方針を決めた(『朝日新聞』一〇月二五日)。だが、居住する場所をどこに定めるかは、当事者の決定することがらである。たしかに、「北朝鮮による拉致被害者家族連絡会」は政府の決定を「高く評価する」としている。当事者たちの意向も、どこに居住するかで揺れ動くこともあろう。しかし決断を下すのは当事者たちであり、また、ここでの選択肢も「日本か北朝鮮か」、ではなく、「日本も北朝鮮も」であってしかるべきである。

当事者の意志が実現できるような環境を設定することに、政府や自治体の役割はつきる。このとき、「故郷」という言葉をもち出すことには慎重でありたいし、「故郷」であることを理由にその地に住むことが当然であるかのような議論に対しては、当事者の意志を何よりも尊重することが肝要である。「故郷」という言葉は、しばしば暴力をはらんだ言葉として機能することに配慮する必要があろう。そしてこのことに関連し、当事者の自由意志をないがしろにした歴史的出来事は、記憶にとどめておく必要がある——それは、一九五二年四月に講和条約発効と同時に、台湾・朝鮮の旧植民地出身者から「日本国籍」を剝奪した法務府民事局長通達を出したことである。どの国籍を選択するかという当事者の意志が介在しないところでの、一方的な決定であった。在日コリアンの存在はここから始まっており、当事者を抜きにした議論や政策が、当事者にとって不本意な事態を引き起こした経験がここにある。しかも、この国籍剝奪によって、旧植民地出身者にかかわる戦争の補償がなされないことも起こっている。人間的想像力は、歴史的記憶とともに考えられなければならない。

必要とされていることは、いかにして北朝鮮とのあいだに、二つの「戦後」をふまえての「和解」が可能かを探るということであろう。人間的想像力を欠いた発言は、人を冷たい政治のひとこまとして扱うことになる。だが、歴史的記憶をないがしろにした発言は、感情に流され、時としてその文脈を自己中心的にしてしまう。東アジアの歴史と人びとへの想像力をあわせもち、〈いま〉に対処することが求められるなか、二つの「戦後」を生きているという認識が自覚化されなければならないと述べるゆえんである。これは、冷戦後の認識によって、第二次世界大戦の歴史像の書き換えが要求されているということでもある。一九三一年の「満州」事変から、一九四五年の敗戦を挟み、今日にいたるまでの歴史認識のすべてが問われている。一九八九年のベルリンの壁崩壊、一九九一年のソ連崩壊によって冷戦が終了し冷戦後の時代となったが、それは「戦後」であるとともに、(まだ名前が付けられていない)あらたな戦争の始まりの時期であるのかもしれない。こうしたなかで、二つの「戦後」をふまえた、新しい歴史認識と歴史像が求められている。そして、そのなかで北朝鮮との関係が考えられなければならないであろう。

〔補註〕　日本政府が認定した「拉致被害者」は、(二〇二〇年六月の時点で)一七人となっている。

第7章　高崎宗司『定本「妄言」の原形』をめぐって

高崎宗司（一九四四―）への『法学セミナー』五七三号（二〇〇二年九月）のインタヴューは、「歴史を縦糸、美を横糸に日韓関係をとらえる」と題されている。日本と韓国、北朝鮮（朝鮮民主主義人民共和国）の関係に一貫して発言を続けてきている高崎であるが、朝鮮美術に魅せられた浅川伯教《のりたか》・巧《たくみ》兄弟や柳宗悦らの足跡を紹介する一方、『検証　日韓会談』『検証　日朝交渉』を著してもいる。インタヴューのタイトルは、こうした高崎の関心と営みを、うまく表現していよう。

高崎が「歴史」の縦糸と、「美」の横糸によって織りなすものは、日本と朝鮮半島の人びとをめぐっての「歴史的検証」である。そして、こうした高崎の要となる作品のひとつとして『「妄言」の原形――日本人の朝鮮観』がある。同書は一九九〇年に初版が刊行され、その後、状況の変化に伴って増補され版が重ねられ、二〇一四年の第四版が定本化された。この著作を軸に高崎の営みを探ってみたい。

1

高崎宗司の関心は、歴史／現在の双方によってたつことをはじめ、知識人／民衆、政治家／在野の人びと、日韓／日朝、そして、政治／文化と、たえず複眼的に目配りをし、多分野に議論を及ぼしていく。アカデミズムに対し発言するとともに、運動のなかから政治的なメッセージも発し、人びとに広く訴えかけてもいく。こうした高崎の論考は、いくつかの関心の固まり(A―D)に分けられる。第一は、日本と朝鮮のあいだに友好関係を作りあげようとした人物たちの紹介(A)である。中軸となるのは浅川伯教・巧の兄弟、および柳宗悦についてで、とくに浅川巧については、「発掘」という営みを伴っており、高崎の議論の初発のかたちをなしている。『朝鮮の土となった日本人――浅川巧の生涯』として評伝を記すとともに、『回想の浅川兄弟』『浅川巧 日記と書簡』『浅川巧全集』を編み、史資料そのものをも提供した。

第二は、日韓、および日朝関係の考察(B)で、(1)その歴史的系譜が探られることとあわせ、(2)現状と問題点を指摘する。Aが主として民間・在野の人びとの営みの紹介であるのに対し、Bでは、政治的に作りあげられた非対称的な枠組みの検証がなされる。東アジア情勢のなかで、さまざまに生起する対立と確執の政治に眼を向け、歴史的要因と推移していく事態を、綿密かつ批判的な視線で追う。考察のための資料を提供する一方、事態の打破の方向を探っていくのである。

こうした高崎の関心を貫くのは、日本が朝鮮を植民地化したことに対する責任意識だが、その植民地責任と戦後責任についての発言(C)もひとつの領域をなしている。第三の領域だが、とくに論文として、また運動のなかでの声明として提出されている。

さらに、第四に翻訳を介しての営みもある。韓国からの報告、韓国における歴史研究、黄晳暎《ファンソギョン》や金芝河《キムジハ》ら作家・詩人の作品の紹介(D)をおこなう。韓国側から描かれた現状、歴史、文学を、日本の読者に提供するのである。

高崎は、A、Bで日本の側の意識を探る一方、韓国の側の意識をたえずその鏡とし、そのために翻訳による紹介をあわせおこなっていっていた。運動史とともに、韓国の人びとの歴史認識をうかがわせる著作も翻訳しており、ここでもその目配りは広い。

こうした高崎だが、一般に見ることができるその出発は、一九二〇年代の日本の農民運動―民衆運動史の考察で、学会誌に発表された「日本農民組合の成立」(『地方史研究』一一一号、一九七一年六月)である。東京教育大学(現在の筑波大学)の日本史専攻の学生であった高崎は、いわゆる大正デモクラシー期の考察をおこなった。しかし、高崎が対象としたこの時期は、大日本帝国として、日本が東アジアの植民地化を進めていく時期にほかならない。高崎は、そのことを意識したのであろう、その後、「内村鑑三と朝鮮」(『思想』六三九号、一九七七年九月)、「金教臣と「聖書朝鮮」」(『文学』四八―二、一九八〇年二月)を発表し、日本のキリスト教者と朝鮮の関係を考察していく。

そして、このあいだに浅川巧の評伝を連載し(「朝鮮の土となった人——浅川巧評伝」『思想の科学』第六次・一一〇、一一二—一一四号、一九七九年一〇月—八〇年一月、四回連載)、ここが高崎の出発とも言うべき地点となる。

あわせて、翻訳活動として、崔夏林《チェハリム》「柳宗悦の韓国美術観——韓国美術史研究の方法を確立するために」(『展望』二二一号、一九七六年七月)もおこなう。おりしも、鶴見俊輔『柳宗悦』(平凡社、一九七六年)が刊行され、柳と朝鮮美術、さらに植民地化された朝鮮との関係が、ひろく知られるようになった時期のことである。柳宗悦の朝鮮美術への関心と朝鮮の人びとへの心情があきらかにされる時期に、あえて韓国での柳への厳しい解釈を紹介していく。

一方通行ではなく、韓国側の見解にも眼を配っているということだが、このあと高崎自身も、みずから柳宗悦について紹介していく(「柳宗悦と朝鮮・関係年譜」『民藝』三三六号、一九八〇年一二月)。

また、高崎は日韓関係の現状にもかかわり、体制批判の詩人であった金芝河の作品の翻訳(『世界』四七一号、一九八五年二月)をはじめ、「金明植氏の指紋押捺拒否・韓国紙の社説」の翻訳(『技術と人間』一五—七、一九八六年七月)、「韓国民主化の声」翻訳(『世界』五〇六号、一九八七年一〇月)などをおこなう。また、「ソウルの眼」として翻訳連載をし

表1　雑誌『世界』での主要な発言

「日韓教科書の落差」544号，1990年8月
「私たちはどのように戦後を越えてきたか――日本人の「第2の罪」を検証する」567号，1992年4月
「日韓条約で補償は解決したか」572号，1992年9月
「戦争責任論，一歩前進だが」587号，1993年10月
「日本は何をしたか，何を訴えられているか」591号，1994年2月
「被害を受けた側の歴史認識をもっと理解しよう」増刊696号，2001年12月
「謝罪・補償問題はどこまできたか――日朝会談と日韓会談を比較する」707号，2002年11月
「歴史問題を軽視してはならない」739号，2005年5月

(『世界』五五二―五六六号、一九九一年四月―九二年四月、一二回)、韓国の知識人たちの声を伝えようともしていた。この連載のあいだに、「日本に自主性がないのは不満です――日朝会談について、平壌街頭の声を聞く」(『世界』五五九号、一九九一年一〇月)をいれ、北朝鮮のようすの報告もなす。「日韓歴史教科書の違い」(上下、『月刊 軍縮問題資料』一二九・一三〇号、一九九一年八・九月)と、相互の比較にも踏み込んでいる。

こうして、高崎は韓国、さらに北朝鮮の情勢をめぐり、一九八〇年代半ば以降、とくに九〇年代に積極的に発言していく。その一例として、朝鮮半島の動向に『世界』が発言するときには、必ず高崎の名前が見られることをあげうる(表1)。だが、あわせて(のちにふれるように)『世界』そのものの報道の姿勢に対する検証も怠らないところに、高崎の本領がある。

2

『「妄言」の原形』(一九九〇、九六、二〇〇二年)は、以上のような高崎宗司の仕事のなかで、歴史と現在を接合させるものとして提供されている。日韓、日朝関係を、歴史的な射程で検証するとともに、その眼で現在の関係を論ずる姿勢を示した著作となっている。そのため、『「妄言」の原形』は、増補が繰り返しおこなわれ、節目ごとに増補版が刊行され、最新の定本は第四版の刊行となっている。

一九九〇年の初版は、日本が朝鮮を植民地とした一九一〇年から八〇年目にあたる。日韓条約から二五年目でもあり、その節目の年に『「妄言」の原形』としてみずからの認識を提示した。高崎にあるのは、日本は、朝鮮の植民地化という決定的な間違いをしたうえに、いっこうにその「反省・清算」をしておらず、そのなかで日韓基本条約が結ばれたという慙愧の思いである。

『「妄言」の原形』「はじめに」で、高崎はこの本の問題意識を、三点述べている。

第一は、近代日本の知識人が朝鮮をどのように見ていたのか、第二は、そのような朝鮮観がどのようにして形成されたのか、第三は、そのような朝鮮観がどのように評価されているのか、ということである。

実際の叙述は、もう少し複雑である。知識人の朝鮮観(α)は、一八八〇年代の福沢諭吉から、一九〇〇年代の内村鑑三をへて、一九一〇年代の群像に至る認識が検討される。そして、戦後の政治家たち(β)の朝鮮観が論じられる。このとき、知識人も政治家も、「民衆」との相関関係を有しており、「民衆自身」の朝鮮観は扱われることはないのだが、「民衆」の存在を意識しながら、それぞれの分析がなされている。

αは、一方の極に柳宗悦、浅川伯教・巧(＊)、斉藤勇をおき、その系列として、内村鑑三、矢内原忠雄、秋月致《あきづきいたす》(＊)(α1)、他方の極に、福沢諭吉、および、「代表的な御用言論人」で「日本人の朝鮮蔑視を象徴的に体現」した細井肇《はじめ》(＊)(α2)をおく。αが一部を除き戦前の人物であるのに対し、βの政治家・官僚たちは、戦後の久保田貫一郎、高杉晋一、椎名悦三郎、佐藤栄作を論じている。＊は、高崎の発掘した人物たちである。よく知られた知識人たちの発言を検証することとあわせ、あまり知られていない人物を発掘し、その発言・行動を紹介することも高崎の営みの特徴となっている。

『「妄言」の原形』第二版以降には、村山富市、江藤隆美、そして扶桑社教科書と、現状の問題をとりあげ批判をおこなう。こうして、『「妄言」の原形』において、αは主として戦前の知識人、βは戦後の政治家となる。

このとき、(1)「妄言」はβに凝縮して顕現するが、αもそれから免れていないというのが、高崎の見解である。とくに、(2)α2は、βと接しているが、α1とても、朝鮮に対する認識の限界を免れていないとする点に高崎の議論の特徴がある。高崎は、「日本人の三・一運動観」「日本人の朝鮮統治批判論」をはじめ、議論の端々にそのことを指摘していく。

内容に沿いながら、その様相をみていくと、まずは福沢諭吉に対し、「誘導」(一八八一—八四年)—「脱亜」(一八八五年)—「脅迫」(一八九四年)の正当化をおこなった、と手厳しく論ずる。のちの陸奥宗光—中曽根康弘にいたる「妄言」の背景と原形をここにみており、福沢の朝鮮観が厳しく追及される。$\alpha 2$の知識人たちの認識—言論は、βの「妄言」と接していることが論じられる。

これに対し、内村鑑三は、韓国で高い評価を得ているとされる。福沢諭吉と「一見同一の認識と論理」を持つが、内村は「義」「道理」を「ホンネのところで主張」したというのが、高崎の評価である。日清戦争後の日本を批判し、「韓国併合」(一九一〇年)に批判的な内村が紹介される。内村は一九一二年に決定的な転換をおこない、「民族的レベルで朝鮮を平等視する態度」を持ち、朝鮮人とも付き合ったとし、$\alpha 1$の系列として評価していく。

とはいえ、$\alpha 1$の系列の知識人たちが手放しで礼賛されることは決してない。定本版『「妄言」の原形』での$\alpha 1$の代表としての柳宗悦は、四七ページに及び周到に論じられている。高崎は、柳宗悦の朝鮮論をめぐる評価と批判について、これまでの議論を紹介したうえで、諸論文は柳の行動、柳の交友関係、柳の文化政治とのかかわりを考察せず、柳の朝鮮論につぶさにあたることもしていないと批判する。

そして、みずからの見解を提示するが、柳は（朝鮮総督府がおこなっている）朝鮮の人びとへの「教化」に対し「情愛と敬念」を対置したことを評価しつつ、柳の朝鮮観の特徴として「朝鮮問題に対する公憤」と「その芸術に対する思慕」が結びつくことを指摘する。そして、民芸運動を「過大評価」するあまり、政治的独立運動を「過小評価」したと、批判する。柳を「歪んだ朝鮮観」に立ち「完全独立論者に背を向け、自治論者を励ますもの」と、手厳しい評価を下すのである。

浅川伯教・巧もまた、同様の批判から免れえない。浅川兄弟は、柳と「最も近かった在朝日本人」として紹介され、兄・伯教は朝鮮に赴き、陶磁器に打ち込み、弟・巧は、（兄を慕って）朝鮮に行き、総督府林業試験場の雇員（のち技手）として朝鮮の山の緑化に取り組む。兄弟ともに、朝鮮人と交流し、朝鮮語を解し、朝鮮美術に関心を深め、韓国でも評価は高い。しかし、浅川兄弟の仕事が「総督府の狡猾な統治方法としての文化政治に一致する側面をもっていたことを忘れてはなるまい」と、高崎は書きつけるのである。

日本基督教会の牧師として朝鮮にいた秋月致は、三・一運動のときの提岩里《チェアムリ》での出来事に対し、「基本的には正しい情報」を伝えた。秋月を（三・一運動のなかで）「誠実に対応しようとした数少ない日本人のなかの一人」とするとともに、高崎は、そもそも日本のキリスト者による朝鮮伝道が、日本政府による朝鮮植民地化と「表裏をなして」進められたことに注意を促し、批判の手を緩めない。秋月もその流れに「便乗」しており、のちには「内鮮一体を推進する」朝鮮基督教連合会の副委員長を務めることをいう。

あるいは、植民政策学を講じ、韓国併合の意味を問い、「文化政治」の本質を暴き、時局に抵抗した矢内原忠雄も、そのことが評価される一方、いまでは「理論の誤り」があきらかと、高崎は論じていくのである。日本という宗主国にいることによる認識の歪み。朝鮮の友であることを任じようとしても、その歪みから免れえないことを高崎は見逃そうとしない。

『「妄言」の原形』は、あいだに「日本人の三・一運動観」「日本人の朝鮮統治批判論」をはさみ、総合雑誌や新聞に見られる知識人・政治家の見解の紹介とその批判がなされる。一九一〇年の「併合」のあと、一九一九年以降の「文化政治」の論点をめぐっての認識が検討されるが、ときの首相・原敬をはじめ、「朝鮮総督府の御用新聞」『京城日報』の三・一運動論が批判され、「朝鮮通の人びと」の三・一運動観も俎上にあげられる。

焦点となるのは、三・一運動後の「文化政治」の評価である。高崎の眼には、(1)それまでの「武断政治」に対しての批判はなされるが、(2)「文化政治」には評価が甘くなると、当時の言論状況が映っている。そのため、(3)柳宗悦には一貫して手厳しい(「三・一運動とそれに対応した「文化政治」を正しく評価することはできなかった」「文化政治にまきこまれてしまった」)。

この点から、α1として朝鮮に対し発言・行動していた吉野作造、柏木義円も批判される。原敬と、α1の知識人たちとのあいだに「異質性」とともに「同質性」があったといい、「当時の厳しい言論統制の中で勇気をもって発言した」柳や吉野、柏木らを「あえて批判」するのである。高崎の視点は(宗主国の知識人として)その発言が、「朝鮮人の求めていたものとどの程度の距離をもっていたのか」ということにある。総督府の統治に批判的な知識人(この点で、α1の系列に位置する)である吉野作造(「差別的待遇を撤廃」「武人政治を廃め」「同化政策を抛棄」「言論の自由」)、中野正剛(大日本帝国憲法を朝鮮に施行するようにいう)、柳宗悦(「朝鮮統治の思想そのもの」に向けた批判)、石橋湛山(文化政治をもってしてもダメ)、末広重雄(「自治を許す」こと)、矢内原忠雄(「朝鮮議会の開設」)もみな、「朝鮮の独立を否定」していると批判される。

彼らはそれぞれに「日本人の良心」を代表するのだが、具体的な政策批判はなされず、植民地統治の「効用」を信じていたと批判される。「独立」を認知しえない議論として、α1の知識人たちがその限界を指摘される。先の堤岩里事件を告発する詩「或る殺戮事件」(一九一九年)をつくった斉藤勇に対してこそ、批判的言辞はみられないが、おしなべて厳しい言辞がなされる。そのゆえ、α2の系列の知識人に対しては、批判が徹底する。そのひとり、細井肇は、日露戦争後に長崎で社会主義研究会を組織した初期社会主義者であり、普通選挙期成同盟会での活動の経歴を持つ人物であるが、その点はいささかも割り引かれない。

一九二〇年代は、民権と国権、社会主義者と右翼活動家の混在していた時期でもあり、細井が大アジア主義を唱導したのは一九二七年とされる。しかし、細井の朝鮮への蔑視は古くからあり、一九一〇年にはそうした認識がすでにみられるという。高崎の細井論の白眉は、(斉藤実文書にある)細井の意見書、書簡の紹介で、ここでの細井はたしかに朝鮮総督府―斉藤実朝鮮総督に金をせびり、統治に沿う本を出版しており、高崎はその文脈で細井を論じていく。朝鮮への関与をめぐっての本人の内的葛藤があったと思われるが、そこに目を向けるのではなく、権力の狡知に乗ってしまい、権力に翻弄された細井像を提供している。規準を明確にした言説批判である。

そして、『「妄言」の原形』は、ここから切れ目なく、戦後の政治家たちβの「妄言」批判へと赴く。第三次日韓会談の日本側首席代表である、久保田貫一郎が「日本の朝鮮統治は朝鮮人に恩恵を与えた面もある」と述べ、会談を中断させた経緯がたどられ、その発言は日本政府により「全面的に支持」され、野党(右派社会党)までもが「黙認」したとする。注目すべきは、高崎が「久保田発言」について、国会でのやり取りをはじめとする政治の世界での応酬とともに、「久保田発言」に関する日本、韓国での新聞、雑誌の見解を検証していることである。韓国側ではいっせいに批判がなされるが、日本のジャーナリズムはほとんど取りあげていないと、高崎はその結果を報告している。

植民地支配の正当化につらなる「妄言」――一九一〇年の「韓国併合」は「合意」によってなされた、（久保田発言に代表される）日本はいいこともした、（日本のみならず）韓国側にも責任がある、という認識など――その「妄言」の根の深さを示す政治家たちβの発言を、高崎は厳しく追及する。

さらに、第二版では、村山富市の「韓国併合条約」への無見識、江藤隆美の植民地意識の無自覚さを批判し、第三版では、二〇〇一年に問題化した、扶桑社版の中学校歴史教科書の持つ問題点、そこから生ずる論点と対処についても言及する。とくに、後者において、戦前の朝鮮史学界で日本の朝鮮植民地支配を「正当化」する三つの史観――「日鮮同祖論」「朝鮮停滞論」「朝鮮付庸論」を補助線とし、それとの相同を指摘する点が特徴的である。

こうして、『「妄言」の原形』において高崎の言は厳しい。戦後の政治家たちβの無見識は当然として、α1の朝鮮人と接していた知識人に対しても、厳しすぎるくらいにまで限界を指摘する。日本と朝鮮の関係をめぐり、複数の道があること。そして、互いの共存を目指すがゆえに、「妄言」を厳しく糾弾していくのであり、このことは歴史的な経緯の無知への批判と追及となっている。

『「妄言」の原形』「おわりに」で、高崎は「高く評価されている朝鮮観の持ち主」が「よき隣人」を持ち、「朝鮮を理解するための努力を惜しまず、行動した人達だ」という。実際に、秋月と柳、柳と浅川、柳と妻の兼子、そして彼らをとりまく日本人と、南宮《ナムグン》璧《ピョク》をはじめとする朝鮮人の輪という拡がりがあり厚みがあった。とくに、α1の知識人たちは、朝鮮人留学生たち、朝鮮の知識人たちとの豊かな人脈を有している。

しかし、ここでも高崎は慎重で、柳と総督府との関係に言及している。観豊楼を朝鮮民族美術館(一九二四年開設)の建物として借りることを、総督府が許可をした理由に、高崎は柳の「熱意」とあわせ、美術館が総督府の文化政治にとり利点を持つこと、さらに総督・斉藤実にとり、柳がかつての上司の息子であり、信頼する部下の義兄であったことを挙げる。そして、柳の側も、総督府に「そうとうの期待」をかけ、援助への違和感を有していなかったことをいう。「柳が愛したのは、朝鮮の芸術と、その芸術を生み出した朝鮮人」であり、「独立を求めて闘う朝鮮人ではなかった」と強調し、どのような朝鮮人の友であったか、どういう友であったかにまで踏み込む。

『「妄言」の原形』では、朝鮮人自身の求めていたものの歴史的な紹介もなされる。「三・一独立宣言」(崔南善《チェナムソン》)、「二・八独立宣言」(李《イ》光洙《グワンス》)、「朝鮮独立の書」(韓龍雲《ハニョンウン》)、「朝鮮革命宣言」(申采浩《シンチェホ》)、「朝野の諸公に訴ふ」(廉尚燮《ヨムサンソプ》)、「朝鮮統治政策に就いて」(南宮璧)を紹介し、先の四つがはっきりと、のちのふたつが婉曲に「朝鮮の独立」をいうとした。

このとき、崔南善が朝鮮史編修会委員を務め、李光洙が創氏改名をしたことなどは、あえて触れていない。崔南善も李光洙も屈曲しており、日本の朝鮮政策に協力した局面があるがそこには言及せず、朝鮮民族のために内面の葛藤をおさえての選択であったという解釈もせず、かかる局面を捨象して論じている。日本知識人への追及の厳しさを見るとき、彼我の評価に二重の規準が見られる。

しかし、崔や李の蹉跌は、植民地下であるがゆえに、朝鮮人側のみが踏まされる踏み絵によるものであった。日本と朝鮮の関係を考察するとき、植民地支配により、人びとはともに傷を負うのであるが、宗主国／植民地の非対称性を見ることなくして、彼ら朝鮮人たちの行動を述べることはできないというのが高崎の立場である。高崎は、朝鮮知識人の傷をあげつらうのではなく、逆に良心と誠意を示したはずの日本知識人がなぜ、さいごの一歩を踏み出せなかったかに向かう。その「内的な理由」を検討するのである。毅然とした高崎の姿勢をここに見ることができる。

発表媒体にも、いくらか触れておく必要があろう。初版の軸をなすのは、『季刊　三千里』への寄稿である。一九七五年二月に創刊された『季刊　三千里』は、朝鮮半島の統一を希求するとともに、日本、朝鮮、在日コリアンの三者をつなぐ姿勢を示す。「朝鮮と日本との間の複雑によじれた糸を解きほぐし、相互間の理解と連帯とをはかるための一つの橋を架けて行きたい」（「創刊のことば」）との意図のもとに発刊し、一九八七年五月に五〇号を刊行して終刊するまで、一三年間にわたり刊行された雑誌である。

『季刊 三千里』は、日本、朝鮮、在日コリアンの三者の対立を作り出した歴史的経緯とともに、日本と朝鮮の交流の歴史にも目を配る。冷戦的思考を批判し、そこからあらたな「架橋」(コラムの名称でもあった)を探り、歴史認識に果たした役割、与えた影響は大きい。この『季刊 三千里』が初出の多くであったことが、読者対象―執筆年代とあわせ、高崎の議論の厳しさを生じさせているであろう。しかし、高崎の提示する立場は、植民地問題の議論の厳しさにほかならない。高崎が繰り返し強調するのは、安易な同伴者意識は当事者からの距離をたえず有しており、その自覚なくして友たることはできないということだが、このことは高崎自身にとっての自戒でもあろうと思う。

高崎がおこなっているのは、歴史と〈いま〉、そしてここにいたる徹底した「検証」の営みである。このことによってこそ、友としての資格を有することができるとの意識・実践であり、高崎の仕事が厳しさを持ちながらも、多くの人びとから信頼され説得力を持つのは、一貫したこの「検証」の姿勢によっていよう。

『「妄言」の原形』には、「索引を兼ねた日朝関係史年表」が付されている。この年表―索引は、他の著作にも付され、高崎の方法と認識を示すものだが、この索引年表が、高崎のねらいと主張を端的に伝えている。

鶴見俊輔は、初版のカヴァーに、

朝鮮に関心を持つ日本人は情緒本位である場合が多い。私もそのひとりである。そういう日本人の間にあって、高崎宗司氏は、朝鮮語を身につけ、朝鮮の現実を自分の眼でたしかめて、自分なりの朝鮮への道をきりひらいた。彼の著作に啓発された読者のひとりとして、彼の手による日本人の朝鮮観への批判の書が、読まれることを望む。

と書きつけた。高崎の営みを的確にいいきっている。

3

『「妄言」の原形』の営みとともに、高崎は続けて、ふたつの方向に向かう。ひとつは、高崎自身の「美」の探究である。「美」に関心を持つ高崎は、朝鮮美術の旅に赴く。その具体化としての『韓国民芸の旅』(草風館、二〇〇一年)は、第一章に「柳宗悦・浅川兄弟の歩いた道」が高崎の手によって記されている。一九九七年から、ジャパンコムツーリストによるツアーがなされ、「高崎宗司と行く韓国の旅」(二〇〇四、〇七年)が実施されたという。

他方、対をなすように、「朝鮮美術工芸品」が日本各地のどの施設にあり、どうしてそこにあるのかを調査し、二〇〇五年三月より雑誌『民藝』に「日本の中の朝鮮美術工芸品」として連載した。須坂市立クラシック美術館、東北福祉大学芹沢銈介美術工芸館、倉敷民芸館、浅川伯教・巧兄弟資料館を調査し、「日本の中の韓国民芸の旅」として、前掲書の増補新版(二〇一二年)に付した。

いまひとつは、『「妄言」の原形』で扱われなかった、民衆における朝鮮観と戦時期の朝鮮の様相についての考察である。『植民地朝鮮の日本人』(岩波書店、二〇〇二年)によって、この領域が扱われた。とともに、『「妄言」の原形』の営みがますます前面化してくる。高崎は、一九九〇年前後の東アジアにおける「反日感情」に直面し、(1)一九八〇年代以後の日本の朝鮮政策を検討し、(2)それに対する「朝鮮人側の批判」をあわせ検討する。そして、そこから、(3)「日本人の朝鮮観」を不可避的に浮き彫りにした。そのものずばり、『「反日感情」――韓国・朝鮮人と日本人』(講談社、一九九三年)と題する著作を刊行し、時期ごとの問題を挙げ、通時的に「妄言」の系譜を批判的に論じた。『「妄言」の原形』における政治家たちβの背景を描くとともに、その後の時期にも議論を及ぼす営みといい得る。

こうしたとき、二〇〇二年九月にあきらかとなった、北朝鮮による「拉致」問題は大きな意味を持つ。「拉致」をおこなった北朝鮮への批判が、これまでの植民地意識を吹き飛ばしてしまい、北朝鮮(および朝鮮)に対する意識を大きく転換してしまったのである。

高崎はこの転換点において、あらためて戦後における左派、およびジャーナリズムの発言の歴史的検討に着手し、さらに北朝鮮と日本との関係の「検証」にも向かう。

「日本社会党と北朝鮮」「『世界』は北朝鮮をどう論じたか」「帰国運動とは何だったのか(上)」「『朝日新聞』社説は北朝鮮をどう論じたか」「金丸・田辺訪朝はいかにして行われたか」(和田春樹・高崎宗司共著『検証 日朝関係60年史』明石書店、二〇〇五年)を著し、政府に対して批判的に対応し誠意をもって対応してきたはずの左派勢力、左派のジャーナリズムの言説を「検証」する。さらに、高崎宗司・朴正鎮《パクチョンジン》共編著『帰国運動とは何だったのか――封印された日朝関係史』(平凡社、二〇〇五年)では、「なぜ、いま帰国問題か」と「帰国問題の経過と背景」を記し、「寺尾五郎の朝鮮論」「『朝日新聞』と『産経新聞』は帰国問題をどう報じたのか」および「帰国運動に関する『世界』と『中央公論』の論調」(尾高朋子との共同執筆)を執筆する。在日朝鮮人の帰国運動についても、北朝鮮の政策を自明とせず「検証」に向かうが、いずれも冷戦体制―戦後のなかで、左派、およびジャーナリズムが、北朝鮮の政策を批判なしに紹介していたことへの反省に立っての営みである。

高崎にとっては、みずから身を切るような「検証」の作業であり、左派の無意識の独善性を、あらためて点検する営みであった。ことばを換えれば、高崎の厳しい批判が、みずからをも含めた戦後の左派に向けられることになる。戦後の民衆意識と政治の接点を、ジャーナリズムの論調に探ることでもあり、和田春樹と共同でなされたこれらの

「検証」の持つ意味は大きい。

このように高崎の思索を考えるとき、冒頭にあげたインタヴュー中の「歴史」の縦糸と「美」の横糸とともに、高崎の姿勢としていまひとつ「現在」を見つめる眼、そして持続する志を付け加えたい。高崎はアジア女性基金に加わり、公開フォーラムにも参加し(二〇〇一、〇二年)、実践運動も継続していく(「「元慰安婦に償い金を手渡す」の記」『文藝春秋』七五―四、一九九七年三月)。

高崎のこの姿勢と歩調を合わせるように、『「妄言」の原形』をはじめ、高崎の主要な著作はたえず増補がなされている。『韓国民芸の旅』(二〇〇一、〇五、一二年)、浅川巧の評伝『朝鮮の土となった日本人』(一九八二、九八、二〇〇二年)は、いずれも増補新版として改訂をおこないつづけている。

かくして高崎は「歴史的検証」をおこない、そのことによって〈いま〉を測り、硬直し閉塞する状況を打開しようとする。「妄言」と「反日感情」を対として把握し、「検証」を方法とする営みが、一九六〇年代から七〇年代―九〇年代を中心になされ、二〇〇二年の大きな転換を経ても継続されてきた。批判の対象は、政治家・右派の知識人の「妄言」にとどまらず、ジャーナリズムから左派の知識人にまで及び、「検証」の範囲が拡大し徹底していっている。また、政治家―知識人を扱うなかに、民衆の存在・民衆の意識が背後にあることも自覚的で、そのことを踏まえた考察と叙述がなされている。高崎の評価の軸は、当事者としての朝鮮民衆におかれ、その点は一貫して揺るぎがない。一九九〇年前後の冷戦体制の崩壊、グローバリゼーションの加速化のもとで「国境の越え方」が議論されるなか、いっけんオーソドックスではあるが、歴史を清算せず追及の手を緩めない。

非対称的な関係が歴史的に作られてしまったなかで、どのようにあらたな関係を作り出すのかという営み。このことこそが、現時の、いや戦後の過程を通じての最大の課題となっている。現在、ますますそのことが切実な課題となっていることを考えるとき、高崎の営みは多大の手掛かりを与えるものとなってこよう。高崎自身もまた、そうした方向に歩みだし、『津田仙評伝――もう一つの近代化をめざした人』(草風館、二〇〇八年)は、かかる歴史には至らなかった道を探る試みとなっている(高崎の主要著作は〈**表2**〉を参照されたい)。

こうした高崎にとり、また読者としての私たちにとっても『「妄言」の原形』は、ますます重要な作品となってこよう。一九九〇年の初版は二六七ページであったが、その後に増補が繰り返され、一九九六年の第二版は三二〇ページ、二〇〇二年の第三版に至って三五二ページとなっている。この事態は、日本と朝鮮半島との関係が、六年ごとに小刻みに推移してきていることでもある。そして、これまでのペースでいくと、第四版

『北朝鮮本をどう読むか』(和田春樹と共編), 明石書店, 2003年—B
『回想の浅川兄弟』(深沢美恵子・李尚珍と共編), 草風館, 2005年—A
『帰国運動とは何だったのか——封印された日朝関係史』(朴正鎮と共編著), 平凡社, 2005年—B

金大中『金大中獄中書簡』(和田春樹・金学鉉と共訳), 岩波書店, 1983年(新装版, 2009年)—D
姜万吉『韓国現代史』(訳), 高麗書林, 1985年—D
李泳禧『分断民族の苦悩』(韓国現代社会叢書)(訳), 御茶の水書房, 1985年—D
黄晳暎『客地 ほか五篇』(訳), 岩波書店, 1986年—D
姜東鎮『韓国から見た日本近代史』上下(訳), 青木書店, 1987年—D
韓国民衆史研究会『韓国民衆史』〈現代篇1945-1980〉, 〈近代篇1875-1945〉(訳), 木犀社, 1987, 89年(合本版として『韓国民衆史〈近現代篇〉』1998年)—D
金芝河『飯/活人』(共訳), 御茶の水書房, 1989年—D
黄晳暎『武器の影』上下(訳), 岩波書店, 1989年—D
韓洪九『韓洪九の韓国現代史 韓国とはどういう国か』(監訳), 平凡社, 2003年—D
韓洪九『韓洪九の韓国現代史〈2〉』(監訳), 平凡社, 2005年—D

*A〜Dは本書86-87ページに示した分類と対応している.

表2　高崎宗司 主要著作

『朝鮮の土となった日本人 ── 浅川巧の生涯』草風館，1982年(増補新版，1998年．増補三版，2002年)─A
『「妄言」の原形 ── 日本人の朝鮮観』木犀社，1990年(増補新版，1996年．増補三版，2002年)
『「反日感情」── 韓国・朝鮮人と日本人』講談社，1993年─B
『検証　日韓会談』岩波書店，1996年─B
『中国朝鮮族 ── 歴史・生活・文化・民族教育』明石書店，1996年
『植民地朝鮮の日本人』岩波書店，2002年─B
『検証　日朝交渉』平凡社，2004年─B
『津田仙評伝 ── もう一つの近代化をめざした人』草風館，2008年
『清算されない昭和 ── 朝鮮人強制連行の記録 グラフィック・レポート』(林えいだいと共著)，岩波書店，1990年
『検証　日朝関係60年史』(和田春樹と共著)，明石書店，2005年─B

柳宗悦『朝鮮を想う』(編)，筑摩書房，1984年─A
『歴史教科書と国際理解』(編)，岩波書店，1991年─C
浅川巧『浅川巧全集』(編)，草風館，1996年─A
『韓国民芸の旅』(編著)，草風館，2001年(増補版，2005年．増補新版，2012年)
浅川巧『浅川巧　日記と書簡』(編)，草風館，2003年─A
浅川巧『朝鮮民芸論集』(編)，岩波書店，2003年─A
『分断時代の民族文化　韓国《創作と批評》論文選』(和田春樹と共編)，社会思想社，1979年
『岩波講座 近代日本と植民地』全8巻(浅田喬二・三谷太一郎・大江志乃夫・小林英夫・若林正丈・川村湊と共編)，岩波書店，1993年

は、二〇〇八年に出るはずであった。だが、諸般の事情でかなわず、あらためて二〇一四年に『定本「妄言」の原形』として刊行されることになった。

増補として、先に一覧した(表1)『世界』掲載の論考から四篇を(高崎みずからの改題のうえ)収録されている。「妄言」の告発というより、「検証」により、日韓関係、日朝関係をめぐって、高崎が問題の所在を示す論考が主となっている。「歴史的検証」が〈いま〉をあぶり出し、〈いま〉にいたる歴史的過程を問題化した論考である。

二〇一四年の状況のなかで、第四版が定本版として送りだされる環境は決して楽観的なものではない。日本の人びとが持つ植民地意識はいまだ過ぎ去ろうとせず、あらたな問題が次々に生起している。二〇〇二—〇八年の射程では、『マンガ嫌韓流』(二〇〇五年)の刊行がなされ、二〇〇八—一四年の射程では、朝鮮高校への補助をめぐる議論、ヘイトスピーチ(二〇一三年—)、そして繰り返される「慰安婦」の議論など……。「妄言」は一向に収まらないどころか、「戦後レジームからの脱却」を掲げる首相のもとで、あらたな環境であらたな様相を呈している。

だが、ここから先は、高崎に学びながら、一人ひとりが考え、発言し行動していくということになろう。『定本「妄言」の原形』は、その際の最大の手掛かりを与えてくれる一冊となっている。

第8章　「帝国責任」ということ

はじめに

近現代日本史を学ぶものにとって、「韓国併合」をいま、どのように論ずるかは、近代日本と東アジアにかかわる歴史認識、帝国と植民地の歴史に向き合う立場、そしてそれを語ることばの一つひとつが試されることとなる。「韓国併合」をめぐっては、のちに参照するように、多くの出来事が明らかにされ、それに基づく知見と認識とを生んできた。

しかし、あらためて言うまでもないことだが、歴史的な評価をはじめ、歴史過程を論じる際にも、その時々の情勢への視線が入り込む。「韓国併合」に対しても例外ではなく、それぞれの研究にはその時点での日本と朝鮮半島との関係が色濃く投影されている。韓国も朝鮮民主主義人民共和国(以下、北朝鮮と記す)も、サンフランシスコ講和会議に招請されず、さらに一九六五年の日韓基本条約により、一方の国のみと国交をもったことが、日本―韓国―北朝鮮の関係のあらたな矛盾を作り出し「韓国併合」にあらたな問題を相乗しその語り方を複雑にしている。

「戦後」の日本と韓国とのあいだには「感情的な衝突」があり、その齟齬がつねに見られた(李庭植『戦後日韓関係史』小此木政夫・古田博司訳、中央公論社、一九八九年)。また、日韓会談での主要なテーマとして「在日韓国人・朝鮮人」が挙げられ、第一次会談(一九五二年)では日本が結んだ「保護」や「併合」にかかわる条約の「無効」を確認するように韓国から要求がなされた。さらに、一九九一年から動き出す北朝鮮との日朝交渉でも「賠償と財産請求権」が議題とされた。いずれも「韓国併合」がもたらしたものであり、「韓国併合」は同時代に問題を醸成したにとどまらず、その後にも問題をもち越している。「韓国併合」をめぐる議論は多くの論点を有し、いまだに過去の出来事となりきってはいない。

いくつかの論点を手がかりに、「韓国併合」をめぐる認識とそれを語ることばを探ってみたい。

(本章では、戦後の韓国、北朝鮮とともに、戦前の大韓帝国も扱う。こちらも韓国と表記するが、文脈上で混乱を招かないように留意した。また、戦前のばあい、その地の人びとを朝鮮人と記した。こうした表記自体が論議の対象となるが、ここではその議論は行わない)。

1　「併合」の論じ方

伊藤博文と韓国皇太子とが並んで写っている、よく知られた写真がある。椅子に腰かけ和服を着た幼い皇太子が、白ひげをたくわえ軍服に身を包む伊藤博文に寄り添われている。歳を取り経験を積んだ日本人が、幼くまだおぼつかない朝鮮人を保護し介添えしているという構図――この写真こそ、二〇世紀初頭の日本と韓国の関係を示し、相互の非対称的な位置関係を雄弁に物語ってみせる。まなざされる視線は、保護者と被保護者の関係であり、日本のもつ経験(「近代文明」)をこれから成長する韓国に教え導こうとするものとなっている。

「併合」とは、外務省政務局長・倉知鉄吉による「政治造語」であり、「対等合併」の印象を与えず、「刺激的」でもないことばを選んだとされる。初代の朝鮮総督・寺内正毅は、首相の李完用に対し、他国のような「強制的併合」とは異なり「合意的条約」であることを繰り返したという(海野福寿『韓国併合』岩波書店、一九九五年)が、この写真はそうした姿勢を存分にうかがわせる。

「韓国併合」の過程について、近年の研究の成果が盛り込まれた、森山茂徳『日韓併合』(吉川弘文館、一九九二年)と海野福寿『韓国併合』を開いてみよう。ここでは、開国からの射程で「韓国併合」への過程が記される。

二〇世紀に入り、日本とロシアの交渉のなかで朝鮮半島をめぐる政策が論議され、他方、韓国でも高宗らによる東アジアの情勢を睨んだ外交政策が行われる。日本—韓国—ロシアの交渉は複雑で、「結局調整不可能」(森山)となった。独立保障を求める韓国と、欧米の干渉を排除するため、韓国との攻守同盟または保護条約を求める日本であったが、日露戦争のさなかに軍事力を背景として日韓議定書(一九〇四年)が結ばれた。

そして三次にわたる日韓協約(一九〇四、〇五、〇七年)で、日本による韓国の保護国化がなされていく。とくに第二次日韓協約は、韓国の外交権を奪い、統監府を置くこととなるものとなった。統監府は天皇に直属し、朝鮮の外交を統轄し、朝鮮駐箚軍司令官への命令権をも有する。

この間、韓国内では義兵闘争と呼ばれる民衆運動が全国にわたって展開され、一九〇七年には高宗が万国平和会議に独立回復を提訴するいわゆるハーグ密使事件も起こる。日本において併合論が台頭するのは、そのことがひとつのきっかけとなっている。

森山も海野も考察の軸のひとつに、伊藤博文や井上馨らが韓国の「保護国化」を言い、「併合」を求める山県有朋、寺内正毅らとの対抗を置く(森山は、「文治派」と「武断派」としている)。伊藤は第三次日韓協約以降、「「近代」に似せた国家改造政策」を出し、「日本の監理・指導・保護による韓国の「自治」振興政策」(海野)を行うなど、「併合」路線を批判していたというのが、両者の見解である。

しかし、その伊藤が「併合」路線を説くことになる。統監政治が障害をはらみ、海野は、伊藤が意欲を喪失し「改宗」し「併合論への飛躍」をしたとした。森山も同様に、伊藤が「所期の目的」を達成しえず統監を辞任した点に「もはや併合以外のものは考えてはいなかったろう」と述べる。

もっとも、この転換(あるいは推移)は実際にはかなり複雑な過程であった。森山自身、「文化政策」を推進した伊藤も「最後の手段」あるいは「究極の目標の一つ」として「併合」を考えていたことを言う。また、一進会という韓国内の「親日団体」が山県や桂と関係をもち「韓日合邦」を図るが、伊藤と同会の関係も指摘される。

伊藤の変化は、森山によれば韓国内での抵抗運動によるものであった――「伊藤はついに、反日運動を根絶するためには、朝鮮の併合を考慮しておくしかないと結論した」。そうした経緯を経て、一九一〇年の「韓国併合」に至り、朝鮮総督府による統治がなされる。朝鮮総督府は、本国政府の省庁の監督を受けない機関であり、朝鮮には大日本帝国憲法も施行されなかった。

こうした考察の基礎は、すでに歴史家・山辺健太郎に見られる。山辺は「併合」を目的とする方法の相違として、伊藤と山県らの対立を把握するが、『日韓併合小史』(岩波書店、一九六六年)は、やはり江華島条約から書き起こし、一九一〇年の「併合」までを射程としている。

山辺の記述は史料の博捜に特徴があり、『日本統治下の朝鮮』(岩波書店、一九七一年)の「まえがき」では「私が本書で試みたのは、統治の実態を事実と資料とによって明らかにしようとした」ことであると言う。「朝鮮総督府」(第一章)による統治と「朝鮮の社会状態」(第二章)を描き、植民地・朝鮮の様相を記す。そして『日本統治下の朝鮮』では、(1)三・一運動をはじめとする独立の動きに紙幅を割き、あわせて(2)一九四五年八月一五日の日本の降伏を一応の終結とするが、結びの文章は、

韓国の併合と李王朝の廃止に反対して起ち上がった義兵運動、朝鮮民族の独立をたからかに謳った三・一万歳事件、元山ゼネストや光州学生運動、抗日パルチザン闘争など、朝鮮人民の長年にわたる独立と解放のためのたたかいが八月一五日に実をむすんだというべきであろう。こうして、三六年間にわたる日本帝国の朝鮮統治は終ったのである。

となっている。山辺の研究は大きな意義をもつが、朝鮮社会の「内在的発展」を日本が破壊したとし、植民地主義への批判を「朝鮮民族の独立」に託し、自らの位置をそこに重ね合わせた。先駆的で実証的な仕事であったが、自らの帝国を内在的に切開するという点からは迂回的となる。

山辺をも含めた「韓国併合」の見解が、現在の日本における歴史認識を代表するが、

現在の韓国・北朝鮮の歴史認識では周知のように植民地化ではなく「強制占領」(強占)とし、歴史認識の差異が見られる。そのひとつの現れとして、一九九〇年代末から二〇〇〇年代にかけて、韓国の歴史家・李泰鎮が法的観点から「国権奪取過程」に至る条約を検討し、海野や国際法学者の坂元茂樹らと『世界』誌上で論争が見られた。

一九〇四年から一九一〇年にかけて、日本と韓国のあいだで結ばれた条約は「強制」により「合意」を欠くのみならず「手続き」と「形式」に「問題点」を有し、「韓国併合」は法的に成立しないというのが、李の主張である(「韓国併合は成立していない――日本の大韓帝国国権侵奪と条約強制」上下、『世界』六五〇・六五一号、一九九八年七・八月)。これに対し、海野や坂元は歴史学や国際法学の立場から、その法の「効力」を論じた。海野の言を借りれば、「不当ではあるが、旧条約は法的には有効に締結され、日本は韓国を併合し植民地とした」ということとなる。

それぞれ実証的な手続きを踏む議論で論点を作り出しているが、背景には日韓会談や村山富市談話などにおける「過去の清算」をめぐる、両者の認識の差異がある。ここに見られるのは、植民地主義を批判する点では同じながら、宗主国であった日本の論じ方と、植民地とされた韓国との差異である。*

＊　ここでの「日本」「韓国」は国籍とは一致しない局面を有するのは当然である。李は、笹川紀勝との編著『韓国併合と現代』(明石書店、二〇〇八年)を刊行するが、同書には荒井信

一らが寄稿している。

2 帝国意識

植民地を所有した経験は、近代日本の歴史にとってぬぐい去れないことだが、そのことはいまだ充分に総括され、ことばとして紡ぎ出されたとは言い難い状況にある。身を裂き、自己切開するような営みだが、植民地を有する帝国の崩壊はしばしば被害の意識によってのみ語られる。しかも、第二次世界大戦に勝ったイギリスとフランスが、その後に植民地問題に苦しんだのに対し、負けた日本は植民地を一挙に喪失したため、正面から取り組むことを回避した。

大日本帝国の「崩壊」のときに、植民者である日本人たちが帝国意識—植民地主義を払拭できなかったことの一端は、(日本への帰還後に記された)「引揚げ」の記述にうかがえる。「満州」の新京(長春)から朝鮮半島を経由して引揚げる、森文子『脱出行』(開顕社、一九四八年)は、三人の幼い子供をつれて鴨緑江をわたり朝鮮に入ったとき、「朝鮮独立旗」が掲げられ、列車に向かって「嘲笑と示威」が投げかけられたことを書き留める。「敗戦の酷薄な現実」とともに、森は「ばかな人達ねえ、自分の力で勝ったのでもないくせに」と記す。森は、敗戦後、連合国軍による占領のなかで手記を書いているにもかかわらず、大日本帝国の崩壊が認識されず、敗戦がいかなる事態であるか、いささかも自覚されていない。

公人も同様である。先の李庭植『戦後日韓関係史』は、国会議員・椎熊三郎の次のようなことばを伝えている――「われわれは、終戦まで日本人として日本に居住していた台湾人と朝鮮人が、まるで自分たちが戦勝国の国民のように威張り散らしているのをこれ以上黙って見過ごすわけにはまいりません」。

加害者が、自らを被害者の立場に置きつつ語り、植民地の人びとに対しての優位を、敗戦―帝国の崩壊にもかかわらず、払拭していない。いったんはめられた植民地主義の枠は、かように深く宗主国の人びとを呪縛する。

こうしたなかで、植民地化の過程をなぞらずに、批判的に描き出す論理とことばが模索される。森山は、「韓国併合」を「日本による朝鮮の植民地化」であり、「日本の侵略の帰結」としつつも、当時の日本の政治指導者にとり「併合＝植民地化」が必ずしも「自明」かつ「必然の結論」だったのではないとする。

こうした観点に立つとき、一九二〇年前後から植民地主義を批判しようとした柳宗悦の言動は同時代的な発言として重みをもつ。美学者であった柳は、大日本帝国の植民地・朝鮮に対し、三・一運動（一九一九年）を支持し、朝鮮総督府による光化門（景福宮の正門）の破壊計画に真っ向から反対し、「朝鮮民族美術館」（一九二四年）を設立するなどの活動を行う。

柳は、三・一運動の後に「朝鮮人を想う」(『読売新聞』一九一九年五月二〇日―二四日)を発表し、日本の知識人の運動への論評に「賢さ」「深み」「温かみ」が欠けているとした。そのあまり、「隣邦人」のために涙ぐんだとも述べるが、柳は「反抗する彼等よりも一層愚かなのは圧迫する吾々である」と言い切り、「圧制」により彼らの口を閉ざす「愚かさ」を重ねてはならないとした。「独立が彼等の理想となるのは必然な結果であろう」とまで言うのである。

柳の立論の根拠は、「朝鮮の美」、すなわち「芸術」―「情」にある。このことを展開したのが「朝鮮の友に贈る書」(『改造』二―六、一九二〇年六月)である。伏字の多いこの文章は、「力の日本」と「情の日本」とを対比し、「一国の名誉を悠久ならしめるもの」は武力や政治ではなく、芸術・宗教、哲学のみとする。そして、一方で「悲しくもまだ今の日本は自ら正義の日本であると云い切る事は出来ない」とし(ただし、この部分は伏字となっている)、他方で「朝鮮の芸術」を讃える。「朝鮮の芸術」は「固有」の感情を有し、芸術に結晶しており、偉大な芸術を作り出しているとするのである。

そして「民族」の固有性を見据え、「朝鮮を内から理解」するように言うが、この後、柳は『改造』に次々に朝鮮関係の論考を公表することになる。「友」―「心を語る友」として、「どこ迄も人情を踏みつけられた朝鮮の歴史」を想い、「寂しく苦しんでいる」いまを憂い「抑え得ない同情を貴方がたに感じている」(「朝鮮の友に贈る書」。この引用箇所も伏字)と綴る。柳には、朝鮮問題への「公憤」と朝鮮芸術への「思慕」が見られた。

しかし「戦後」になって、その柳宗悦に対し、韓国人研究者から批判が出された。ここにも、宗主国と植民地国との認識と語り方の差異が見られる。柳が朝鮮人に対し「愛に飢えている」と言い、芸術をその観点から把握した点に疑義を主張した議論で、崔夏林(高崎宗司訳)「柳宗悦の韓国美術観」(『展望』二二一号、一九七六年七月)は、「柳の韓国美術に対する無理解は、事実、日本帝国主義の朝鮮政策と彼のセンチメンタルなヒューマニズムの混合のなかに胚胎した」と手厳しい。崔は、柳が(朝鮮の芸術に対し)「哀しみの曲線」と評価した点を、とくに追及する。

柳は朝鮮人の「友」たろうとしたのだが、同時代はともかく、「戦後」においてはその人びとから「他者」の視点がないと拒絶された。なれなれしいとの批判である。たしかに柳は争いや武力を忌避することにより、「血を流す道」を「不自然」とし「反省を乞いたい」と言う(「朝鮮の友に贈る書」)。

また朝鮮史に対し、「その暗黒な悲惨な時としては恐怖に充ちた歴史に心を蔽わぬものはない」(「朝鮮人を想う」)とも述べ、保護者意識《パターナリズム》が見られないではない。

柳は、植民地支配への「不支持」を表明するが、思いやりや配慮といった「善意」に内在する保護者意識があった。また、「鮮人」という差別のことばも用いており、植民地支配を受けた当事者たちから厳しい批判が出されたのである。自らを「朝鮮人の立場にいると仮定」しえた柳(高崎宗司)だが、帝国主義のもとでの良心として高く評価する論者がいる一方、柳は無意識の保護者意識があったという批判が出され、柳の歴史的な評価は分裂をきたしている。

しかし、柳は、朝鮮の芸術に「意志の美」「威厳の美」「男性の美」などをも見出していた。これらは「客観的な考察」ではなく、「日本文化の個性」を明らかにするために中国、日本と朝鮮の文化の差異化を図るために特徴づけられたとの指摘がある(中見真理『柳宗悦』東京大学出版会、二〇〇三年)。加えて、柳の言は自己批判であり、そこを介して朝鮮人に「友」として語りかけている。こうした語りであるがゆえに、宗主国の側からの発言であるにもかかわらず、植民地の人びとの耳に届く可能性をもつのではなかろうか。

3　植民地体験

国際関係の力学のなかで法制的に決定されてしまったことを、いかに捉え返すか——そのような目で見たときに、かつての植民地体験を有する人びとが、身を裂くようにして発言を行っていることに気がつく。

植民地・朝鮮で生まれた森崎和江は、父親がその地の中高等学校の校長であった。「自分の出生が――生き方でなくて生まれた事実が――そのまま罪である思いの暗さは口外しえるものではない」(「二つのことば・二つのこころ」『二つのことば・二つのこころ』筑摩書房、一九九五年。初出、一九六八年)という贖罪意識から出発し、「朝鮮について語ることは重たい。こころを押してゆけそうにない」とまでも記している。

植民地体験に対する一般の日本人の罪は、戦前戦後を問わず、政治的には徹底した差別を行政化している国内で、なおくらしの次元では差別をしていないと感ずるほかにない社会構造精神構造をもちつづけている点である。それと格闘していない点である。(「二つのことば・二つのこころ」)

「私はひたすら朝鮮によって養われた」と、森崎は「「私」のなかの不特定多数の他者の影」を自覚する。この自覚にさらなる考察が加えられ、「日本人」の植民地支配への無意識・無自覚を見出す――「日本内地の気の毒さは、自己と他者の分別と承認をくらしのこころの要素にもつことができなかったことである」。この認識から、森崎は、「日本自体を思想的葛藤の対象」とすることを要求する。加えて、この営みは「朝鮮人が自分自身の存在を告げるために、犯罪を代償にしたり血縁を死においやったりして日本人宛のことばを作り出そうとしているときに、日本人は朝鮮人むけのことばを、自分の何ものをもこわすことなく排泄する」と、非対称的な営みであることへと赴く。「戦後」

にまで継続する植民地主義のありようを、自らを抉るようにしながら摘出するのである。

「植民地二世」小林勝も、作品集『チョッパリ』(三省堂、一九七〇年)を刊行する。そこに収められた「蹄の割れたもの」(初出、一九六九年)は、森崎と同様に、身体レヴェルでの植民地認識を描き、植民地認識とセクシュアリティを介して、「朝鮮人」「女性」という「他者」を描き出す。いや、「他者」を描くことによって、植民地主義を抉り出そうとする。

小説中、一九六八年の物語時間に、不意に、ある「朝鮮人」の名前が引き金になって、主人公・河野の「内側に存在する黒々とした力」を呼び起こしてしまう——「かつて、朝鮮人たちの中で、おれが河野という一人の中学生ではなくて、何時だって、何処でだって、河野という中学生によって代表されるいい、い、日本人という存在でしかあり得なかった」という意識が記される。

想起されるのは、河野の朝鮮における少年時代であり、「チョッパリ」というタイトルともなった語である。「体の闇の中から一つの痙攣と声を、そしてそれをつきさして炯々と光る若い女の眼」を思い出し、「チョッパリ」——「犬にも劣るけだものという言葉」であり、「歴史そのものの重みを背負った言葉」を投げつけられた記憶をかみしめる。小林勝は、植民地という、あらかじめ精神的な「介在」を拒否された空間における、非対称的な関係に基づく「他者」との遭遇を描き出すのである。植民地空間と関係性のもとでの、植民者が体験した快感と違和、身体と精神の不均衡。そして、そのことゆえに「心の芯」に突き刺さった棘を、小林は切開していく。

ふだんは日常の意識のなかに押し込められているが、きっかけを得ると不意に飛び出してくる朝鮮半島での記憶。その記憶を記すことによって、植民地支配に、「植民地二世」として「重い負債」を感じる小林の意識が、二重三重の屈曲のなかに描かれる。

あるいは、ソウルに生まれた詩人の村松武司は、祖父から三代に及ぶ「朝鮮植民者」であることを意識し、自らの体験を織り交ぜながら祖父(と自らの)歩みを、『朝鮮植民者』(三省堂、一九七四年)として記す。村松は、「朝鮮」にいるときには「日本人」でありたいと思い、「日本」では、自分が「日本人」でないことを「自覚」したと言い、「昔もいまも半日本人・半朝鮮人である」とする。村松は、朝鮮を支配しながら執着せず、「引揚げ」の心性に、「いったいわたしたち日本人は、どの土地を愛し、惜しんだのであろうか」という問いを投げかける。自らの意識を切開するとともに、朝鮮への植民者を第一世代と第二世代の差異において考察してみせる。

また、在日コリアンからも厳しい問いかけがなされる。その作品のひとつとして、李恢成「またふたたびの道」(一九六九年)がある。小説家・李恢成の父母は、戦前に朝鮮半島から日本に渡り、樺太で働き、李はこの地で生まれている。日本敗戦後は、「非日本人」であるために、李の家族はソ連領となったサハリンに留め置かれるが、一九四七年五月に脱出する。しかし朝鮮半島が分断されており、李たちは「日本」に暮らすことを余儀なくされることを描く小説である。李の家族たちは、「戦後」にも植民地時代と同様の経験—「またふたたびの道」をたどるのである。

李の経験を「日本人」がどう読むか——ここには、「韓国併合」にかかわり、「外国人登録令」(一九四七年)、「外国人登録法」(一九五二年)、「民事局長通達」による「日本国籍喪失」(一九五二年四月)という一連の流れのなかで、植民地主義が解決されないままに矛盾が重畳されている。李は「日本人」になることの要請から、「朝鮮人」になることの努力を「またふたたびの道」で綴り、主人公の哲午は、「在日朝鮮人にとって祖国とは何なのか。朝鮮人とは、日本人とは何なのか——哲午は自分の生い立ちのなかから渦巻いてくるそうしたものへの限りない訴求」に直面する。「ああ悔いのない朝鮮人になりたい」という嘆息は、一九七〇年前後の文脈のなかで、「民族は朝鮮だが、国籍は日本人です」と「民族と国家」として問題がたてられる。「やれ「国体」だ「大東亜共栄圏」だと「朝鮮人」が「日本人」にされ、こんどは何ですかい……」。李恢成の経験を、大日本帝国の遺産相続人たる日本国籍の所有者たちは、訳しり顔に、また他人事のようには論じられない。

語り出された植民地主義への批判は、対象とする相手を「友」としてではなく、彼らが「他者」であったことをあらためて確認するような営みであった。「友」から「他者」

へ。ここに柳宗悦から、村松・森崎・小林らの語りへ、「戦前」から「戦後」の経験が見られる。

歴史家たちも、自らの立場を検討しながら「韓国併合」を論じてきた。森山が見据えているのは「戦後」の光景である。「戦後」に「戦争の当事者」である日本が「分割」されなかったのに、「朝鮮民族」が「南北分割占領」されたこと――「米ソの戦後世界の戦略の産物」だがそれに先行する第二次世界大戦の存在と「朝鮮は日本のいわば身代わりとなった」。また、「植民地本国」の日本の「痛みの記憶」が「きわめて希薄」であることが、森山の研究の背景にある。

こうした認識とことばの紡ぎ方を、読み取り学んでいかなければならないであろう。

おわりに

最後に二つの点に触れておきたい。ひとつは、「韓国併合」をどの時間と空間の射程で問うかということ。すなわち、「併合」と独立運動をセットで把握することから「韓国併合」の歴史的考察は出発したが、さらに敗戦、朝鮮戦争、日韓基本条約など、どの出来事と結びつけながら、どの射程で「韓国併合」を論ずるかが論点となる。また、現在「韓国併合」を論じる際には、北朝鮮をめぐる情況も無視しえない。ともすれば現在の韓国に向かってのみ語りがちな「韓国併合」を、朝鮮半島全体の出来事として語らなければならない。

また、「併合」に至る過程の論証にかかわっては、主要には国際関係から説明される。ロシア、欧米、さらに東アジアの国際情勢のなかで、韓国の「保護国化」と「併合」の過程が論じられてきた。加えて、当時の国際法を参照枠ともしている。さきの李泰鎮たちの「韓国併合」をめぐる議論のなかで、「全権委任状」と「批准条項」の有無をめぐり、条約の合法性と不法性が論じられる。評価は対立したが、ともに当時の国際法を前提としており、李と海野は同じ地平に立っている。「西洋」の世界秩序を前提とする一九世紀の思考――国民国家体制のもとでの東アジアの国際関係を歴史化し、問いかける視点があわせて求められるであろう。

いまひとつは、責任ということをめぐってである。「戦後」の歴史学は「戦争責任」を追及し続けてきた。軍部や天皇、さらに「国民」をアジア・太平洋戦争に責任を有する主体とし、それぞれの戦争責任を問うた。世論が日本を敗戦に導いた「敗戦責任」に傾いていくことを批判し、日本をアジア・太平洋戦争に赴かせた「戦争責任」そのものを問うという問題意識のもとに、政局や軍閥の攻防ではなく大日本帝国の構造を追及していった。『太平洋戦争』(岩波書店、一九六八年、改訂版一九八六年)を著した家永三郎が、『戦争責任』(岩波書店、一九八五年)を続けて刊行することに代表されるが、このことは

「戦後」の課題としても設定されていた。

しかし「植民地責任」という観点から見るとき、その責任が問われている自覚を有しているとは言い難い。朝鮮人の強制連行をはじめとする一連の戦後補償にかかわる裁判がなされていることはその一例である。東京裁判において、朝鮮総督府の総督は(その資格において)罪が問われることはなかった。「植民地責任」は、「戦争責任」に比して自覚されていない。政治家たちの「妄言」(高崎宗司)は、ほとんどが「植民地責任」の希薄さに起因しているのをはじめ、アジア・太平洋戦争にかかわる多くの回顧録や自伝でも、「植民地責任」に触れられることは稀であった。ましてや、「戦後」まで「植民地責任」が継続していることへの意識は薄い。

このとき、「戦争責任」と「植民地責任」は切り離されたものではなく、相互に規定しあい重なりあっていることが見過ごされてはならない。さきに触れたように、大日本帝国がアジア・太平洋戦争の敗戦とともに崩壊したため、「戦争責任」の議論が前面に出されるが、近代日本の経験は植民地領有と切り離しては考えられない。

こうした二つの責任――「戦争責任」と「植民地責任」とを包括する概念として、「帝国責任」という概念が有効であろう。大日本帝国としての歴史がもった責任であり、大日本帝国の責任を一掃し決着しないのみならず、あらたな矛盾を加えている戦後・日本がもつ責任の総体である。すなわち、戦争遂行と植民地領有の責任、さらにそれらの責任を決済せずにいるという戦前と戦後にまたがる責任が「帝国責任」となる。大日本帝国とともに、(大日本帝国を問うてきた)問いの問題構成を問う概念でもある。

山野車輪『マンガ嫌韓流』(晋遊舎、二〇〇五年)などに代表される、植民地支配をめぐる点に焦点を合わせた歴史修正主義が跋扈している。また、話題となった、読売新聞戦争責任検証委員会『検証　戦争責任』ⅠⅡ(中央公論新社、二〇〇六年)は、「昭和戦争」の名称を提起するなど歴史の見直しに意欲的であるが、開戦責任に比重がかけられ、植民地支配には言及されていない。こうしたことを見るにつけても、「帝国責任」ということが問われる必要があるように思う。

「韓国併合」一〇〇年という節目は、こうしたことを考えさせるきっかけの一つになるであろう。

第9章　新しい歴史家たちよ、目覚めよ

1　歴史認識の問い

「歴史認識」という語が、あらたな意味を付され使用されるようになったのは、一九九〇年代半ばのことと言えよう。それまで、歴史学のなかでこそ用いられていたが、歴史認識とは広く一般に用いられる語ではなかった。しかし、一九九〇年代に入り、あらためて日本のアジアへの侵略が問われるなかで、歴史認識の語―概念が用いられるようになった。

背景には、近代日本の歴史に対するアジア諸国からの問い直しの要請がある。戦争責任―戦後責任を踏まえ、近代日本の歴史をどのように把握するか――「過去の清算」が歴史学の領域を越え、政治的な、ときには外交上の課題となったのである。始まりは、一九八二年の歴史教科書における検定結果をめぐる中国、韓国などからの批判であったが、一九九〇年前後の冷戦体制の崩壊後に勢いは加速し、このなかで歴史認識という語

が用いられるようになる。

ここには、歴史修正主義の台頭もあった。一九九〇年代半ばに、従来の復古主義とは異なるあらたなかたちを現した歴史修正主義は、アジア・太平洋戦争の認識を対象にしながら、戦後のなかで築き上げられてきた歴史像の見直しを画策し、国民国家形成をひとつの「物語」としながら、あえてそこに賭けるとした。復古的な色調が強いマンガ家の小林よしのりもまた、「大東亜戦争」をアジアの解放を目的とした戦争とする一方、沖縄やアイヌなど、日本が国民国家を作り上げるときに編入し、戦後に至っても差別がなくならない出来事にも言及していく。歴史的な出来事の一つひとつの意味があらためて論議と論争の対象となったのである。

この意味において、歴史認識とは、(1)主として、アジアに目を向けながら、(2)アジア・太平洋戦争に限定されず、戦争に至るまでの過程と戦後における対応を射程に入れ、さらに(3)植民地化にかかわっても議論を行うときの概念ということができる。

方向性やねらい、意図はまったく逆であるが、日本における近代史上の出来事の歴史的意味が問われ、〈いま〉における関連性―緊張関係があらためて問いかけられたのである。大日本帝国の歴史的な行為が、戦後日本の振る舞い、および一九九〇年代半ば以降の〈いま〉の状況と、三重に重ね合わされ、俎上に載せられたと言ってよいであろう。

かくして、幾多の出来事のなかで、戦後の過程で忘却してきたこと、あるいは忘却したふりをしたことが、アジア諸国とのあいだ、歴史修正主義との論争のなかで、現時の政治的な争点となってたち現れる。いくらか荒っぽく言えば、グローバリゼーションのなかで、これまでの秩序が変容し、歴史の解釈、さらには歴史の概念が変わりゆくなかで生じた事態であった。歴史を素材にあらたな秩序が弁じられたということであり、〈いま〉を論ずるに当たり、歴史を介して議論と論争がなされたと言えよう。

以来、歴史認識をめぐって、さまざまに議論がなされるに至る。冷戦体制が崩壊し、冷戦的思考が通用しなくなるとは、このようなことかと思わせる事態でもあった。冷戦的思考では、「こちら」側と「あちら」側があらかじめ設定されており、歴史的意味はすでに枠づけがなされていた。その枠が無くなったなかで、あらためて出来事に直面することになったのである。

しかし、しばしば論争をともなった歴史認識をめぐる出来事に、歴史家の姿を見ることは少なかった。試みに、高橋哲哉編『〈歴史認識〉論争』(作品社、二〇〇二年)を開くと、き、ここには歴史教科書、現職総理や閣僚の靖国参拝、「慰安婦」や日の丸・君が代をめぐる論争など、一連の歴史認識にかかわる出来事が取り上げられ解説されているが、歴史家としては数名が寄稿するにとどまっている。

元来、戦後の過程で、歴史学は積極的に社会に向けて発言を行ってきていた。「戦後歴史学」を主導した歴史学研究会は、歴史科学運動を提唱し、その時々の政治的課題にかかわり、歴史学の立場から数多くの声明を出してきている。歴史学研究会に代表される「戦後歴史学」は、限られた範囲、あるいは特定の主題に関しては強みを発揮するのだが、一九九〇年代半ば以降からはその勢いは減じがちであった。歴史学における進歩の時間概念や、歴史の概念そのものが問われるなど、歴史学が前提としていた事柄が自明性を失うなかで、歴史学は自らを問うこととなった。

こうしたとき、宮嶋博史が「韓国併合」に対する歴史認識をめぐり提言したことは、歴史家がこの事態に乗り出したということであり着目される(「朝鮮史認識の陥穽」国立歴史民俗博物館編『「韓国併合」一〇〇年を問う』岩波書店、二〇一一年)。歴史学の作法による歴史認識への問題提起は、具体的な出来事に基づき、射程を長くして論ずるということになろう。性急に〈いま〉に介入するのではなく、いったん出来事の同時代の歴史的な文脈を踏まえ、ことの同時代史的な解釈を探ったうえで〈いま〉の観点から評価を行うのである。「韓国併合」を二〇世紀初頭の東アジアにおける歴史的な文脈に置き、そこでの認識を踏まえながら、「韓国併合」の持った意味を〈いま〉に召喚する姿勢である。誤解のないように付け加えておきたいが、そもそもの出発は、当然ながら〈いま〉にある。〈いま〉から出発しながら、いったん歴史的文脈を潜り抜け、そのうえで〈いま〉を測るという実践が歴史学によってなされるということである。その結果、東アジアにおいて、日本を軸に考察することの有効性を宮嶋は問うこととなった。

だが、宮嶋はこのとき、さらに踏み込んだ提言を行っている。東アジアの近代をめぐる論点を提出するとともに、あわせて歴史学の歴史―史学史をそこに重ね合わせた。すなわち「韓国併合」と近代歴史学の誕生の時期が重なっているということの指摘である。二一世紀初頭の〈いま〉、日本を軸にして考察する歴史家の歴史認識を問い質すとともに、歴史学のありようそのものを検討に付している。

重たい提言である。二〇〇五年の「日露戦争一〇〇年」のときのキャンペーンには気乗り薄であった歴史学界が、「「韓国併合」一〇〇年」には腰を据え、『歴史学研究』(八六七・八六八号、二〇一〇年六・七月)が二度にわたり「「韓国併合」一〇〇年と日本の歴史学」の特集を組み、『歴史地理教育』「歴史教育から問う「韓国併合」」(七六三号、二〇一〇年八月)、『歴史評論』「一九一〇年前後の東アジア」(七二五号、二〇一〇年九月)などで特集を組み、『思想』「「韓国併合」一〇〇年を問う」(一〇二九号、二〇一〇年一月)の特集号に全面的に参画するなどの実践を行った。

しかし、宮嶋の提言を引き受けて考えるとき、植民地獲得期に誕生した近代歴史学は、戦後において「戦後歴史学」として再出発するが、はたして植民地主義を清算しているのかという問いに直面する。「戦後歴史学」は、歴史的事象としての植民地主義こそ批判したが、自らの出自に刻印された植民地主義を自覚化し、それを克服したか――これは、「戦後歴史学」への問いであるとともに、戦後の学知すべてに及ぶ問いでもある。

私自身もまた「戦後歴史学」の制度で学んでいるために、(1)その制度の推移と現状を問い質すという試みとなる。内省をともなう作業であるが、困難なことには、(内省にとどまらず)(2)内省の仕方そのものも問いかけられているということである。また(3)こうした学知は人びと(国民)の歴史認識とどのようにかかわるかという点も問われることとなる。「韓国併合」にかかわる歴史認識を手がかりに、いささかの議論を試みたい。

2 「韓国併合」をどう呼ぶか

出発点となるのは、「韓国併合」をどのような歴史的名辞で呼ぶかということである。一九一〇年八月、当時の新聞報道では「韓国併合詔書」に基づくため「韓国併合」の語を使用しているが、見出しや本文には「合併」の語が散見される。このほか、戦前には「朝鮮合併」「日韓合邦」という言い方もされた。もっとも、タイトルに「合邦」を用いる、池田常太郎『日韓合邦小史』(読売新聞社、一九一〇年)は、古代の任那設置から説き起こすが、焦点は近代にあり「韓国併合」と記している。また、教科書では、詔書を祖述した叙述を行い「韓国併合」という語を用いている(たとえば、『中学日本歴史(上級用)』明治書院、一九一八年)。

戦後の歴史学では、どうであろうか。「韓国併合」を綿密な史料調査のもとに、歴史学的な考察を先駆的に行った山辺健太郎は、『日本の韓国併合』(太平出版社、一九六六年)、『日韓併合小史』(岩波書店、一九六六年)、『日本統治下の朝鮮』(岩波書店、一九七一年)を刊行している。呼称にはこだわらず、三者の言い方を使用しており、著作の本文中では「朝鮮併合」とも記している。

私自身は、一九六〇年代半ばに中高校生であったが、「日韓併合」と習った記憶があり、確かめたところ一九六〇年代半ばの高等学校の歴史教科書には、「日韓併合」と記されていた。他方、大学院時代に勉強したときには、「朝鮮併合」が主流であった。井口和起「朝鮮併合」(『岩波講座 日本歴史』第一七巻、一九七六年)をはじめ、一九七〇年代の歴史学界ではこの用語を用いている。ちなみに、韓国では「韓日併合」、中国では「日韓併合」とされるが、ある調査では、「韓日強制併合」との例が多かったという(君島和彦「韓国から見た「併合」一〇〇年」『歴史地理教育』七六三号、二〇一〇年八月)。

辞典類は「日韓併合」を採用するのが一般的だが、『角川 日本史辞典(第二版)』(一九七四年)は「韓国併合」、『岩波日本史辞典』(一九九九年)も「韓国併合」としたうえで「日本による韓国朝鮮の完全植民地化」と定義した。

近年刊行された著作では、森山茂徳『日韓併合』(吉川弘文館、一九九二年)と、海野福寿『韓国併合』(岩波書店、一九九五年)に代表されるように二つの言い方が用いられている。「併合」という語は、(後述のように)韓国統監・伊藤博文宛に、桂太郎首相・小村寿太郎外務大臣が提出した対韓方針の草案作成に当たった、外務省の倉知鉄吉政務局長の選んだ「政治的造語」である。日本と韓国とが「対等」の印象を与えず、「過激」でないことばとして用いたという。

一九一〇年以降、同時代的に用いられた「併合」ということばのあいまいさがあり、これに加えて「朝鮮」「韓国」と呼ぶかもまた論点となっている。「日韓併合」のとき、大韓帝国—韓国の国号に代わる名称が議論され、高麗などの提案も見られるなかで「朝鮮」となった経緯がある。

海野は、『韓国併合』の「あとがき」で用語を検討するが、条約の正式名称や国定教科書などにおいて「基本型は「韓国併合」」となっているとしたうえで、ここを根拠に「韓国併合」と呼ぶべきという。日本が一方的に結んだ条約名や、戦前の歴史認識による教科書での使用が、朝鮮の植民地化を遂行した出来事の現時点での歴史用語の根拠になるかについては疑問があるが、海野が投げかけた論点—「韓国併合」の呼び方を検討のうえ、あらためて使用するということは、歴史認識を考察する際に見逃せない。

この検討は「韓国併合」の認識にもかかわってくる。周知のように、現在の韓国の大方は「強制的占領」とし、一九〇五年一一月の乙巳保護条約——日本の教科書でいう第二次日韓協約に力点を置く。一九一〇年を軸に把握する日本の通念とは異なった歴史認識を見せている。時間的な推移のなかで「韓国併合」を把握する点においては共通しているものの、日本の通念と韓国とでは、画期の取り方に差異が見られる。このことは、当然ながら「韓国併合」という植民地化の概念にもかかわることがらである。

「韓国併合」といったときには、一九一〇年にひとつの焦点を結ぶ出来事として把握することになる。「韓国併合」をいかなる歴史用語によって呼ぶかは、あらためて議論されるべきこととなっている。

3　「韓国併合」をめぐる認識の展開

歴史認識というとき、「韓国併合」にどのような歴史的文脈と歴史的評価を与え、〈いま〉との緊張感を持たせるかが論点となる。戦後の歴史学の流れのなかでこのことを検討してみよう。一九六〇年代半ばから一九七〇年代にかけて考察を行った山辺健太郎のばあい、「統治の実態を事実と資料とによって明らかにしようとした」としている(『日本統治下の朝鮮』)。「朝鮮人の不幸はすべてこの朝鮮の植民地化からきている」が、その歴史を「日本人」は知らず、いや知らされていないと山辺は言い、植民地化に至るまでの過程と、植民地下での出来事を綿密に描き出していく(同右)。

国際関係のなかで日本が、中国やロシアと対抗しながら朝鮮を支配しようとして「併合」に至ること、またそのもとでの統治の様相を事細かに記すとともに、山辺は三・一運動や抗日武装闘争など、支配に対する抵抗やそれによる統治の変化にも触れる。「日本帝国の朝鮮統治」を描くなか、山辺が対象とするのは、大日本帝国による朝鮮民族支配と、朝鮮民族による支配への抵抗である。帝国主義批判―植民地の独立運動を軸とし、さらに支配の様相を実証的に描き出す。「民族の悲劇」として「統治者に買収され屈服した民族の裏切り者」にも触れているが、この点は指摘するにとどまっている。

戦前から労働運動に従事していた山辺にとり、帝国主義に反対し人民が闘争する政治的対抗こそが歴史の根幹であり、この観点からの歴史像の提示であった。山辺の著作においては、「韓国併合」は帝国―植民地と独立運動のなかに描き込まれ、一人ひとりの加害性に立ち入るような視点は提示されない。別言すれば、山辺の歴史認識は、「戦後歴史学」の骨格をなす社会経済史の考察を踏まえ、植民地における政治的な支配構造の分析を基調としており、その枠組みを、史料を駆使し綿密に実証していく。「戦後歴史学」も、基本的に山辺の問題意識と方法、対象設定を継承し、植民地支配について、実証的な考察を積み重ねる方向をとる。

この時期、文学や文学批評においては、森崎和江や小林勝、村松武司らが身を切り刻むようにして植民地支配の経験を描き出していた(成田龍一「「他者」への想像力――大日本帝国の遺産相続人として」『地域研究』七―二、人間文化研究機構国立民族学博物館地域研究企画交流センター、二〇〇六年二月)。これに対し、歴史学は、政策とそれに対抗する運動をたんねんに掘り下げるということとなる。森崎や小林、村松らの営みが、「私」と私に連なる人びとにとっての植民地経験になるのに対し、歴史学のばあい、そこでの主語は大日本帝国であり、朝鮮総督府であった。また、民族意識を持つ運動主導者であった。植民地の考察をめぐり、「戦後歴史学」と文学・文学批評は、当面、平行線をたどっていた。

戦後における日本近現代史研究は、一九六〇年代以降に「民衆史研究」という潮流を生み出し、「にとって」「される側」からの歴史像を提供するが、「韓国併合」をめぐっては、こうした観点からの考察はなかなか見えにくい。支配構造や民族的抵抗は明らかにされていくが、一人ひとりの「日本人」にとっての「韓国併合」―植民地支配の持つ歴史的な意味までは、まだ距離があった。尹健次《ユンコォンチャ》はこの点から、大方の「日本人」の「植民地支配の忘却」を厳しく追及するのである（『孤絶の歴史意識』岩波書店、一九九〇年）。

こうしたなかで、ひとつの雑誌に着目してみよう。一九七五年二月に創刊された『季刊 三千里』である。『季刊 三千里』は、朝鮮半島の統一を希求するとともに、日本、朝鮮、在日コリアンの三者をつなぐ姿勢を示していた。「朝鮮と日本との間の複雑によじれた糸を解きほぐし、相互間の理解と連帯とをはかるための一つの橋を架けて行きたい」（「創刊のことば」）との意図を有し発刊し、一九八七年五月に五〇号を刊行して終刊するまで、一三年間にわたり刊行された雑誌である。

大統領・朴正熙の体制を批判し、反政府運動を行い弾圧された詩人「金芝河」を創刊号の特集とし、『季刊 三千里』は、以後、毎号特集を軸に誌面を構成するが、「ポスト植民地問題である「在日」問題」(田中宏)、日本と朝鮮との関係、とくに近現代史の領域を多く特集した。また、国籍法や指紋押捺など時事的、政治的な争点はむろんのこと、ひろく朝鮮と日本の歴史と文化に言及してもいる。このとき、日本、朝鮮、在日コリアンの三者の対立とともに、日本と朝鮮の交流の歴史にも目を配る。冷戦的思考を批判し、かつそこからあらたな「架橋」(コラムの名称でもあった)を探り、教科書における朝鮮記述を調査することにも力を傾けている。

飯沼二郎は、終刊号の座談会「『季刊 三千里』の十三年」(他の出席者は鶴見俊輔、李進熙)で、この『季刊 三千里』の果たした役割として、(1)「南北に片寄らない自立的立場が貫かれたこと」、(2)「日本の目を複眼にしてくれる努力」、(3)「在日朝鮮人の問題が単に彼らだけのものではなくて、日本人自身の問題だということへの理解を助けた」との三点を挙げている。朝鮮の歴史を考察し、在日コリアンとの運動に参画している飯沼にして、(3)などは、いささかナイーヴな発言ではある。しかし、この点は、一九九〇年代半ば以降の歴史認識の展開が、いかに急速であるかの証左とすることができよう。

『季刊 三千里』は「日本人にとっての朝鮮」(四号、一九七五年一一月)、「朝鮮の友だった日本人」(一三号、一九七八年二月)などの特集を組み、一面的で一色に塗りつぶしてしまいがちな植民地期の朝鮮と日本の関係を論じており、ここから出発していく。「他律的」に記されたこれまでの朝鮮史像を、払拭する試みがなされることとなる。「近代朝鮮にとって日本とは」(姜在彦。二二号、一九八〇年二月)を見据え、「私にとっての朝鮮・日本」の連載を行い、そこから論じていくことに『季刊　三千里』の立場があった。そのゆえに『季刊　三千里』が歴史認識に果たした役割、また与えた影響は大きい。

『季刊　三千里』について議論すべきことは多いが、「韓国併合」とその歴史認識にかかわり、二つの事例を検討しておこう。第一は、『季刊　三千里』における「韓国併合」特集である(四九号、一九八七年二月。特集「「日韓併合」前後」)。特集が組まれた背景は、中曽根康弘内閣の文部大臣・藤尾正行による「韓国併合には、韓国にも責任がある」という趣旨の発言である(「〝放言大臣〟大いに吠える」「〝放言大臣〟再び吠える」『文藝春秋』六四―一〇・一一、一九八六年一〇・一一月)。政治家の植民地支配にかかわる意識の欠落を睨みながらの特集であった。

この特集は、梶村秀樹「「保護条約」と朝鮮民族」、原田環「閔妃殺害事件」、劉孝鐘「ハーグ密使事件と韓国軍解散」、姜徳相「朝鮮と伊藤博文」、姜在彦「「日韓併合」と一進会」、馬淵貞利「寺内正毅と武断政治」、黒瀬郁二「東洋拓殖会社の植民地経営」というラインアップとなっている。

一八九五年から一九一〇年に至る日本と韓国(大韓帝国)の動き――その過程と節目と

なる出来事が取り上げられ論じられている。第二次日韓協約(日韓保護条約)の締結が、伊藤博文による恫喝のもとになされたことや、「閔妃殺害」事件の様相が記された。また、「閔妃殺害」に対し、「一八九五年十月の乙未事変」「十月八日事変」との言い方が紹介された。あるいは、倉知鉄吉の造語による「併合」に関して、姜在彦が史料を紹介し植民地化の過程を論じた。さらに、朝鮮総督府や東洋拓殖会社による植民地支配の様相を政治的、経済的に紹介する論文が並べられている。

歴史的な出来事を提示し、大日本帝国の行為を批判するが、あわせてそのことに対する「日本」「日本人」の歴史的な責任の意識、認識の欠落と欠如を指摘する。もっとも、特集を通じて「日韓併合」という語の検討はなされていない。姜在彦は「日韓併合条約」と記し、論文タイトルにも「日韓併合」と記している。

いまひとつは、『季刊 三千里』誌上で、幸徳秋水の朝鮮認識をめぐる論争が見られたことである。発端は、飛鳥井雅道「明治社会主義者と朝鮮そして中国」(一三号、一九七八年二月)による、幸徳の朝鮮認識への批判である。飛鳥井は、幸徳が中国の革命運動に(「感覚的な要素」が多いながら)つながりを持とうとしたのに対し、朝鮮に対しては「むざんなほどに彼の足もとの弱さ」が「露呈」するとした。一九〇五年の幸徳の書簡に、朝鮮の土地を買うとの一句があることを指摘し、幸徳は「日本帝国主義のわな」にはまったとした。飛鳥井は、幸徳秋水にして、朝鮮の問題を捉えられなかったことを「明治社会主義の最大の弱点」と言う。

これに対し、「架橋」欄に、伊藤成彦「大逆事件と「日韓併合」」(一七号、一九七九年二月)が、幸徳の「帝国主義・植民地主義反対の態度は一貫して明白」「朝鮮問題をも正確に視野の中に収めていた」と反論した。また、同号には、西重信「幸徳秋水の朝鮮観」も掲載され、同様に飛鳥井の論稿を批判した。さらに、投稿欄「おんどるばん」で、「納得のいく幸徳秋水論」(加藤善男)と伊藤・西への賛意が、また「飛鳥井氏の反論を期待」(石坂浩二)と飛鳥井説への賛意が掲載された(一八号、一九七九年五月)。

このとき、石坂は、幸徳の朝鮮観の貧弱さを指摘するかたわら、「日本人の朝鮮観は、日本人の主体の問題としてどうなのかがまず問われなければならないと思う」と述べた。さらに、「日本人にとっての朝鮮問題は、一般的な「帝国主義・植民地主義反対」ではすまないのではないか」とも述べ、石坂は議論を敷衍していった。

また、飛鳥井自身も、伊藤や西、加藤に対し反批判を行うなかで、「明治以後の日本人として、もっともすぐれた人物の一人」である幸徳が、「朝鮮にたいして帝国主義者の思考・発想におちこんでしまったこと」を「無念」とし、「あくまで現在のわたし、およびわたしたちの自戒のため」にかかる「事実」を書いたとした――「わたしは、自己点検の意味で幸徳秋水の朝鮮論批判をおこなおうとしているのだ」(「再論・幸徳秋水と朝鮮」二〇号、一九七九年一一月)。

いまでこそ、幸徳の認識欠如は通説となったが、一九七〇年代後半はまだ社会主義への信頼が厚く、幸徳秋水の批判派への風圧は強かったことがうかがえる。興味深いことは、飛鳥井や石坂らの幸徳批判が、実証性によってもたらされていることである。

いや、ていねいに論ずれば、かつて石母田正が「我々の過去の一切の頽廃は、この朝鮮民族の圧迫とのぬきさしならぬ深い関係」を持つと言い、連合国軍占領下の「全くの奴隷と乞食の根性」を重ね合わせて述べたことがある(「堅氷をわるもの――朝鮮独立運動史万才事件の話」『歴史評論』一六号、一九四八年六月)。のち、『歴史と民族の発見』(東京大学出版会、一九五二年)に所収されるが、この日本民族にとっての植民地支配の意味を論じた先駆的な議論を含む著作を、飛鳥井は取り上げ議論を出発させている――「かつて一九五二、三年に石母田正氏は、日本の社会主義者がいかに中国を理解していなかったかと、その『歴史と民族の発見』に収められたいくつもの論文で反省したのだったが、事実はかならずしも石母田氏の把握したとおりではなかった」(「明治社会主義者と朝鮮そして中国」)。

石母田の議論を念頭に置きながら、飛鳥井はあらたな問題を提起したのだが、文脈と実証の双方によってこそ、説得力が生まれる事例がここに存在している。

この論争をめぐっては、一九七〇年代後半の歴史認識にかかわっており、幸徳秋水という社会主義にとっての中心的な人物でさえ、朝鮮認識が欠けていたという指摘と、そのことに対し、あの幸徳こそは認識を欠いていたはずがないという思い込みゆえの反発とが見られる。社会主義への信頼と期待を背景に、かかる議論が展開されたが、一九七〇年代後半において、朝鮮認識を鏡として歴史認識を検証しようとの試みがなされたということでもあった。飛鳥井は、「再論・幸徳秋水と朝鮮」を、幸徳の「弱点」は、「一九四五年以後も、一九七九年の今も、その事情はあまり変わってはいないのではないか」と結んでいる。

『季刊　三千里』は、かくして、それぞれに対し「にとって」の視点を与え、またそれを問いかける論を掲載していった。ここでは、あらかじめの枠組みは通用しない。むしろ、帝国―植民地の非対称的関係は、厳然と踏まえられている。しかし、出来事をその構造に還元せず、そこから個人を糾弾することを回避し、同時代に生きた人びと「にとって」、またその記事を読む読者「にとって」いかにその事態に直面するかを図っていく。植民地にかかわる具体的な局面を設定し、そこにそれぞれが、いかに主体的に向き合うかを促すものとして作動していた。『季刊　三千里』は、これまで必ずしも周知ではなかった出来事をたんねんに紹介する。そしてそのうえで、その出来事と背後にある植民地体制を、それぞれに問いかけるのである。

4 アイデンティティの問い直し

石川啄木の短歌「地図の上朝鮮国にくろぐろと墨を塗りつゝ秋風を聴く」、あるいは、比嘉春潮が日記に「日韓併合、万感交々至り筆にする能わず。知りたきは吾が琉球の真相也。人は曰く、琉球は長男、台湾は次男、朝鮮は三男と」と記したこと(『沖縄の歳月』中央公論社、一九六九年)は、よく知られている。こうした「韓国併合」への批判が、同時代的にあったことは重要であり、このことが記憶され伝えられていくことには歴史的に意味がある。

だが、同時に、啄木と比嘉とでは、批判の位置に差異があることにも目を向ける必要があるだろう。啄木は「朝鮮国」に墨を塗ると述べ、大日本帝国がひとつの国家を抹殺し、支配することに怒りを向けている。それに対し、比嘉は大日本帝国が、これまで「琉球」「台湾」を版図に組み込んできたことを指摘し、あらたに「朝鮮」が加えられたことを言う。国民国家と帝国主義が重なり合うとの認識のもとで、「琉球」にとっての「韓国併合」の意味を問うていく。「韓国併合」を鏡にしながら、「琉球」の〈いま〉を見つめ、日本との関係を再審しようとする。

このように見るとき、自伝に以下のように記す人物がいる。この人物もまた、自らにとっての「韓国併合」の意味を考える……。

忘れもしない。

それは明治四三年の日韓併合のお祝いの時だつた。宮城前へ提灯行列にいつた。フランス人の校長が、せんとうに立つて、「テンノーヘイカ　バンザイ」と、音頭をとつた。ぼくたちは無心にバンザーイをとなえた。それから、「ニホンテイコクバンザーイ」になつた。天皇万歳までは、よかつた。が、日本帝国万歳！となると、子供心にも、戸惑いがおこつた。はたと、幼い疑問にぶつかつた。〔中略〕いつたい「こうもり」のぼくにとつて、「我が国」というのは、どこなのだろう？……《ママ》大日本帝国が祖国なのかしら。愛国心といい、外国人といい、同胞という、いつもは習慣的に、さして気にもしないで口にしていたが、さて、一度び気になりだすと、はてしなくもやもやしてくる。人波の中で、たつた一人ぼつちの、さびしさを抱いて、わつしよ、わつしよとおよそうらはらの騒音の中に、とけこんで行くたよりなさを味わつた。万歳なんて、何が万歳なんだ。……《ママ》何をそんなに祝おうとするのだろう？

（平野威馬雄『混血人生記』日本出版協同株式会社、一九五四年）

筆者である平野威馬雄（一九〇〇－八六）は、フランス文学者で、東京生まれの横浜育ち。フランス系アメリカ人の弁護士を父に、母はカトリックを信仰する日本人であった。

アジア・太平洋戦争中には、スパイ容疑で取り調べも受けている。引用した箇所は、同時代史的な認識であると同時に、一九五〇年代半ばの平野の自己認識でもあったが、「韓国併合」は平野少年に大きな傷を負わせている。

そして平野は「いつたい、ぼくにとつて祖国はどこなのだろう」と煩悶し、「心から、日本万歳！」と叫ぶ気にもなれないとともに、「あの、遠い昔の夢のような日韓合併の祝いの夜を境として、ぼくは精神的に無国籍者となり、同時に二重国籍者としての心もとなさを、しみじみと、ことごとに味わうようになつた」と記す。

このとき、平野少年は、日本という根拠(アイデンティティの場所)それ自体を問いかけている。日本を相対化するのみならず、国家にアイデンティティを求めることそのものを疑っている。こうした意識が、ほかならぬ「韓国併合」からもたらされたという証言は重い意味を持つ。

そして平野をつつみこむような文脈—認識を、「戦後歴史学」は持ってきたかという想いにも至る。換言すれば、平野は国民国家を準拠枠とすることを否認している。「韓国併合」を、民族抑圧—独立の視点ではなく、国家と民族をアイデンティティとはしないという方向で議論している。これは、これまでの歴史認識に対し、それを引き裂く「知の棘」(上村忠男)となっている。

5　歴史認識の問い、再び

以上を経て、再び、歴史認識に戻って考えてみたい。第一は、歴史認識といったばあい、自らの価値軸そのものをも歴史化することが求められる点である。とすれば、史料とともに先行の研究についても、⑴まずは、その時期の歴史的な状況のなかで把握する必要があり、あわせて、⑵動態的に考察すべきであるという論点を含んでいる。

この点からするとき、皇民化政策により植民地政策が変容してきたという指摘（水野直樹）は、植民地責任をいかに問うかということを考えるとき、示唆的である。日中戦争の開始という戦時体制と植民地体制とをいかに把握するかということとも重なり、これまで別個に問われてきた「戦争責任」と「植民地責任」をあわせて問いかける必要があるということとなる。

私自身は、そのために「帝国責任」という概念を提起したことがある（「「帝国責任」ということ」『世界』八〇〇号、二〇一〇年一月。本書第8章）。時間的な経過から言えば、植民地化を行い、その人びとを皇民化により戦争動員したということになるが、植民地化は戦争のなかでなされ、あらたな戦争への動員をしており、戦争と植民地化は切り離せないことがあきらかである。この責任―戦争責任と植民地責任を「帝国責任」とした。この概念によって、同時代的な把握とあわせ、戦後の過程をも含む植民地への議論が可能となるのではなかろうかと思う。

第二点は、そもそも歴史学とは、自らが経験しないことをなり代わって語り、そのことによって「われわれの経験」を紡ぎ出すという方法に基づく学知である点にかかわる。その際に、不当な仕方で無理やりに、嫌がる相手を「われわれ」のなかに引きずり込んではいないか。また、相手をことさらに貶めたり、思うがままに相手を扱ってはこなかったか——はたして他者を他者として扱ってきたかという問いかけがあった。「にとって」の視点を、いかに歴史像と関連させていくかということでもある。

そして第三点目は、「日本帝国主義」のありようが俎上に載せられ、さまざまに問われてきたが、「日本帝国(主義)」と「帝国(主義)」との関係についてである。考えられるべきは、「日本帝国(主義)」の特殊性ではなく、「帝国(主義)」としての「日本帝国(主義)」であり、そこでの固有性の追究であろう。こうした観点から、幾多の問題系が浮上する。

たとえば、近年の帝国研究はクレオールという存在に着目している。このとき、制度的には五〇年の期間となる日本の植民地のばあい、クレオールという問題系はどのようになっているのであろうか。

いまひとつ、第四点目には、研究が精緻になればなるほど、合理的に歴史過程を跡づけて説明してしまう、あるいは、説明してしまえることになりはしまいかとの点である。「戦後歴史学」の言い方では、歴史像の再構成ということになるが、歴史像の再構成＝実証に先行するもの、そして再構成＝実証の先にあるものが問いかけられていよう。不遜な言い方をすれば、これまで歴史家たちは多分に研究史の陰に隠れて発言することが可能であった。自らの判断と歴史認識を、先行する研究の枠組みとの関連で語ることに慣れてきた。

しかし、冷戦体制崩壊ののちには、〈いま〉との関係に身を曝すことが不可避となった。このことを「倫理」といえば、あまりにも漠然としているが、歴史叙述にはそれがしっかりと組み込まれている。歴史学は、いまや歴史認識が絶えず問われる状況になっている。新しい歴史家たちが、目覚めるべきときである。

第10章　「東アジア史」の可能性

はじめに――二〇〇五年の東アジア

二〇〇五年は、東アジアのなかで、歴史認識の温度差を感じさせる出来事が相次いだ。たとえば、春先の韓国と中国でのデモを、日本のメディアは「反日」と名づけて報道した。日本の外交政策や外交姿勢に反対するデモであったにもかかわらず、日本のメディアは、日本の総体を対象としたデモであるかのように報じ、デモを攻撃した。あるいは、歴史教科書問題や靖国神社への首相参拝問題に対するアジアからの批判に関して、(アジア諸国からの)「反発」という言い方で報道している。これらは、戦争の記憶のありようや〈いま〉の東アジアにかかわる問題を日本への反発として扱う姿勢にほかならず、中国や韓国との温度差を縮めようという姿勢は見えにくい。

また、二〇〇五年は、日本国内では「戦後六〇年」の年とされた。ほかにも、この年は「解放六〇年」「日露戦争百年」「乙巳条約百年」「日韓条約四〇年」「ベトナム戦争後三〇年」とさまざまに考えることができるなかで、「戦後六〇年」だけが焦点化された。もっとも実際には、その議論すらも行われず、むき出しの「国益」論がまかり通る悲惨な状況で、「戦後六〇年」の議論も一国史的な歴史認識に止まり、国会での「戦後六〇年決議」も充分な内容とは言い難い。そもそも、「『戦後』を六十年と表現できる国が、はたしてアジアにどれだけあるか」[1]という認識が希薄である。

こうしたなかで、東アジアの近現代史(一九世紀後半から二〇世紀)を描くテキスト——日本語のタイトルは『未来をひらく歴史』[2]が刊行された。日本、韓国、中国の関係者による共同編集で、時間をかけて準備し、各国で同時に出版された。同書は、「教科書」ではなく副教材を目指しているが、歴史教育の場所にもち込まれることを目的としており、刊行に至るまでに多くの制約や困難があったことは容易に想像がつく。歴史教育は「国家」によって制度の差異があるとともに、そもそも「国民」育成の目的をもち、ナショナルな枠組みに濃く彩られている。また、国家や国民の枠を相対化しようとしたときにも、それぞれの国家の歴史教育が抱える課題の相違は無視できない。さまざまな制約や困難のなかで、『未来をひらく歴史』の編集と刊行に努力されたことに敬意を払いたい。

日本では、とくに一九九〇年代以降、むき出しのナショナリズムが徘徊し、歴史教育の場所でも歴史修正主義をあらわにする『新しい歴史教科書』(扶桑社)が二〇〇二年から登場している。『未来をひらく歴史』は、この『新しい歴史教科書』の登場を契機に対抗的に構想されたというが、『新しい歴史教科書』に対しては、さまざまな角度からの批判が必要であり、さらに、オルタナティヴの提供が求められている。そうであればこそ、『未来をひらく歴史』の刊行のために日本、韓国、中国の関係者が集まり、払った努力を歓迎したい。

だが、こうした歴史教育をめぐる状況と運動の観点とともに、同書で提出された歴史像と歴史叙述は、きちんと点検されなければならないだろう。『未来をひらく歴史』の刊行を喜ぶとともに、同書への歴史学的―史学史的な観点からの検討が必要である。単に運動の産物としてだけ扱われ、同書の内容に関する検討がなされないことは、『未来をひらく歴史』の執筆者たちにとって本意ではないはずである。また、『新しい歴史教科書』への批判として、どのような歴史像が提示されるかは運動にとっても重要なことだろう。ここでは歴史学的―史学史的な観点から、『未来をひらく歴史』を読む試みを行ってみよう。私は、韓国や中国の人びととは異なった歴史的・文化的な背景をもつが、そのことを自覚したうえで同じテクストを読み、ことばを紡ぎ出す試みをし、韓国や中国の方たちとの対話の糸口を作ることもここでの目的となる。

以下に述べるように、『未来をひらく歴史』では、日本側は(日本の歴史学のなかで)

「戦後歴史学」と呼ばれる立場の執筆者が中核をなす(『未来をひらく歴史』は「日本・中国・韓国＝共同編集」とされ、節ごとに「担当国」が執筆し、巻末にその分担が示されている)。「戦後歴史学」とは、一九四五年八月以降の「戦後民主主義」を体現した歴史学で、社会経済史の成果を基盤に歴史を描く立場であり、かつての大日本帝国の軍国主義的な行為を批判的に考察する歴史学である。戦後の過程で、日本の歴史学のパラダイムは長いあいだ「戦後歴史学」に集約されており、(「戦後歴史学」と「戦後民主主義」を攻撃対象とする)歴史修正主義との二派間での対抗の時期が続いた。

しかし、一九九〇年前後から、この二派に加え、あらたに「社会史研究」が加わり、以後は「戦後歴史学」「歴史修正主義」と「社会史研究」の三派鼎立が見られるようになる(近現代日本史の領域では、「民衆史研究」が大きな位置を占めており、これを加えれば四派ということになる)。「社会史研究」は、言語論的転回の議論を意識して歴史構成主義の立場をとっており、この点から実証主義(＝本質主義)である「戦後歴史学」とは対立する関係にある。しかし、むろんのこと、社会史研究の歴史学者たちはみな、歴史修正主義には反対の立場をとっている。

このとき、やっかいなことは(そして、留意しておかなければならないのは)、『新しい歴史教科書』に示される歴史修正主義は、決してそれまでのような単純な復古主義ではない点である。かつての「大東亜戦争肯定論」のような復古的な歴史観とともに、歴史構成主義に基づく新しい論点―歴史物語論をあわせもつ。史学史的に見れば、新しい歴史修正主義として『新しい歴史教科書』は登場してきている(3)。日本では、こうしたあらたな論点と対抗関係が見られる三派鼎立のなかで、『未来をひらく歴史』が刊行されたのである。

1　『未来をひらく歴史』をめぐって

経緯と内容

アジア諸国のあいだには、韓国との交流をはじめとして、さまざまな国家間、団体間での歴史教育の交流がある。『未来をひらく歴史』は、「歴史認識と東アジアの平和フォーラム」(日本、韓国は民間レヴェルであり、中国は国家レヴェル)を出発点とするもので、二〇〇二年三月の南京でのフォーラム以来、準備を重ねてきたという。同年八月にソウルで副教材作成のための会議として始まり、日本で四回、中国で四回、韓国で三回の会議がもたれ、議論が積み重ねられ刊行された。『未来をひらく歴史』は、三国間で時間をかけ、関係者が対面して作成した歴史教育の「副教材」となっている。

日本側の執筆関係者によれば、このプロジェクトは二〇〇一年の歴史教科書問題をきっかけとしたもので、『未来をひらく歴史』は二〇〇五年に三国で同時に発売され、日

本で七万部、中国で一二万部、韓国では三万部が売れたという。(4)

日本―韓国―中国という三国間の交流の試みは、これまでにも行われている。たとえば、日本では、一九八二年に発足した「比較史・比較歴史教育研究会」がある。同会は、一九八四年八月に「東アジア・歴史教育シンポジウム――自国史と世界史」を開催する。(5)この試みは、やはり一九八二年の日本での歴史教科書問題をきっかけとしたが、このときの三国間のテーマは(歴史教育の)「比較」であった。これに対し、『未来をひらく歴史』では「共通」(の教材作成)を目指しており、二〇年間の推移と経験の蓄積が見られる。

『未来をひらく歴史』の日本の編集委員会は、「子どもと教科書全国ネット21」「歴史教育アジアネットワークJAPAN」などが主要な基盤であり、「戦後歴史学」の成果に学び、教科書問題に取り組む「良識派」「良心派」のグループである。「戦後歴史学」に基づき歴史叙述の提供を試みるが、同書を多くの人びとが『新しい歴史教科書』へのオルタナティヴとして「期待」し、それが先のような多くの販売部数と結びついたと言えるだろう。私も同様に、大いに期待をして読んだが、その結果をここで報告しよう。

『未来をひらく歴史』の共同編集・出版に多くの制約があったことは、関係者たちが記すとおりである。また、執筆者たち自身が、同書はまだまだ完全なものでないことを述べている。(6)現状では、その一人である斎藤一晴が記すように、「共通」の歴史教育の教材作成について議論するために三国の関係者が同じテーブルに着いたということが、何よりも重要であろう。『新しい歴史教科書』への批判として、三国でオルタナティヴを検討し提供したことは評価すべきことである。

だが、そのために、『未来をひらく歴史』はその歴史像を検討されねばならず、そのことによってこそ努力が報われるだろう。以下の検討の意図は、何よりも『未来を開く歴史』に対し払われた努力と試みを無為にしないためにある。

評価と論点

『未来をひらく歴史』は、いくつかの問題点を有している。まずは全体の構成にかかわり、その枠組みの設定と叙述―構想と執筆担当との関係から始めてみよう。

『未来をひらく歴史』の副題は、「東アジア三国の近現代史」となっている。しかし実際には、日本、韓国、中国によって東アジアが代表・代行されており、朝鮮民主主義人民共和国、台湾、モンゴル、あるいはロシア、ベトナムなどは省かれている。むろん、実際にこれらの国々がすべて集まり協議することは不可能だが、叙述までが制限される必要はない。東アジアの歴史像を再構成するにあたり、叙述が三国にだけ限定された理由が示されなければならないだろう。この限定の自覚を欠いたままでは、「東アジア」を描くことにはならない。(アメリカを含む概念としての)「西洋」と、(三国を含む多数の)「東アジア」の国家、民族が織りなす関係性の束としての歴史像を描く際に、日本、中国、韓国に叙述が限定されたことの意味がまずは語られなければならなかった。しかも、『未来をひらく歴史』では「三国」としており、(認識・叙述の次元でも、執筆の分担でも)現在の国民国家を前提とした単位となっている。国家を形成していない「民族」は、当面、『未来をひらく歴史』の表舞台には出てこないことになる。

『未来をひらく歴史』では、「近現代史」を対象としており、通時的に一九世紀後半から二〇世紀を扱う。当初の議論では、古代からの歴史叙述が提起されたが、会議を重ねるなかで(古代からの通史の提供は)「現実的に不可能」とされ、近現代史に限定されたという。また、『未来をひらく歴史』は「通史」ではなく、「テーマ別」の内容、すなわち「日本の侵略戦争をめぐる歴史事実を三国で共有する」試みであるという。(7) 東アジアの近現代史を考察するときに「日本の侵略戦争」が主軸となるのは当然だが、はたして「日本の侵略戦争」にだけ歴史像を収斂してよいのだろうか。「日本の侵略戦争」のもたらした対抗と矛盾は、そのまま二一世紀にもたらされているのではなく、二〇世紀後半の冷戦体制下での矛盾が、「日本の侵略戦争」に相乗されており、そこをいかに描くかが、東アジア近現代史に設定された課題となるのではないだろうか。

このことを踏まえ、以下に、『未来をひらく歴史』の「テーマ」の選択と叙述に着目しながら、各章ごとの検討を行ってみよう。

「序章　開港以前の三国」では、一七世紀から一九世紀半ばを扱う。すでに(日本・中国・韓国という)国家があったという前提での叙述となっている。前近代の歴史像は、近代の国民国家によってまとめあげられているという認識――近代国民国家の形成のために、「歴史」が用いられているという認識が必要な箇所だろう。

「第一章　開港と近代化」は、「欧米列強の圧力と三国の対応」の叙述である。「アジア」という認識が「西洋」の進出の過程で形成されるが、ここでは(「欧米列強」に対抗する)「三国の対応」とされ、ここでもすでに現在の国民国家を前提とした叙述となっている。すなわち、一九世紀までの東アジアでの中国の支配秩序が「欧米列強」によって変容するという視角はなく、国家単位で完結した「対応」が記されている。「西洋」によって「アジア」を自覚させられ、対抗的に東アジアに国民国家が形成されるという視点は見られず、したがって「三国の争い」(「朝鮮をめぐる日本と清との葛藤」)も、「欧米列強」による東アジアの「近代化」(国民国家形成が作り出す矛盾と葛藤・対抗)のなかに位置づけられることはない。

国民国家の範囲内で完結してしまった記述は、それぞれの国家に出現する「改革運動」が、それぞれの政府との対抗としてだけ理解されている点にも見られる。「改革運動」とは、それぞれの「近代」(東アジアの近代)を構想するものであり、そのためにそれぞれの政府の近代化構想と抗争するのだが、このダイナミズムが欠けてしまう。

このなかで、「三国の民衆生活と文化」の節の記述は工夫されており、鉄道、暦と時間、メディアと教育などが扱われ、社会史的な視点をもつ叙述であり興味深い。ただ、ここでも近代の「文化」が国民文化として展開されていくという視角はない。また第二章「日本帝国主義の膨脹と中韓両国の抵抗」では、表題に「両国」とされ、国家を単位とした抵抗として把握されている。この箇所(表題)は、少なくとも「民族」とすべきではないだろうか。

第二章では、「日本の侵略」とそれに対する「民衆の抵抗」が叙述の軸とされるが、国民国家体制が、帝国—植民地主義の体制との認識を欠き、辛亥革命がもつ東アジアにおける意義は記されない。また、日本の植民地支配についての記述を韓国側がすべて「担当」するが、この分担には、支配の過酷さが明らかにされるというプラス面と、日本が加害性をいかに自覚しているかの論点が失われるマイナス面とがあるだろう。第二章第四節「変りゆく社会と文化」では、それぞれの国家における大都市の大衆文化を叙述しており、この箇所も興味深い。ただ、叙述で「女性」の風俗が特記されており、女性が絶えず論じられる対象となる点への批判は回避されている。

「第三章 侵略戦争と民衆の被害」では、「満洲事変」からの「日本の侵略」と「中国民衆への残虐行為」が描かれるが、この部分はすべて中国側が「担当」する。他方、戦時の植民地支配は、「朝鮮の戦争基地化」という把握のもと、戦争と植民地支配の関係を説明する。この部分は韓国側がすべて「担当」した。戦争遂行体制の形成により植民地支配が激化・極限化したという認識が示されるが、記述の「分担」として、これらの箇所を日本側の執筆者が書くという方法もありえたように思う。

また、この章では「朝鮮人民軍」「大韓民国臨時政府」について叙述され、「日本民衆の加害と被害」(沖縄、広島・長崎、都市空襲)が論じられ、反戦運動を実践した長谷川テルや日本兵反戦同盟などの事蹟も記され、広い視野をもって叙述されている。

「第四章　第二次大戦後の東アジア」では、「戦後」の「三国の新しい出発」が描かれる。戦時と戦後の連続性には触れられず、第二節「問われる日本の「過去の清算」」で、(日本による)戦後処理が現在の観点から考察される。ただ、この章は外交レヴェルのテーマが主であり、(終章とともに)ページ数は多くない。戦争責任は、戦後責任と重畳して顕現するという認識に立てば、この箇所はもっと記述が豊富であってよいのではないか。東アジアの「戦後」には、あらたな国境線が引かれ、従来とは異なる境界が設けられ、それぞれの国家は編成替えされるが、そうしたダイナミズムがこの記述からはうかがいにくい。第四章で扱う出来事は、現在進行形の政治・外交問題と密着しており、ここに力点が置かれれば、ねらいとしていた「日本の侵略戦争」の「戦後」における対応が明らかにされ、戦争が過去のものとなっておらず、〈いま〉の国家関係—国際関係と連動していることが、さらによく記されただろう。

なお、第四章で、朝鮮戦争の記述を日本側が「担当」するのは、いかなる理由によるのだろうか。中国側と韓国側とでは記述(観点)が違い過ぎるという配慮によるならば残念である。むしろ、歴史認識の差異を提出してもよかったのではないだろうか。

そして、「終章 二十一世紀の東アジアの平和のための課題」は、個人補償、「慰安婦」、歴史教科書、靖国神社問題と戦争にかかわるものが「テーマ」の大半となっている。冷戦体制下の「戦後」に形成されたあらたな矛盾に関しては、ほとんど記述されていない。

2 テクストとしての『未来をひらく歴史』

『未来をひらく歴史』は、「日本帝国」の侵略史として描かれている。このことは、東アジアの近現代史としては当然のことである。だが、『未来をひらく歴史』を一つの歴史叙述として読むとき、いくつかの疑問点が見られる。第一は、東アジア地域での歴史主体をめぐってである。『未来をひらく歴史』の記述では、その「主体」が(侵略という負の行動をとる)「日本」となり、「韓国」「中国」は(日本の行動により)被害を受け抵抗したという描き方になっている。すなわち、韓国・中国は、(日本の行動へのリアクションによって、はじめて行動するという)二次的な主体として描かれている印象を受ける。『未来をひらく歴史』は、この意味での「日本帝国」の歴史となっており、韓国・中国は、「日本帝国」の従属変数として記述され、独自の役割と意味をもつ歴史の主体とされていないように見える。

第二は、ナショナリズムをめぐる点である。韓国・中国の主体性は(日本帝国への)抵抗として記されるが、そのことにより、韓国・中国が国家として発現するナショナリズムは温存され、それを示すかのように(先に記したように)、第二章のタイトルが「日本帝国主義の膨脹と中韓両国の抵抗」とされている。また、日本に関しても、大日本帝国が有する「膨脹」するナショナリズムこそ批判されるが、(「戦後」に作られた)日本のナショナリズムには、批判が及んでいない。

別言すれば、『未来をひらく歴史』では、東アジアの空間での出来事が日本の侵略戦争に還元され、叙述の際にも、一九世紀後半に形成された国民国家の秩序を前提に議論を進めている。これは、第二次世界大戦後の現在の東アジアの国家秩序を前提とした遡及にほかならない。

だが、先に記したように、そもそも東アジアという空間が「西洋」により形成され、そのために、(1)(東アジア地域にも)国民国家が形成され、(2)(そのことにともなって)日本・韓国・中国の相互の対抗が起こり、また、国民国家体制が帝国の体制であるがゆえに、(3)日本による(韓国、中国への)侵略と植民地化が進行するという歴史過程をたどるのである。国家を前提にするのではなく、その形成と展開の過程を描くこと——そのつどの過程での抗争と対抗があらたな矛盾を生み出し、日本を軸とする対抗が主軸となるとともに、韓国と中国の間でも対立が見られるということへの認識が必要である。三国間の対立と合わせ、癒着と融合の複雑な関係を生み出す動きを描くことが三国の歴史ということだろう。こうした認識をもってこそ、国境を超えた抵抗、ジェンダーによる連帯などの可能性の追求も説得的となる。

この意味で、『未来をひらく歴史』において有益だったのはコラムであった。「「親日派」と「漢奸」」「遠かった故国」など、本文で触れられなかった話題がコラムで扱われている。

『未来をひらく歴史』の「テーマ」選択は、こうした歴史過程と歴史認識を短縮し、「西洋」との対抗関係における(東アジアの)近代化の観点が希薄のままに、「テーマ」を広義のアジア・太平洋戦争に特化していった。また、このことと関連し、第二次世界大戦後の東アジアにおけるアメリカの占領への関心も少なく、「東アジア三国の近現代史」ではなく、事実上「日本帝国の形成と侵略の近現代史」となっている。日本の戦争責任の追及でも、執筆の「担当」を工夫すればあらたな認識がもたらされたように思われ、残念である。

さらに、「東アジア三国の近現代史」というねらいから見たときには、「植民地的近代」の議論が不可欠だろうが、こうした観点は見られない。台湾や韓国(中国でも部分的に)には日本や「西洋」による植民地支配を通じて「近代」がもち込まれ、このことがそれぞれの歴史的な規定性となる。第一章で扱われた「三国の民衆生活と文化」――鉄道、暦と時間、メディアと教育、第二章で扱われた「変りゆく社会と文化」――都市化などは、そうしたことを考察する格好の素材である。一九八〇年代後半から世界的に活性化した「社会史研究」は、(1)文明化が「西洋化」であるとともに帝国主義を伴い、(2)国民国家形成に即応するココロとカラダ、および絆の近代的な規範を作り上げることを明らかにしたが、東アジア地域では、さらに(3)植民地化によってその「近代」が遂行したという特徴がある。

たとえば、台湾における「共通語」の制定、韓国や中国における衛生制度と衛生的な身体規範の形成は、日本(および「西洋」)による植民地化の過程で遂行されている。暦をめぐっては、大日本帝国は植民地に太陽暦である日本の暦を強制する。しかし、農業に利用できず、何より宗主国・日本の強制であることから、朝鮮半島では人びとは新暦の使用を拒否し、そのことが宗主国・日本への抵抗となる。また、戦時には、(大東亜共栄圏を対象範囲とした)大東亜暦の構想も生まれ、暦が大日本帝国と植民地・占領地との抗争の場所となった(8)。鉄道もこうした観点からの叙述と分析が可能だが、こうした問題系は『未来をひらく歴史』ではうまくすくい上げられていない。

すなわち、ここで扱われているのは、帝国主義に対抗する民族主義というハードな枠組みでの叙述であり、一九世紀後半から二〇世紀の「東アジア」に何が起こったのか――「東アジア」の近現代とは、いかなる時代であったかという総体は描かれていない。『未来をひらく歴史』の主要な問題意識が、「日本の侵略戦争をめぐる歴史事実を三国で共有する」試み[9]に限定されたことの問題性があらためて浮上する。

「日本の侵略戦争」へのテーマの「限定」は、アジア・太平洋戦争がいまだ歴史化されていない状況では、必要・必須だという認識に関係者が至ったのだろう。確かに、日本の戦後補償も不充分であり、歴史認識が依然として外交問題となる現状で、「日本の侵略戦争」を前面化し、それを軸とした歴史像を提供したことは重要である。しかし、アジア・太平洋戦争によって形成された矛盾・対抗は、そのまま現在に至っているのではなく、かつての矛盾が「戦後」の「冷戦」の矛盾、さらに、「「戦後」後」「冷戦後」の矛盾と重畳して現在に至っている。こうしたなかでは、『未来をひらく歴史』におけるテーマの「限定」はいかにも窮屈であった。

以上は、『未来をひらく歴史』における、主として歴史認識にかかわる問題点だが、同書では、叙述―語りのレヴェルでの問題点がさらにある。『未来をひらく歴史』では、主語(すなわち、歴史の主体)として、国民国家が自明視されている。また、歴史的な出来事の評価の基準は、(侵略に対する)「抵抗」と「独立」にあり、(侵略に「協力」しての)「抵抗」や、「抵抗」「独立」の間に生じる葛藤や矛盾には言及されない。何よりも、本文を叙述する「担当」が国家を代表し(代表せざるをえない構造となっており)、日本の施策を(批判的に)記し、韓国、中国の抵抗を「国家」を代表して描いている。このことは、本文に、国民国家を主語とした「三国」という言い方が頻出することと関連していよう。「東アジアの近現代史」と言ったときに、国家の上位にあるはずの東アジアの視点(評価の軸)が、『未来をひらく歴史』にはうかがいにくい。また、民族の概念についての検討がなされず、民族間の対立や抗争にも言及されない。

そもそも、「東アジア」の「近現代史」を論じる際の時間と空間——「東アジア」という空間がいつどのように、どの範囲までが、どのような根拠で括りあげられたかという根本にかかわる事柄が、『未来をひらく歴史』では検討されていない。繰り返し述べるように、現在の東アジアのなかの国民国家の秩序が前提となり、現存する国民国家が主体(主語)であることから出発している。この点から、『未来をひらく歴史』では、(1)ナショナル・ヒストリーが超えられず、厳しい言い方となるが、むしろナショナル・ヒストリーが強化されてしまっているように思う。換言すれば、国民国家を超える語りの位置が、同書では存在していないということである。「衛生」「鉄道」「教育」などのテーマによって、帝国—植民地関係の複雑なありようを描き、国家を基準とすることから脱却する歴史像があったのではなかろうか。

このことは、(2)重層し転移する、国民国家の矛盾や民族の対抗といった視点が『未来をひらく歴史』では希薄ということである。国民国家の形成にはさまざまな矛盾が織り込まれ、それが植民地主義に転移する。この認識を欠いては、「日本帝国」の矛盾は外在する民族主義(抵抗)だけとなり、内部矛盾を有さないこととなってしまう。

『未来をひらく歴史』には帝国主義と民族主義の対抗関係が書き込まれ、「戦後歴史学」の成果が存分に活用されている。しかし、その反面、「社会史研究」の成果は断片的には紹介されてはいるものの、出来事や現象だけに限定されている。「社会史研究」は、国民国家を参照系とすることを批判し、国民国家を歴史的な存在とすることによってナショナル・ヒストリーからの離脱を図った。こうした、一九九〇年代に議論されたナショナル・ヒストリー批判の論点が、『未来をひらく歴史』では見えにくい。すなわち、国民国家形成時の内部矛盾(民族と変革主体との関係、「西洋」との対応など)が、対外的な矛盾を作り出すこと——国内における差異の統合が、「国家」としての行為を規定していくことの議論がなされていない。また、日本の国民国家形成は、東アジアの秩序(=緊張)のなかで、「西洋」との緊張関係で遂行され、そのために、あらたな緊張を東アジアのなかにもち込むことや、さらに、同様の行為が韓国、中国にも見られたことが触れられていない。東アジアにおける国民国家形成(=体制)が作り出した矛盾と、帝国—植民地関係への連鎖・重畳。このことを課題として設定した一九九〇年代の歴史学の実践と成果が、『未来をひらく歴史』では希薄と言わざるをえないのである。

「戦後歴史学」と「社会史研究」は(認識論的な次元では)対抗関係をもつが、歴史像の提供にあたっては、それぞれの有効性と有用性を有している。双方が、いかなる関係性をもつことにより歴史のリアリティを示しうるのか。このコラボレーションは「東アジアの近現代史」を対象としてはいかなる叙述の可能性をひらくことになるのか――こうしたことの実践的展開が、『未来をひらく歴史』に期待されていたように思う。ここにこそ、歴史修正主義に対抗する、オルタナティヴな歴史像の提供の方法的な根拠が求められるのではないだろうか。

3　東アジア史の可能性
――あるいは「日中韓三国共通歴史教材」の可能性

多くの批判的言辞を連ねてきたが、以上の『未来をひらく歴史』の検討は、(反転して)東アジア史の構想の可能性への考察へと至る。これを四つの論点から見てみよう。

まず、第一点は、東アジア史を描くとき、「日本の侵略戦争をめぐる歴史認識の共有」(10)を主軸とすることでいいのかということ。繰り返し論点としてきたが、この問いに対しては「然り」、そして「否」との二重の回答をせざるをえない。

「然り」という点からは、日本において、帝国意識(植民地を所有したこと)に依然として無自覚であり、また、(「戦前」とは異なるという意味での)「戦後」の価値化が自明とされ、その「戦後」意識が、帝国意識を消去してきたことがある。もっとも、後者の点からの戦争像は、『未来をひらく歴史』の叙述とは異ならざるをえないだろう。かかる点からの戦争像の試みとして、『岩波講座 アジア・太平洋戦争』(11)がある。

「否」の点からは、二〇世紀前半の矛盾だけが強調されてしまうことが挙げられる。「日本の侵略戦争」だけでは、この矛盾のうえに加わった「戦後」(「冷戦」)の矛盾や、さらに、その後の矛盾(「冷戦後」「「戦後」後」——一九九〇年代以降の状況が創出する矛盾)が過小評価されてしまう。また、東アジア内部——各国間の相互の矛盾とその重畳が、一元的・一方向的に日本へ向かうものとしてだけ把握され、単純化されてしまう。

こうした点から見たとき、東アジア史の構想は、対「西洋」によって括りあげられた空間と時間であり、国民国家体制(=帝国体制)がもち込まれたがゆえに生じた東アジア内部での侵略(=日本の侵略)と被侵略、「西洋」との癒着と対抗の空間となる。時間的には、「西洋」との緊張の時期(一九世紀後半)、内部の侵略が加わる時期(二〇世紀前半)、「アメリカ」との緊張が主である時期(二〇世紀後半)と区分でき、各時期での「西洋」への対応の類型(国民国家形成の類型)が見られる。その共役性が東アジアとしての特徴を作り出すと考えることができるだろう。

第二点として、東アジアで「共通教科書」は可能かという問いがある。『未来をひらく歴史』は「共通歴史教材」とされ、教育の現場である教室での使用が望まれている。

この問いは、(三国での)「共通」という次元と、「教科書」という次元の二つの内容を有するが、私は、双方ともにかなり困難だろうとの見解をもたざるをえない。(1)「共通」の歴史意識は、それぞれの国民国家で記憶のありようが異なるため、共通化させることは短期的には難しい。むしろ、三国の関係者による「重ね書き」を行うことによって、それぞれの記憶のあり方を自己点検することが有効性をもつのではなかろうか。

また、(2)「教科書」は教育制度にかかわっているが、歴史教育は、現状においては「国民」育成の制度であり、教科書は必然的に「通史」「通説」「総合史」であることが求められる。教科書に要請されるこれらの要素は、いずれもがナショナル・ヒストリーの強固な拠点となり、ナショナル・ヒストリーの基盤を形成している。三国共通の教科書は、現状ではナショナル・ヒストリーのより強化されたもの――各国のナショナリズムがより強固に保持されたものとなってしまうという危惧がある。この点で『未来をひらく歴史』が副教材を標榜していることには賛意をもつ。

さて、第三点として、国民国家を超えた価値基準とは、どのようなものかということである。アジア主義ではないのか、という点も問われることになるだろう。この問いに対しては、「社会史研究」の議論が参照される必要があるだろう。「社会史研究」は、国境という境界、国民という規範により、人と人の関係、人と地域の関係、共同性の作り方と交流のあり方が変わり、「国家」「国民」「民族」が特権化された経緯を明らかにしてきた。国民国家の作り出した境界・規範により、覆い隠されたなかに関係性のあらたな可能性を探り、歴史的に意味づけることが国民国家を超えた価値基準の内容となる。

また、史学史のなかから可能性を導き出す試みが必要となるだろう。安易な生態史観にくみせず、東アジアに共和制と社会主義が存在したことの歴史的な意味を追究することが求められる。また、国民国家への批判と不信から、安易なアジア主義が台頭しているが、これは単純な反米・反西洋の感情であることに注意しておきたい。

最後に、第四点として、近現代の歴史像がナショナル・ヒストリーに陥らないための自覚が必要である。『未来をひらく歴史』は、いわば「よいナショナリズム」の存在を認め、その立場に立っているように映るが、歴史像がナショナリズムの配分になってはならない。そのためには、単一・均一の歴史像ではなく、あらゆる「複数性」を意識することが肝要である。複数の「日本」、複数の「韓国」、複数の「中国」が、互いに、複数性において関係しあう複数の東アジアという認識が何よりも必要だろう。

したがって、歴史のコースも単線ではなく、複数のコースが存在したことの認識が、(歴史修正主義への)オルタナティヴとしては重要となる。この点に関し、韓洪九『韓国現代史』の叙述は、ナショナル・ヒストリーに回収されない、歴史叙述のひとつの方法的実践であると思う。(12) また、歴史(学)の見方も、時代により推移する複数性にある。そのなかで、「認識」と「語り」の双方を意識すること——ことばを紡いでいくことが必要だろう。残念ながら、『未来をひらく歴史』はこうした課題には応えていないが、互いの対面的な話し合いの大切さを教え、議論を広く作り出す契機を提供したように思う。

批判ばかりを記した感があるが、以上述べてきたことは、三国間だけでなく、それぞれの国民国家内にも存在している、歴史認識の差異や温度差を縮めていくことを図るがゆえの提言である。私自身も、「通史」や歴史教科書の執筆を行っているが、さまざまな制約があり個人的な見解を押し通すことは難しい。『未来をひらく歴史』の執筆と刊行にも同様の苦労がうかがわれるが、そのことを承知したうえでの批判として、受け取っていただければ幸いである。

とともに、これまで述べてきたことは、日本で歴史学と歴史教育に携わる「私」の読みである。この読みには、言うまでもなく、意識的、無意識的に「私」に抱え込まれた「日本」の現状が、投影されている。多くの方たちが、複数の背景から『未来をひらく歴史』を議論することによって、豊かな論点と歴史像が提供されるに違いない。これはそうした試みのひとつである。

(1)　目取真俊『沖縄「戦後」ゼロ年』ＮＨＫ出版、二〇〇五年。
(2)　日中韓三国共通歴史教材委員会編『未来をひらく歴史――東アジア三国の近現代史：日

本・中国・韓国＝共同編集』高文研、二〇〇五年。

（3）この点に関しては、成田龍一「「歴史」を教科書に描くということ」（『世界』六八九号、二〇〇一年六月、岩波書店。本書第17章）を参照されたい。

（4）斎藤一晴「「未来をひらく歴史」作成の経過と論点」上下、『戦争責任研究』四八・四九号、日本の戦争責任資料センター、二〇〇五年。

（5）このときの記録は、比較史・比較歴史教育研究会編『共同討議日本・中国・韓国――自国史と世界史 東アジア歴史教育シンポジウム記録』（ほるぷ出版、一九八五年）として刊行された。なお、第三回の会議に関しても、同会編『黒船と日清戦争――歴史認識をめぐる対話』（未來社、一九九六年）として刊行されている。

（6）註（4）「「未来をひらく歴史」作成の経過と論点」。

（7）同右。

（8）成田龍一「近代日本の「とき」意識」佐藤次高・福井憲彦編『地域の世界史6　ときの地域史』山川出版社、一九九九年。

（9）註（4）「「未来をひらく歴史」作成の経過と論点」。

（10）同右。

（11）倉沢愛子ほか編『岩波講座　アジア・太平洋戦争』全八巻、岩波書店、二〇〇五―〇六年。

（12）成田龍一「韓洪九「韓洪九の韓国現代史」、あるいは「同時代史」の叙述について」（『UP』三三一一、二〇〇四年一一月）を参照されたい。

付記　本章は、二〇〇五年一一月一五日に、ソウルで開催された「韓日、連帯21」の主催するシンポジウムで報告した稿をもとにしている。当日、コメンテーターをしてくださった、白永端さん、韓洪九さん、司会をしてくださった金哲さん、そして、私に報告の機会を与えてくださった朴裕河さん、当日議論に加わってくださった方々に厚くお礼を申し上げたい。

追記　成立の事情は「付記」のとおりだが、その後、『創作と批評』誌(創批社、ソウル)から寄稿を求められ、一三一号(二〇〇六年春号)に同じタイトルで掲載された。このとき、報告集に掲載された拙論に加筆修正したが、本章はその原稿にさらに加筆修正を加えて成立した。『創作と批評』誌に掲載された拙稿に対しては、辛珠柏氏が応答してくださった(「東アジア史の作り」『創作と批評』一三二号、二〇〇六年夏号)。深く感謝している。

すでに本文では強調したことだが、私は『未来をひらく歴史』にかかわった方々が払われた努力に深い敬意をもっており、同書の批判それ自体を目的とするのではない。そのため、本章を「日本語」で公表することにはためらいがあった。批判的言辞が、歴史修正主義を活況づけるのではないかという危惧があった。ゆえに『創作と批評』誌のインターネット日本語版への掲載も見送っていた。

その凍結を解除したのは、『未来をひらく歴史』の刊行からすでに三年が経過し、執筆者たちの意図が浸透したと考えられることが基調にある。加えて、『未来をひらく歴史』はすでに第二版を出したが(二〇〇六年)、内容にかかわる改訂ではなく字句の修正が主となっていること、また、同書への言及の多くが賛辞にとどまっていたことにもよっている。

とともに、解除の準備を始めてから、あらたな動きも見られるようになった。そのひとつは、『未来をひらく歴史』に深くかかわった斎藤一晴による『中国歴史教科書と東アジア歴史対話』(花伝社、二〇〇八年)が刊行されたことである。当事者の立場からの真摯な『未来をひらく歴史』の点検が行われ、課題が述べられるだけではなく、中国の歴史教科書の検討もなされている。広い視野をもち、編集のプロセスとそこでの論点を明らかにした斎藤の著作は同書を考察するうえで欠かせない。こうした著作が、執筆者内部から出されたことは特記しておきたい。

いまひとつ、率直な提言もなされるようになった。林雄介「東アジア共通歴史教材を読んで」(『歴史評論』六九五号、二〇〇八年三月)は、戦争記述について「日本側執筆者」の姿勢を問うている。林の議論には、すぐさま及川英二郎による反論が出され(「林雄介「東アジア共通歴史教材を読んで」に苦言を呈する」『歴史評論』六九九号、二〇〇八年七月)、『未来をひらく歴史』をめぐる議論が開始された。

こうした動きは、本章でもこれらの議論を組み込みながら論点を作ることをただちに要請するが、時間の関係から参照するにとどまった。お許しを願う次第である。

III

ジェンダーと歴史認識

第11章　歴史認識と女性史像の書き換えをめぐって

――近現代日本を対象に

はじめに

「歴史認識と女性史像の書き換え」ということを主題としたとき、あらかじめ二方向からの問いかけに対する姿勢を示しておかなければならない。第一は「歴史認識」であり、第二は「書き換え」である。

「歴史認識」という語は、一九九〇年代半ばに、あらたな意味を付され使用されるようになった。背景にはアジア諸国からの問いかけがあり、歴史認識をめぐり、これまでの歴史学(「戦後歴史学」)と歴史修正主義、そして社会史研究に代表されるあらたな認識を持つ歴史学との三者の複雑な関係があらわになった。そして同時に、歴史像の書き換えを促し、これまでの歴史学の作法を問いかけることとなった。

こうして、歴史認識とは立場性を離れてはありえず、しばしば歴史修正主義の介入を招くものであるとともに、〈いま〉の認識に深く立脚しているものだということとなる。このとき、いまひとつ「書き換え」が介在してくる。「書き換え」といったときに、なにを、どのように、誰が書き換えるかということが初発の問いとなる。

これらのことを出発点として、(1)歴史認識は、歴史学の場所においては歴史像の提示となり、これまでの歴史像を書き換える行為と連動していること、しかしそのゆえに、(2)さまざまに抗争と軋轢が生じていることをみていきたい。換言すれば、これまで論争とされていた出来事を、歴史認識という観点から見直す(書き換える)試みである。そして、(3)歴史修正主義が介在することにより、議論が複雑になっていること、さらに(4)論争を介し、近現代日本の女性史像の差異と立場性が明示されたことをあらためて確認したい。

ここでは、近現代日本を対象とする、戦後の史学史を念頭に置きながら、そのことを考えてみることにする。具体的には、一九七〇年代初めの近代の出発点を対象とする議論(歴史認識A)と、一九九〇年代半ばにおける近代の帰結を対象とした議論(歴史認識B)を扱おう。

1　女性史を書き換える／女性史で書き換える

1　女性史による問題提起

女性史研究・ジェンダー史研究をめぐる史学史として、きわめて大づかみにいえば、(a)「戦後歴史学」への違和感――そこに発する女性史研究の台頭(「民衆史研究」との共同歩調を持つ)――(b)ジェンダー史研究への推移(「社会史研究」との緊張を含む相関関係を持つ)が指摘されている。女性史研究・ジェンダー史研究が向き合う歴史学自体も推移するなか、女性史・ジェンダー史が展開されていった(『歴史評論』七四八号、二〇一二年八月掲載の長野ひろ子論文、および、上野千鶴子「歴史学とフェミニズム」『岩波講座　日本通史』別巻1、岩波書店、一九九五年、を参照されたい)。

このとき、一九七〇年代初めの歴史認識Aが、戦後における女性史研究のひとつの画期となるが、まずはここでの議論を探り、さらに、一九九〇年代半ば以降の歴史認識Bの議論を探ることにする。女性史研究・ジェンダー史研究が、なぜ、この時期に展開したかはさまざまに説明が可能であるが、この現象をたどり、意味づけることから問題を開示していきたい。

まずは、民衆史研究から女性史研究に立ち至った、鹿野政直の女性史像の推移をたどってみることからはじめよう。鹿野は、(のちに取り上げる)上野千鶴子によって「女性史にずっと同行してきた……誠実な民衆史家」(前掲「歴史学とフェミニズム」)とされるが、一九七〇年代初めの女性史研究を主導するとともに、女性史が歴史学総体に対して持つ意味を考察し提言してきた。

鹿野の最初の女性史へのまとまった発言は、一九六〇年代半ばの『明治の思想』(筑摩書房、一九六四年)にみられる。「明治」期の思想の歩みをたどるこの著作で、鹿野は「〈新しい女〉の出現」という一章を設け、女性史の構想を提示する。すなわち、中山みき(実感派)―毒婦(実感派)―景山英子(観念派)―早月葉子(実感派。有島武郎『或る女』の主人公)の系譜があり、平塚らいてうがそれを綜合化したと、鹿野はいう。

ことばを足せば、「戦後歴史学」においては、社会運動家であった景山英子が突出して評価されていた。鹿野は、その景山を「観念派」としたうえで、中山みきにはじまる「実感派」を対置し、あわせて平塚らいてう評価のあらたな視点と、市川房枝―高群逸枝を評価する認識と叙述を持ちこんだといいうる。

一九七〇年代後半に至り、近代女性史研究会編『女たちの近代』(柏書房、一九七八年)の総論に当たる「近代女性史の軌跡」で、鹿野は「男性とは異なる女性固有の道」の追究を宣言する――「女性史固有の時期区分の必要性」をいうとともに、「女性の出す問題は、なにか世界をまるごと抱え込んでおり、それに対して男性の出してきた問題は、部分的一過的であるようにさえ思える」といい、女性史は「全体史を回復するための有力な方法を提供しうるかもしれない」とした。本章の主題である、歴史学の書き換えに転じていくような問題提起を、鹿野は女性史研究に即しながら開示している。

さらに、いくつかの具体的な点として、「自我追求的中産層的知識女性的な型」の図式化を批判し、「あまりに多くのものが落ちこぼれてしまう」という――「娘とか妻とか嫁とか母とか、あるいはさまざまの職業人とかひどい窮迫とかという、それぞれのおかれた境位において抱え込んでいたにちがいない無数の可能性を、切り捨ててしまうのではないか」。近代の出発に際し、女性は「一種の閉塞状態」におかれ、彼女たちの「うごめきの断片」に目をこらすことをいい、「良妻賢母」に対しては「社会から押しつけられた焼き印」とともに、ある意味では「身を守る護符」とした――「多様なかたちでの動き、つまり解放への営為」を探るとともに、それらが少なからぬばあいに、「隷従への陥穽と裏腹の関係にさえあった」とするのである。

　こうして、つまるところ、鹿野は「近代とは女性にとってなんであったか、またあるのかという問題」にいきつく。ここに、女性史研究の課題を設定するが、(1)「(女性)にとって」という認識＝方法と、(2)「近代」を問うという問題提起がなされた。女性史への問いであるとともに、女性史による問いともなっていく。

　その後、鹿野は『現代日本女性史――フェミニズムを軸として』(有斐閣、二〇〇四年)として、ひとつの女性史像を提出する。ここでは、視点(「主体意識の醸成」「(女性)にとって」)、問題意識(身体とことば、性の主体であることを確認し、「新しい自己」を打ち立てる)によって、「既成の歴史学への挑戦」――「歴史をわが手に取り戻そうとした」との宣言をなす。方法としても、「当事者」に沿い、「固有名詞」を持った女性たちが「イカニ生キタカ」を探る。

すなわち、「一人ひとりが顔をもつ存在として歴史に責任を取ろうとする意識」を探り、副題「フェミニズムを軸として」にあるごとく、この立場(イデオロギー)を選択する。叙述においても工夫をみせ(「前史「戦後」の構築」「「社員」・「主婦」システムの造出」「ウーマン・リブの旗」「主体回復の波」「フェミニズムと現在」という本文構成)、鹿野の女性史研究の全面的な開示がなされた。

2 女性史における批判

以上のような問題提起のあと、鹿野は著作集に「問いつづけたいこと」というあらたな文章を付す(『鹿野政直思想史論集』第二巻、岩波書店、二〇〇七年)。鹿野にとって、女性史研究への総括的な内容を持つ文章であるが、(1)自らにとって女性史研究は、「歴史の位相を変えるための原点」という。「これまでの歴史学を問うてゆくことが、女性史によって、課題として鮮明になった。いい換えれば、女性史を〝掘る〟だけでなく、女性史で〝変える〟ことが、わたくしにとっての課題となった」――女性史を書き換えることとともに、あるいはそれに止まらずに、女性史で歴史を書き換えることが宣言されている。なお、鹿野の当初の問題意識は、「家」との葛藤の歴史的考察にあった。

しかし、(2)実際に『戦前・「家」の思想』(創文社、一九八三年)を執筆するなかで、「封建遺制としての「家」を主たる標的としていたのに、結果としては国家による「家」の創出をあとづけ、また嫁姑関係とともに(ないしそれ以上に)「主婦」の不安や苦悩に力点を置く叙述となった」——女性史を書き換える行為が、歴史認識を変えていく事例を鹿野は語っている。鹿野にとっては、(女性史をめぐり)封建遺制ではなく、近代そのものが批判の対象となったのである。

もっとも、鹿野の議論は、ここに止まらなかった。(3)「初心」を持ち出し、女性史総合研究会編『日本女性史』(全五巻、東京大学出版会、一九八二年)に対し、「熱い初心が目立ちがちだった女性史を、〃冷たい〃科学へと離陸させ」「これまでの女性史に息づいていた〃痛覚〃が、二、三をのぞいてみごとに消滅、といってわるければはるか後景にしりぞいている」と痛烈に批判した。『日本女性史』に、(理論面では)中心となった脇田晴子が、女性史を「応用問題」と述べたこと、(具体面では)『青鞜』への論及が皆無に等しいことなどを挙げていた。ここには、鹿野の『日本女性史』に対する、意図的誤解と誤解的ななぞりがみられるように思う。脇田は、女性問題の解決こそが近代の直面する、より困難な問題という意味で(基本問題ではなく)「応用問題」と述べていた。

さらに、鹿野は二〇〇七年の「問いつづけたいこと」では、ジェンダー概念にも「初心」を持ち出し疑義を表明している。

鹿野によるジェンダー概念の批判は、「フェミニズムがまぎれもなく女性に重心を置くのに対し、ジェンダーは、両性に当てはめうるという、一見価値中立的な響きをもつ概念であった。そうして前者のような〝毒素〟をもたない概念と目されたことが、ジェンダーの急速な伝播の隠された一面をなした」というものである。だが、ジェンダーは社会編成の原理にかかわっており、その解明は社会の存在そのものに抵触していく。

ここにも意図的誤解と誤解的批判がうかがえる。鹿野は概念や理論を分析の手段とする歴史の考察に強い拒絶を示すのである。

こうしたなか、(4)歴史学にとっては、歴史叙述がその展開の場となる。歴史認識は、歴史学にとっては歴史像の検討としてなされなければならない。このとき、歴史像を分析するに当たり、問題意識、視点、方法、叙述、イデオロギーに分節化する必要がある。また、誰が「書き換え」をなすかをめぐって、(5)鹿野は「それにしても、男性が女性史に踏みこむのは、少なくとも現在の段階では、〝うさんくささ〟の視線を免れるべくもない」(前掲『現代日本女性史』)という。自己批評と対になっているが、「他者」として女性を語るという姿勢を、鹿野はこのように表現している。

2　一九七〇年代初めにおける女性史像とその書き換え

史学史のなかに問題を探るとき、一九七〇年代初め(A)と一九九〇年代半ば(B)に、二つの書き換えが、論争をともないながらなされたことが見逃せない。よく知られたことであるが、女性史の叙述をめぐって議論がなされ、同時に歴史認識が問われていった。

まずは、一九七〇年代初めの女性史論争である。この時期は、井上清『日本女性史』(三一書房、一九四九年)に代表される研究への違和が登場し、米田佐代子『近代日本女性史』(上下、新日本出版社、一九七二年)らの作品を生んだ。さらに「民衆史研究」の論者たちによる女性史への議論が出され、村上信彦『明治女性史』(全三巻四分冊、理論社、一九六九―七二年)もまた提供される。加えて、水田珠枝『女性解放思想の歩み』(筑摩書房、一九七三年)などの著作が出される時期であった。「戦後歴史学」の認識に立つ女性史研究への違和がさまざまに提供されたのである。

まずは、解放史／生活史という軸、および、階級／性という軸により、従来の女性史研究(井上清)が検討された。そして、女性に対する階級と家父長制の二重支配が指摘され、性差別を軸とした、歴史叙述のあらたな展開―書き換えの実践がなされた。いや、正確にいいなおせば、近代形成期の女性史の叙述―書き換えられた著作をもとに議論がなされ、論点が摘出されたのである(書き換えの先行)。

その一冊である、村上信彦『明治女性史』をみてみよう。帯には、「解放史から生活史へ」「問題意識は高く、記述はおもしろく、通念をくつがえす名著」とのコピーがつけられている。巻別構成を記しておけば、上巻「文明開化」は、「I 背景」として「士族の没落」「士族の娘」「地方」の項目が並び、「II 文明開化」は「上からの開化」「エネルギーの方向」「舶来と土着」。中巻前篇「女権と家」は、「I 転形期」として「政治の季節」「民権と女性」「反動」、「II 家の生活」は「部落と家」「結婚」「さまざまな妻の生涯」。中巻後篇「女の職業」は、「III 女の職業」として、「職業にならぬ金銭労働」「初期の職業」「工場労働」「製糸・紡績・織物」「教育と技術・さまざまな分野」「新しい職業の萌芽」と並ぶ。最後の下巻「愛と解放の胎動」は、「I 社会運動」「売淫」「廃娼運動」、「II 感情生活」「観念と挫折」「恋愛と生活」、「III 社会運動」「陣痛期」「潮騒のひびき高まる」とされている。

生活―労働すること、および職業を女性史叙述の根底にすえ、「職業にならぬ金銭労働」である「家事労働」とともに多様な女性の職業を挙げる。そもそも、「職業という観念そのもの」が男性のものだったという認識がある。「社会運動」への着目がみられ、自由民権運動にも言及するが、村上はとくに廃娼運動に力点を置く。また、『青鞜』を経て、後年に社会主義を唱える山川菊栄の登場で結ぶという女性史像となっている。

すなわち『明治女性史』にみられる村上の女性史像は、生活―運動という軸、および家族(=家)という場、労働という日常、「売淫」という問題を平面でつなぐ女性史叙述となっている。問題とその解決のための運動、それを担う主体という大枠を持つものの、女性が抱え込む問題として家と性を重視し、労働に焦点を当てる。また、評価の軸も両義的におこない、女性が直面する性と労働における束縛と可能性を、同時に視点に入れている。

論点を整理した「女性史研究の課題と展望」(『思想』五四九号、一九七〇年三月)で、村上は「かたちとしてあらわれた社会的業績でなく、条件さえ与えられれば顕在化したにそういない潜在的能力を正しく評価することが必要なので、これこそ女性史の最大眼目」であるとする。そして、

女の歴史は業績の歴史でなく無限の可能性の歴史であった。この観点から庶民女性の姿を再現することによって、はじめて女性史は生きた人間の歴史となり、血の通ったものとなり、現代女性の生き方と内的な関わりをもつ。

とも述べた。さらに、村上は、これまでの女性史研究が、「女の歴史が抑圧から解放へのコースだった」という「概念」のみであり、この対極に「実証的な女性史」を置き、自らその実践に努めたとする(「女性史研究の課題と展望」)。

この点において、村上の女性史像は叙述的である。具体的で史料引用が多く、細部に村上の史観と主張を込める。同時に、階級的立場、自由民権運動や初期社会主義という存在に期待を寄せず、日常的な営みのなかに女性の主体を見出そうとしている。

他方、米田佐代子『近代日本女性史』は、理論と主張を前面に押し出す叙述となって

いる。構成は、「Ⅰ 明治維新がもたらしたもの」「Ⅱ 自由と権利をもとめて」「Ⅲ 社会運動の発展と婦人」「Ⅳ「冬の時代」をつきやぶるもの」「Ⅴ はたらく婦人の自覚」「Ⅵ たちあがる諸階層の婦人たち」「Ⅶ 婦人運動の発展と分化」「Ⅷ 生活と権利擁護をめざして」「Ⅸ 侵略戦争とのたたかい」「Ⅹ 軍国主義体制下の婦人」「Ⅺ 太平洋戦争のなかで」「Ⅻ 民主化をめざして」「XIII 占領下婦人運動の展開」「XIV 統一化にむかううねり」「XV 安保闘争から生まれたもの」となっている。

「いったい婦人を解放してゆくための道すじはどのようにつくられてきたのか、その過程で、さまざまな階層の婦人たちがそれぞれの時代のなかで、どのように生きようとし、具体的に社会とかかわりをもっていったのか」ということが米田の問題意識であり、「婦人と社会のうごきとのかかわり」を「婦人自身のがわから」とらえる試みとしている。そのため、米田は「歴史をきりひらく婦人の力」――「婦人自身のさまざまな運動のあゆみ」に着目する。

このとき、米田は、天皇制のもとでの女性運動は、女性の「無権利状態」への「民主主義的権利要求と生活擁護の運動」となるため、「ブルジョア婦人運動とプロレタリア婦人運動」という「視点」をたてることへの疑問も記している。だが、女性たちの抱え込むためらいや情動は記されない。

一九七〇年代初めの女性史研究をめぐっての論争は、しばしば「解放史か生活史か」

と総括されるが、このようにみてきたとき「戦後歴史学」(＝マルクス主義)に対する議論であり、「戦後歴史学」の女性史像の書き換え、いや女性史による「戦後歴史学」の書き換えをめぐる論争であったと言いうる。そのため歴史の方法と叙述、史料と対象に議論が及んでいた。とくに、村上『明治女性史』が論議をもたらしたのは、歴史認識と歴史叙述をあわせて提供したこと――女性史を叙述することにより、歴史認識の転換と歴史叙述の書き換えの可能性を実践してみせたことにあろう。

　国家と資本主義への批判、その結び付き方としての日本的なるものに対する批判を展開したのが「戦後歴史学」であったが、そこに村上と米田は、それぞれの位相から家父長制批判を持ちこむ。ここでの認識は、ともに封建遺制としての家父長制という認識であった。村上と米田は、しばしば対抗的にとらえられ実際対立する局面があるが、双方ともに半封建的な日本社会と国家という前提を共有しており、その問題解決の主体の認定と評価、叙述の作法に差異があると把握しうる。これに対し、水田の議論は、近代批判――近代家父長制認識への提起であったことは重要である。村上・米田が見出す女性への抑圧に対する認識―内容とは位相を異にしている。

　こうして、「戦後歴史学」から離陸しようとする三者だが、それぞれの認識は重なりとずれをみせる。この点は、上野「歴史学とフェミニズム」(前掲)がすでに三者の対抗として整理しており、これ以上は同論に譲りたい。

書き換えを検討する本章で付け加えておきたいのは、この論争では、近代における女性のありようを出発とし、アイデンティティと「他者」性とにかかわる点、さらに書き手としての女性／男性という問題が出されている点である。

近代で解放されるはずであった女性が、実際には解放されないという認識であり、ここでも三者はずれをみせている。マルクス主義に立つ米田佐代子は、労働者階級の女性という階級的主体にアイデンティティを寄せている。それに対し、村上は、娘―妻―母というありように重きを置き、この規定を階層と重ねる。女性のアイデンティティを、この「負荷」とそれへの「違和」に求めているのだが、さらに、水田は近代そのものが、女性を封じ込めた局面に目をむける。

村上の発言は、啓蒙から離れてはいない。また、大学という制度、出版、あるいは学会誌への執筆への男性の占有という状況も切り離せない。男性である書き手たちは女性になり代わって書いているが、「痛覚」「初心」という語が、頻繁に持ち出されるのは、こうした立場の自覚が彼らの内面にあるゆえであろう。

同時に、他者としての女性という論点も出される。村上に共感を寄せる鹿野は、「男だから女性史」といい「女の論理」を探るとする。『婦人・女性・おんな――女性史の問い』(岩波書店、一九八九年)で、鹿野は「被抑圧者であっただけに女性には、抑圧者であった男性にはみえない世界がみえ、その角度からの世界像が発酵している、その内的な理解に進むことにより、既成の男性的な通念を否定できる、少なくとも揺さぶることができるとの立場の発見」としている。

こうして、一九七〇年代初めには、歴史のなかにおける「女性」が問題化される。だが、実のところは、日本近代史のなかにおける日本女性の位置が問われていた。しかも、このとき「日本」について自覚化はなく、問題化はされない。この点は、一九九〇年代半ばの第二の書き換えによって、はじめて問題化されることとなる。一九九〇年代半ばに、ナショナリティと女性が問題化され、歴史認識が本来的な意味で発動し、日本女性にとっても「他者」としての女性という系が論じられた。

いまひとつ、歴史の主体であることをめぐり、米田に代表される「婦人運動史」研究では被支配階級としてのみ把握され、歴史の主体となることにともなう「責任」については言及がない。この論点をめぐっても、女性の戦争責任――(被害者ではなく)加害者としての女性という指摘(加納実紀代『女たちの銃後』筑摩書房、一九八七年、など)とともに、歴史認識Bの出現を待たねばならなかった。

3　一九九〇年代半ばにおける女性史像とその書き換え

一九九〇年代半ばには、(近代における)「日本」「女性」の創出という把握がなされ、

「日本女性」としてのその振る舞いが植民地女性との対比で問題化され、「日本女性」の歴史的な位置づけが問いかけられた。換言すれば、帝国―植民地というなかで、「日本女性」を歴史的に問うたのである。一九九〇年代半ばの歴史認識をめぐっては、(歴史認識Aとは異なり)叙述が先行したのではなく、事態が進行したことが特徴であり、きっかけとして(論争を含む、一九九〇年代における)「慰安婦」をめぐる出来事を挙げることができる。

いくらかの飛躍を交えながら述べれば、「近代」による抑圧ということを前提としたうえで、東アジアの女性という「他者」に直面した「日本」「女性」と問題を把握し、女性というカテゴリーの多層化と重層性という論点を提起したのである。この点は、歴史的には西洋近代が「近代」として展開したために、西洋と西洋モデルへの批判をあわせ持つこととなった。また、他方では、性という領域にあらわれたジェンダーをめぐる議論として、歴史認識が展開されていくこととともなる。

こうした論点を提起した著作のひとつとして、上野千鶴子『ナショナリズムとジェンダー』(青土社、一九九八年)による議論がある。

『ナショナリズムとジェンダー』は、パラダイム変換が先行したうえで、歴史認識が変わるという原理論を指摘したうえで、歴史認識とメタヒストリーにかかわる問題提起をおこなう。上野は、歴史学は「カテゴリーの政治性をめぐる言説の闘争の場」であることをいい、実証史学（＝「戦後歴史学」）の方法を検討し、また歴史修正主義批判の方法をめぐり、「戦後歴史学」「市民社会派」およびジェンダー史のあいだでの相互対立を浮き彫りにした。

「事実」といったとき、それと対抗する「もうひとつの現実」を発掘するのは、それを「構成する視点」に他ならないとし、思想や公的活動の「一貫性」といったときの基準を問い、歴史評価の基準をめぐり、「「誰にとっての歴史か」という問い」を突きつける。

上野の議論は、歴史具体的にも展開され、（「戦後歴史学」による）封建遺制と日本特殊性論を前提とする議論に対し、（国民国家論を）援用し「国民化」のプロジェクトを対置し、さらにジェンダーの視点から「国民国家のジェンダー化」という議論を打ち出した。「女性の国民化」を近代の基調に置き、一九一〇年代末になされた母性保護論争なども、この観点から再解釈してみせる。たとえば平塚らいてうの母性保護論は、「「公領域」の肥大」に期待をかけたと考察されることになる。とくに集中的に議論されるのは、近代のいきついた出来事としての総力戦のもとでの戦時体制（総動員体制）である。上野は、戦時体制を、近代の逸脱ではなく近代の帰結と把握し、論争的に自らの論を展開した。

こうして、家父長制は、近代家父長制として把握され、国家と資本主義への批判、さらに市民社会にも批判がむかい、総体としての近代とそのプロジェクトへの批判がなされた。一九七〇年代初めの水田珠枝の議論と同じ地平にあるが、第一の書き換えでは、問い残されていたメタヒストリーの次元を含む点に、上野の議論の特徴がある。

すなわち、女性史・ジェンダー史を叙述することの意味と作法を、上野は問いかける――誰が、どの女性を対象とし、誰にむかって、どのように記述するのか。そして、認識の次元とともに、記述の次元を焦点としていった。

さらに「カテゴリーの複合化」を強調し、女性といったときにも女性を一元化せず、多様な女性存在を前提とし、相互に対立をも含む関係を持つことを自覚したうえで、叙述を遂行する。近代のプロジェクトによって「女性」というカテゴリーが創り出されるなか、その作為と恣意性(無根拠性)を指摘する一方、カテゴリーの否定ではなく、(個人の複雑さにみあった)カテゴリーの複合性を主張するのである。

ここでは、(1)「(女性)にとって」(鹿野政直)という認識―叙述からの離陸がなされ、記述すること自体の意味が問われる。男性の物語のなかに回収できない「他者」としての女性の存在が論じられ、また(2)「民族」か「ジェンダー」か(上野千鶴子の論文タイトル)とされるように、歴史における複数の変数が意識される。

このとき、(3)歴史修正主義(家父長制的な歴史認識)との緊張関係、さらに歴史修正主義を批判するときの立ち位置の差異も論点とした。上野は、歴史修正主義を批判するときにナショナリズムに陥らないようにする必要があることを主張した。

これらは、(4)東アジアという場を設定しての議論であり、帝国—植民地の歴史をジェンダーの観点から考察する議論であったことが見逃せない。日本軍による「従軍慰安婦」をめぐっての事態が、この一九九〇年代半ばの歴史認識Bをめぐる議論の出発点であった。

このことは、「慰安婦」の存在を知りながら、歴史認識への問いとなしえなかった歴史学への批判的な問いかけに他ならない。すなわち、(5)「戦後歴史学」(「民衆史研究」を含む)が、ジェンダー化されていたことが論議されるのである。歴史学が近代家父長制から離れるものではなかったことが指摘され、歴史学の革新へとも議論が及んでいった。ことばを換えれば、一九七〇年代初めの論議のうち、解放／生活の系(という、かつての対立点)は同一平面上に置かれ、他方、(バラバラに論じられていた)性と階級の系に人種が加えられ、三者の確執とその関係をめぐる議論が提起された。

歴史認識Bは近代の出発において近代を問うのではなく、近代の爛熟において近代を問うという問題提起となるため、歴史認識、歴史叙述などこれまでの歴史学の作法も、(近代歴史学の作法を無反省に反復していたのではないかと)あらためて俎上にあげられた。国民国家のジェンダー編成の理解と評価にかかわる論点が提供されたといいうる。

これらの諸点を踏まえながら、あらためていかに女性史像を書き換えるかが、歴史学にとっての課題となる。評価をめぐる論点と、叙述に至る論点が、理論的、また具体的に論じられていくことになる――誰が、誰の「痛み」を、誰に語るのか。しかし、肝心の女性史像の提出はまだなされていない。歴史の書き換えといったとき、正史の書き換えにまずは忙しいようである……。

おわりに

「戦後歴史学」の書き換え、すなわち「民衆史研究」―女性史研究(ともに、「戦後歴史学」への違和を立てていた)が、いまや議論の俎上に載せられている。「大きな物語」に依拠した「戦後歴史学」だが、その物語を前提として「にとって」を主張する立場であった「民衆史研究」(および、それと共振する女性史研究)もまた問われる状況にある。(ともに、「戦後歴史学」を批判する)「社会史研究」―ジェンダー研究がその牽引となっているが、その観点からの具体的な歴史像―女性史像は現時点ではまだ提供されていない。

同時に、「戦後歴史学」にとって代わる正史の巻き返しも見逃せない。正史は、制度としての「通史」と「講座」に集約されるが、(学校教育や、それに止まらぬ博物館展示など)広義の歴史教育は、正史に依拠する面が多い。また、歴史修正主義は正史に必ずや付着して立ち現れる。この関係性を切断することとともに、正史をいかに書き換えるか、さらに正史の概念を脱構築するかは、依然として課題となっている。女性史とジェンダー史の書き換えの課題は、いまだ多い。

付記　本章は、二〇一一年七月二日に開催された、学術フォーラム「歴史認識を変える――歴史教育改革とジェンダー」で報告した原稿をもとにしている。準備の過程で、お世話になった方々にお礼を申しあげます。また、「上野千鶴子と歴史学の関係について、二、三のこと」(『現代思想』三九―一七〈臨時増刊　総特集　上野千鶴子〉、二〇一一年一二月。本書第12章)において、上野千鶴子を軸にし、本章の主題と重なる議論をおこなった。あわせて参照していただければ、幸いである。

第12章　上野千鶴子と歴史学の関係について、二、三のこと

1

上野千鶴子(一九四八―)は、文学批評への参入をはじめ、民俗学や建築学、あるいは近年では介護の領域で発言するなど、社会学を基軸にしながら他の学知に積極的に「介入」している。歴史学に対しても同様に、上野は正面から向き合い、発言を重ねている。家族を歴史的に分析することから始まり、歴史認識、さらには歴史学の方法に対しても踏み込んだ議論をしている。

上野が歴史学に向かって発言した最初は、フェミニズムと歴史学にかかわってのことであった。『岩波講座　日本通史』別巻1に掲げられた、「歴史学とフェミニズム――「女性史」を超えて」(岩波書店、一九九五年)は、これまでの女性史研究をめぐる議論を整理して、あらたな段階へと水準をもたらす議論となった。まずは、この「歴史学とフェミニズム」を追ってみよう。

日本における女性史研究がフェミニズムと出会う一九七〇年ころを指標としつつ、上

野は、論稿の冒頭で「日本女性史とフェミニズムの出会いは、不幸なものであった」と書きつけ、「日本女性史」研究の担い手たちの(第二派)フェミニズムへの「困惑と反発」を指摘する。そしてそのうえで、日本女性史研究を三期に分け、考察を行う。

上野は「前史」(第一期)から書き起こし、この時期の代表的作品として、一九四八年に刊行された、井上清『日本女性史』(三一書房)と高群逸枝『女性の歴史』(講談社)を挙げる。しごくまっとうな指摘のうえで、両著に示される「解放史」としての性格付けとその影響の強さを言い、「解放史」が先行した日本の女性史研究の持つ両義性を言う——「女性の歴史は被支配階級としての抑圧の歴史として描かれた」「井上(清—註)にとって女性の解放は、あくまで労働者の解放に従属するものであった」。そして日本女性史研究の「先進性」が、フェミニズムとの関係をねじれたものとしたとするのである。同時にこのとき、女性の視点から、井上女性史への批判があったことにも言及している。

第二期は、村上信彦『明治女性史』全三巻四分冊(理論社、一九六九—七二年)の刊行、それをきっかけとした「女性史論争」がおこる一九七〇年前後である。第二期に関しては、「生活史」「解放史」「フェミニズム」の「三つの対立軸」によって整理を行い、社会史研究が登場した第三期には、「社会史」と「女性史」の対立が考察される。

分析の中心に据えられるのは、第二期であるが、三者の軸の設定は、目を見開かせるものがあった。日本女性史研究をめぐり、歴史学における研究史整理は繰り返し行われていたが、二者の対抗——解放史か生活史かという枠組みで整理され、唯物史観からはみ出す部分の評価のみが争点とされていた。しかし、上野の三者の軸による議論により、互いの癒着と重なりの部分、あるいは「ねじれた関係」が明らかになった。時間的・過程的に整理されてきた一九七〇年前後の女性史論争を、構造的な対抗から説明しなおしたと言い換えることができよう。

そして、一九八〇年代半ばの論争を画期とし、第三期を設定する。新しい世代の長谷川博子（まゆ帆）の論文をめぐる、フェミニストと女性史家の「反論」に触れ、さらに「社会史」と「女性史」との「潜在的な対立」をも指摘する。そのうえで、上野は、一九八〇年代以降における「女性を「客体」とする研究から女性を「主体」とする研究へのシフトこそが、フェミニズム以後の女性史研究の特徴」とした。この第三期における、多様で多義的な「女性史の展開」——女性を「歴史の主体的な担い手」とする「フェミニズム以後」の「新しい女性史」の登場を、上野は論じていくのである。

上野は、多様な論点に言及しつつ、こうして女性史研究の推移と議論、論点を記すなか、女性史研究が「近代」の評価を焦点とすること、また、それと連関して、女性史研究の担い手をめぐる問題の登場を指摘する。すなわち、女性史研究において、これまで目標としその徹底が図られた「近代」に対する懐疑と批判が出てきたことを言い、「単線的な「進歩」と「発展」の観念」への批判を行う。

背後に、高度経済成長のなかでの日本の歴史学の変化――女性史研究における「女性史の担い手と対象の、中産階級化」を見て取った。そしてそれに伴い女性史研究は「主婦役割と家事労働」を対象とし、「近代のただなかにある女性の抑圧」の解明を課題とするようになったと論じた。

女性史研究が「主婦」を問題化してこなかったことを、上野はあわせ述べるが、「生活史」と「解放史」をともに批判する立場であるとともに、女性史研究が歴史学の変化を促し、女性史研究の変化に歴史学の推移を見いだす姿勢でもある。

かかる整理と議論をもとに、上野は「女性史」をこえる方向をジェンダー史として提示する。ジェンダー史という構えにより、(1)「差異の切断線」が考察され、(2)対象が広がり、(3)「差異化そのもの」と、そこでの権力関係が明らかにされるとする。また、(4)「歴史学のジェンダー化」にも言及し、「ジェンダーカテゴリーの非対称性を衝く」ことをいい、ジェンダー史の可能性を論じていく。

「歴史学とフェミニズム」の論稿は、「戦後歴史学」として、戦後に再出発した歴史学が、一九七〇年代後半に「社会史」の波を受け、大きな転換を見せるなか、歴史学の「本流」と女性史研究との関係を探った論文であった。上野がいう「解放史」を「戦後歴史学」、「生活史」を「民衆史研究」と重ねあわせるとき、上野の議論は、そのまま戦後史学史における議論に接続することができる。

唯物史観に立脚する「戦後歴史学」では、性は階級の下位概念となっていること、(「戦後歴史学」に違和をたて)「にとって」「される側」からの視点(鹿野政直)を打ち出した「民衆史研究」が、男性主体の歴史を相対化する立場を示したことは、これまでにも指摘されていた。しかし、上野の議論によって、「戦後歴史学」も「民衆史研究」もともに、女性(運動する女性)を対象とするが、歴史の主体としては認知していないことが浮き彫りにされた。

背後には、フェミニズムに基づく、上野の原理的な認識がある。「どんな領域も、ジェンダーだけで解くことはできないが、ジェンダー抜きに論じることはできなくなったのである」という結びの一文は、さきに引用した冒頭の文章と呼応し、ジェンダー史への途を論ずる宣言となっている。

こうして、「歴史学とフェミニズム」の一編は、女性史研究の位置から歴史学の「本流」の持つ位相と偏差を明らかにしたということができる。とともに、「女性史・ジェンダー史」という概念を、「女性史からジェンダー史へ」として再整理する議論となり、歴史学における女性史研究の方向性を示した。

もっとも、歴史家たちが上野の議論をいかに受けとめたかは、心もとない。上野がいう「社会史」には、「日本(近代)」を扱った作品は挙げられず、実際、日本近代を対象とする社会史も途上にある状況ではあった。

しかしここから、女性史研究とジェンダー史をめぐる議論とともに、歴史学の再点検が促されたことは、確認しておくべきであろう。女性史として枠づけられ、その枠のなかで、解放史―生活史が問われていた認識が俎上に載せられ、あらたな枠組みが提唱された。

批判的な歴史学である「戦後歴史学」や「民衆史研究」にとり、その目的は、あらたな歴史認識の獲得であり、歴史の書き換えであった。しかし、両者が意識的・無意識的に抱え込んでいる「「国民」の概念」に「ジェンダーの非対称性」が組み込まれており、男性性を軸とする「国民」を毀損する書き換えは困難である、というのが上野の指摘するところであった。かくして、「戦後歴史学」や「民衆史研究」による書き換えの限界が示唆される。ことばを換えれば、歴史学があらたな変化―転換をしなければ、根本的な歴史の書き換えは不可能であることを、上野は研究史に沿い、具体的な作品を挙げながら論じていったのである。

留意すべきことは、この一九九五年が、ちょうど歴史学の転換期にあたっていることである。歴史学は、一九七〇年代半ばに、「戦後歴史学」の自己変革、「民衆史研究」の活性化とともに「社会史」も登場し、大きな転換を経験したあと、一九九〇年代半ばにいまひとつの転機を迎える。この時期を大画期とするか、それとも小刻みな変化とみなすかについては見解の相違がみられるものの、この画期となる時期に、上野は歴史学に向かって発言した。

いまの時点で上野の議論を検討することは、「戦後歴史学」が「現代歴史学」に、「女性史」が「ジェンダー史」に、そして「社会史」が「社会史(後期)」にそれぞれ推移し、歴史学の見取り図が変わったなかで、三者の関係性を問うこととなる。そして、この歴史学の変化によって生じたあらたな課題について考察することになろう。

2

上野が「歴史学とフェミニズム」の一編のあと、一九九〇年代半ばの歴史学の転換期に再び問うたのは、歴史学の方法と認識にかかわる事項であった。『ナショナリズムとジェンダー』(青土社、一九九八年)は、きわめて論争的に、日本の歴史学に対し批判的言及を行うが、背後には、政治的実践の課題がある。二つのことが、指摘できる。

ひとつは、一九九一年に、「慰安婦」とされた韓国人女性が名乗り出て、日本社会の現在と過去とを厳しく批判したことである。このことは、「慰安婦」の存在を知りながら、歴史認識・歴史叙述に投影していなかった従来の歴史学のありようが問われることになった。そして多くの歴史家たちによる、歴史学の自己点検が開始される。

いまひとつ、一九九五年をひとつの転機として、歴史修正主義が登場してきたことが挙げられる。歴史修正主義に、いかに向きあうか。さきの点と連動し、歴史学のより深刻な転換が要請されたことになる。歴史家たちも、当然、この歴史修正主義に対抗した。

このとき、女性史研究―ジェンダー史から歴史学の認識を問うた上野は、歴史家たちの対応に満足しなかったのであろう、実践的な課題と重ね合わせながら、本格的に歴史学の持つ問題点を指摘することとなった。

歴史観のパラダイム・チェンジの先行性の指摘を強調する『ナショナリズムとジェンダー』によって、二つの問題系が出される。第一は、歴史における記述の位置をめぐる問題であり、第二は、歴史叙述の内容にかかわる議論である。前者は、歴史叙述の主体を論点とし、全体性を描く(描ける)立場の消失を言い、後者は、実在性と構成性、および「アイデンティティとしての歴史」と「「他者」の歴史」をめぐっての議論となる。本章では、この第一の点を中心に、上野と歴史学との関係を論じていこう。

『ナショナリズムとジェンダー』〔補註〕は、「国民国家とジェンダー」「「従軍慰安婦」問題をめぐって」「「記憶」の政治学」の三論文から構成され、一九九六年から翌九七年に開催されたワークショップでの上野の報告をもとにしている。さきの論稿「歴史学とフェミニズム」での議論が、実践的課題のなかでさらに深められている。

上野が提起するのは、まずは「「誰にとっての歴史か」という問い」の確認である。このことは、「事実」が単純な「事実」としては存在しない——誰にとっての「事実」であり、誰が、誰に説明する「事実」であるのか、という論点とされる。「事実」を構成するのは「視点」であり、上野がいうように「言語論的転回」以降の認識論を歴史学も踏まえなければならない、と言い換えられよう。

言語論的転回に基づくこの議論は、史料の扱いと歴史叙述の双方にかかわり、歴史学にとりなかなかにハードルが高いものであった。上野が編者となった『構築主義とは何か』(勁草書房、二〇〇一年)に収められた、荻野美穂「歴史学における構築主義」は、歴史家として応答する一編である。荻野は、言語論的転回、歴史相対主義(あるいは懐疑主義)などにふれたあと、構築主義の挑戦に「魅惑」されつつも、歴史学は「脅威」を感じ、しかし「全面降伏はしないという、かなり微妙なもの」を持つと応じている。荻野にして、歯切れの悪い論となっており、歴史学の戸惑いを、荻野はそのまま表現していよう。

しかし、大方の歴史家たちは、戸惑い以上に、大きな反発をみせた。西川正雄「御託宣と歴史学」(「月報一〇」『岩波講座　世界歴史24』岩波書店、一九九八年)、上野輝将「「ポスト構造主義」と歴史学——「従軍慰安婦」問題をめぐる上野千鶴子・吉見義明の論争を素材に」(『日本史研究』五〇九号、二〇〇五年一月)などは、そのことを明示した、歴史家の側からの反論である。歴史学が史料を扱うに際し、上野が想定するほど単純ではないという点はさて置き、歴史叙述の作法についての議論は完全にすれ違っている。いや、上野の提出する論点を把握していない。

私自身は、歴史学を学ぶひとりであるが、西川や上野(輝)とは異なった見解を持っている。しかし、西川らの議論については、本章の範囲をこえるため、機会を得てあらためて論じたい。

さて、『ナショナリズムとジェンダー』は、「慰安婦」をめぐって議論がなされ、その歴史認識が問われたため、戦時社会とそのシステムをどのように評価するかということがあわせ問われた。総力戦―戦時総動員体制が、「女性の国民化」を推進したことに対し、どのような歴史的評価を下すかという論点である。上野は、

「慰安婦」問題の特殊性を日本の民族的特殊性や天皇制支配の特殊性に還元する議論がある一方で、「軍隊と性」一般の問題として普遍化する議論がある。どちらかが正しいというわけではない。わたしたちに必要なのはこの問題を比較史のなかに置くこと、そしてそれによって理解可能であるとともに克服可能なものとすることである。

と述べる。そして「慰安婦」をめぐり、「男性中心史観」「自国中心主義的な一国史観」、またその裏返しの「普遍主義」を押しなべて批判する。自らの立場として、性差、階級、民族を「変数」とし、歴史的文脈から「六つの社会集団」を抽出し、「「慰安婦」問題」を解くという姿勢を示した。そしてその「解釈パラダイム」を提示する上野は、いかにも社会学者として振る舞ってみせる。

複数の「解釈パラダイム」を示したうえで、「存在するのはさまざまな当事者によって経験された多元的な現実(リアリティ)と、それが構成する「さまざまな歴史」であろう」という。「歴史はいつでも複合的・多元的」との認識である。

この点にも、歴史家たちは反発した。歴史を「複合的・多元的」とすることは、歴史相対主義に陥り、あらゆる歴史叙述が許されることになるという批判である。かつて皇国史観が風靡した経験を持つ歴史家にとって、皇国史観の存在を許してしまうのではないかという反応であった。(のちに論争する)吉見義明のことばを借りれば、「どっちもどっちという議論」になってしまうではないか、という危惧である。

となれば、上野の議論に応答を試みるときには、歴史が「複合的・多元的」であるとき、ある歴史叙述を拒否しそれを許さないということは、いかなる根拠により可能かという問いになるであろう。

上野もこの点は充分に認知しており、『ナショナリズムとジェンダー』に収められた

「「記憶」の政治学」は、このことを正面から扱う論文となった。「日本版「歴史修正主義者」たち」への批判である。

他方、上野は、実証主義―「実証史学」への批判もあわせて行い、歴史学批判の戦線が拡大される。上野は、歴史学の「本流」が実証史学にあるとみ、「歴史的「事実」とは何だろうか」としたうえで、「実証史学」への批判に向かった。「実証史学」には、「文書史料中心主義」と、「史料の「第三者性」「客観性」に対する絶対視」があるとい い、批判を加えた。

この延長上に展開されたのが、歴史家・吉見義明との論争である。一九九七年秋に、日本の戦争責任資料センターの主催で開かれたシンポジウム「ナショナリズムと「慰安婦」問題」で、上野と吉見は同席して互いに議論をした。また、さらにその記録が刊行されたときに、(当日の報告、議論とあわせ)「論争、その後」にかかわる文章を寄せあい、論点を敷衍した(日本の戦争責任資料センター編『シンポジウム ナショナリズムと「慰安婦」問題』青木書店、一九九八年)。

ここでは、「文書史料至上主義」とされた吉見が、「実証主義者」と「実証史家」とを峻別したうえで、「文書史料至上主義者」はいまどきはいないこと、「実証史家」といったときにも、上野の言とは異なる意味合いを有することを述べている(吉見「「慰安婦」問

立ち位置

『広辞苑』に「停止位置」という項目はない。「停止」と「位置」の項目をそれぞれ引けば容易に意味の分かる言葉だから、というのがその理由。一方、「第七版」では「立ち位置」という項目を新しく立てた。これは、立つ場所という意味のほかに、人間関係や社会の中でのその人の立場や序列という比喩的な意味が生まれ、「立つ」と「位置」からだけでは分かりにくいため。

題と歴史像」同右、所収)。

この点に関しては、たしかに、実証を手続きとするということと、実証主義とは区別されるべきであろう。戦後日本の実証史学は、史料批判をその方法の中核に置いており、決して単純なものでないことも、吉見や西川ら、歴史家が述べてきたとおりである。史料批判の手続きは精緻をきわめ、議論が積み重ねられてきている。

吉見の上野への応答は、「現代歴史学」の持つ位相と特徴を投影していた。吉見は、(上野が追及する)背後の枠組みを問わずに、たんねんに、自らに向けられた「誤解・歪曲」を指摘し、上野の議論の錯誤と矛盾を細かに突く。誤解に基づく論拠からなされる議論は批判的な意味をなさない、という立場である。吉見は、提示された論点を歴史学の方法・認識に向けられたものとはせず、個的で個別の見解と評価、視点の相違として扱い、「現代歴史学」の枠のなかで応答した。

吉見が「実証史家」として研鑽してきた自恃がうかがえるが、この応答は、吉見の個人的な性向に帰趨する以上に、「現代歴史学」の身振りと作法をよく示している。すなわち、歴史学の認識枠組みや方法ではなく、個々の論点について、歴史学者としての自らの視点を再論し、その見解を弁証していく。状況と事柄とを共有しているとし、そのなかでの差異として、論点を扱っていく。こうした応対は、歴史学のパラダイムがほとんど動かず、論争もその枠内でなされてきたことと対応していよう。

翻って、上野は、学知のパラダイム転換を強調し、ここから議論を発している。社会学の作法の実践であるが、歴史学の側から言えば、学知としての歴史学と、「日本」という対象が持っていたはずの自明性(共有性でもある)が問われたということとなる。

このとき、上野は、方法とともに、その立場性―歴史における評価の問題を合わせ提起していた。上野は、(主として、歴史家・鈴木裕子の仕事を名指ししながら)歴史家たちによる戦時の女性指導者たちの評価が「事後的」かつ「超越的」であることを批判する。再び、『ナショナリズムとジェンダー』から引けば、歴史家が持つ「歴史の真空地帯に足場を置くような超越的な判断基準」に対する批判であり、そのことに対する歴史家の無自覚さ――特権的な、第三者的な審級を信じている歴史家への批判である。上野は、ここで歴史を叙述する際に「外部」はないこと、したがって第三者的な審級があり得ないなかでの叙述のあり方を問いかけている。

歴史家として考えるべきは、上野が展開する、この論点である。上野は「その当事者の現実を離れて、ある歴史的事実を「あるがままに」第三者の立場から「判定」できる、と考えるところに実証史家の傲慢がある」と、歴史家が意識的・無意識的に有している自らの客観性・超越性・絶対性に対し、厳しい批判をしている。この点にかかわっては、吉見を含め、歴史家からの応答はなされていない。

この論点に関しても、歴史家はそれほどナイーヴに歴史像の再構成を考えていないと強弁することは可能であるかもしれない。吉見は、「書かれた歴史は、同じ対象を取り上げても、単一になるとは限らない。それをどのような視点から、どのように取り上げるかによって異なる」(同右)と述べている。

しかし、吉見が述べるのは「それぞれの視点や史料の取り扱い方」(前掲『シンポジウムナショナリズムと「慰安婦」問題』)の次元であり、上野が歴史を記述する位置を問題化していることとは位相が異なっている。吉見がいう「再構成された歴史像」が、出来事の「事後」と「外部」から叙述されていることを、上野は指摘し批判していた。

このことは、「実証史学」や「正史」の叙述の位置／作法は、ともに第三者的な審級に立っており、さらにその叙述の位置／作法を、歴史修正主義も有しているという指摘に他ならない。「実証史学」の歴史叙述が、イデオロギーこそ異なるものの、叙述の位置／作法から見たときには、歴史修正主義と重なり合うこと――別言すれば、歴史修正主義は、歴史学の亜流ではなく、「本流」に固着し存在するということであり、ともに「正史」への欲望を持つということの指摘である。

上野の議論は、こうした点に踏み入っており、「現代歴史学」を志向する吉見に対し、「ジェンダー史」の観点からの批判的言及がなされたということができよう。一九九〇年代半ばの歴史学の転換に伴う、あらたな論点がここに提出されている。

と同時に、その後の歴史学の推移を見るとき、私自身としては、このとき上野が指摘していた、いまひとつの論点に力点を置いて、この議論を考えたいとも思う。すなわち、上野は、歴史が「複合的・多元的」といったときに、男性中心の「正史」に対抗する「歴史への「再審」」を想念していたことである。「さまざまな当事者」によって経験された「多元的な現実(リアリティ)」と「さまざまな歴史」といったとき、上野がそこに見ていたのは、「元「慰安婦」の女性の、歴史をつくる実践」に他ならなかった。書き留められ「正史」となった歴史に対する当事者からの異議申し立て――歴史の再審の要求であった。

『ナショナリズムとジェンダー』に収められた「「記憶」の政治学」で、上野はこの点を追究する。一般的に過去を現在から考察すると言ったとき、当時の歴史的文脈で出来事を理解せよと言う「歴史化」の立場と、「非歴史的な普遍主義的な立場」とがある。前者にかかわっては、既存の秩序――「強者の論理を一時的にせよ受け入れ、かつ「説得の技術」」として用いざるをえないが、「現状追認の保守主義に陥りがちな傾向」がある。それを回避するには、「法理そのものを作り替えてきた、歴史上の思想的なパラダイム転換」に学ぶ必要があることをいう。また、「「現実」が生成するものであり、「歴史」が再構成され続けるもの」という視点に立つ限り、後者の立場は排斥されるとする。

これまでの歴史の叙述—歴史学の営みを批判し、その作法を検討することによって歴史叙述の作法を再考する試みと提言をなす。

こうした上野の議論から浮上するのは、歴史学という営みが、「介入」と「翻訳」という作業に基づいているということである。過去の営みを翻訳し、さまざまな人びとのさまざまな営為を同時代の文脈のなかで解読するとともに、その営みを現時の文脈で意味づけることであろう。過去の出来事を取り上げ、さまざまに評価し解釈するという行為であり、立場性が求められる行為に他ならない。

歴史学は決して透明な存在ではない、ということが、上野の趣意である。然り。したがって、あらためて確認するまでもなく、上野が唱えるのは、歴史相対主義ではなく、君臨する「正史」への批判であり、そのことによる歴史の「複合的・多元的」存在の確認である——単一の「事実」ではなく、複数の「現実」が存在しているなか、しかし権力関係が非対称的なところでは、強者の「現実」が「支配的な現実」となっていること。しかしそれに「逆らって」「もうひとつの現実」を生みだすことが、弱者にとって歴史をめぐる「闘い」であり、「自己をとり戻す実践」であるとした。

上野が遂行したのは、元「慰安婦」の女性の営みをこの文脈に意味づけ、応答することであった。そして、その返す刃で、「複合的・多元的」な歴史を放置してきた歴史家への批判的な問いかけを行ったのである。ことばにすると凡庸さを免れ得ないが、いまや歴史家として、どの立場に立ち、どのような歴史を書くかという問いを歴史学の方法に踏み込んで提言したのであった。歴史認識の系を、歴史学における方法の問題として切り込んだところに、上野の議論の冴えがみられよう。

このことを、「歴史の語り」への問題系とするとき、上野が「語られ方」と「聞く耳」の存在により、出来事が「現実」として浮かび上がるとしたことは、示唆的である。「語り手」のみならず、「聞き手」を含めた「語り」を自覚的に追求することが、歴史学のあらたな可能性に通じていくことになる。

とともに、言わずもがなのことであるが、この提言は、歴史家が常に持ち出す、E・H・カーの議論(『歴史とは何か』清水幾太郎訳、岩波書店、一九六二年)とほとんど異ならないことにも留意しておきたい。

ある社会がどういう歴史を書くか、どういう歴史を書かないかということほど、その社会の性格を意味深く暗示するものはありません。

社会から切り離され、歴史から切り離された抽象的な規準や価値というのは、抽象的な個人と全く同様の幻想であります。(『歴史とは何か』)

3

上野の議論にみられる第三者的審級への批判は、一九九〇年代半ばの歴史学の転換のなかでは、あらたな歴史学への推移を促すものであった。「戦後歴史学」が「現代歴史学」に、「女性史」が「ジェンダー史」に、そして「社会史」が「社会史(後期)」に推移するなかでの一齣である。しかし、ここでも出会いは不幸なものであった。歴史修正主義への批判の仕方の相違が指摘され、議論のなかに分断と亀裂が持ちこまれ、いかに歴史を書き換えるかをめぐる抗争が生ずる。

さきのシンポジウム「ナショナリズムと「慰安婦」問題」で展開された、上野と、徐京植、高橋哲哉らとの論争は、その実践における抗争であった。論点のひとつは第二の問題系として指摘した、当事者性をめぐっての議論につらなる。すなわち、(1)問われる歴史家の立場性が(書き換えという)叙述の次元に移行する一方、(2)代表性―代位性にかかわる論点が浮上した。歴史家の側からすれば、出来事を当事者になり代わって叙述することの意味が問われた。

「戦後歴史学」「民衆史研究」への批判としての「社会史研究」、とくに一九九〇年代半ば以降の「社会史(後期)」による当事者性の歴史学の提唱――(自己主張する)マイノリティを歴史の主体として描くことは、(かつて「民衆史研究」が唱えた)「にとって」と「される側」の視点にもはや止まらない。「にとって」と「される側」からの歴史の読み替えと書き換えが、歴史の相対化ではなく、歴史の差異化(上村忠男のいう「知の棘」)とされる状況にある。具体的な歴史叙述は提供されていないなか、上野はここを書き換えの要のひとつとしていた。

一九九〇年代半ば以降、歴史学は内部から推移する一方、外部からの「介入」と問いかけがなされて、二一世紀の日本の歴史学―日本史学はその革新と刷新を試みている。しかし、上野千鶴子による、歴史学への「介入」後、一五年以上が経つが、いまだ、上野が提出した論点は、歴史学の現場では議論され尽くしていない。

〔補註〕『ナショナリズムとジェンダー』は、それ以降に書かれた論文を加え、「新版」として文庫化された(岩波現代文庫、二〇一二年)。

第13章　性暴力と近代日本歴史学──「出会い」と「出会いそこね」

はじめに

歴史学においては、性暴力に関する議論がようやく始まった状況にある。そのため、「性暴力と近代日本歴史学」の考察には、歴史学の作法──問題意識、方法、史料、そして叙述──のあらゆる点からの検討が必要である。また、歴史学と性暴力の関係性を問うということの営みを通して歴史学の検証と刷新が実現されるはずだが、どうやらそこまで議論は及んでいない。歴史学と文学研究をはじめとする、さまざまな隣接領域との「出会いそこね」が目立つなか、本章では、第一に「問題意識」にかかわって歴史学の性/性暴力との向き合い方を、第二に「方法」にかかわって性暴力をめぐる歴史学の歴史を、第三に「史料」にかかわって歴史学とオーラルヒストリーとの関係を論点とし、問題の所在を提示していきたい。まずは、文学作品を入口としよう。

目取真俊《めどるましゅん》『眼の奥の森』(影書房、二〇〇九年。初出は二〇〇四―〇八年)は、沖縄戦終結間際に沖縄本島の北にある小島で、一七歳の小夜子が四人のアメリカ兵に強姦された出来事を発端として、占領期、さらに現代にまでその傷跡が残るさまを描く小説である。被害者の小夜子は発狂し、恋人であった盛治は銛《もり》で加害者のアメリカ兵を刺し、一転、犯罪者となる。アメリカ兵が傷を負ったことで村人たちに占領軍からの聴取があり、すべての島民がかかわる出来事ともなりゆく。

この作品で、目取真は、(1)性暴力を可視化してそれを戦争に迫るための視点とし、性暴力をひとつの戦争として描いていく。そのために、方法論的・認識論的な工夫がなされ、全一〇章(「章」という表記はない)は、それぞれ人称、文体、視点、時制、内容の水準がすべてバラバラに叙述される。「複数の語り」と「複数の視点」によって性暴力とその連鎖が記され、発端となる強姦事件の統一された像は描かれない。

また、作品中には、(2)性暴力の被害者である小夜子本人の声は記されない。被害者の声を奪うことこそが性暴力の特徴であり、したがって性暴力は、被害者ではなく周りの人間によって記憶され、書き留められるということが作品構成として明らかにされる。さらに、(3)性暴力が引き起こした暴力の連鎖・重層性が上書きされ、ひとつの性暴力が時間・空間を超えて、現代のいじめにまで至る連続性が描かれ、読者に対する審問のような小説となっている。沖縄戦—語り手の時間—〈いま〉の連環が、性暴力を介して描き出されるのである。

のっけから文学作品を持ち出したが、それにはふたつの趣意がある。第一は、歴史学が長いあいだ、文学との差異化をはかることをその科学性の根拠とし、歴史学と文学とのあいだに境界を設ける営みを続けてきたことへの反省的な指摘である。その結果、私領域は、ながらく歴史学の考察対象からはずされていたが、その最たるものが性であった。そのため、性／性的なるものを文学にゆだね、性暴力を歴史学の視野から遠ざけてしまった。誤解を招かないためにあえて付しておけば、私が主張するのは、歴史学は文学に寄り添うべきだということではない。後述するように、いまや歴史学が私領域に目を向けるようになるなか、あらためて文学作品との出会いがあるはずである。文学作品が性暴力を主題とし叙述する手法によって、歴史学の問題意識と方法、叙述の作法が照らし出されるだろうし、また、文学を扱う文学研究が織りなしてきた手法――テクストとして言説に接する方法――から学ぶことも多くあろう。

第二の趣意は、文学作品に刻みこまれた営みもまた、歴史の痕跡として、他の史料と同等に扱うことが必要だ、ということの指摘である。この点からすれば、目取真は(歴史学に先んじるようにして)性暴力を扱い、『眼の奥の森』には二〇〇〇年代初頭の性暴力観が表されていることとなる。

性暴力への言及

　目取真の文学的営みは、沖縄における具体的な出来事と相関している。天願《てんがん》盛夫編『沖縄占領米軍犯罪事件帳』(ぐしかわ文具店、一九九八年)、同第二弾(サン印刷、二〇一一年)は、占領期の沖縄におけるアメリカ軍兵士の犯罪を一件ごとに、「発生年月日」「発生場所」「被害者」「補償等対象法令」を挙げながら「事件概要」を記す著作である。強姦事件の多さと、その被害者の多くが幼女や一〇代の女性であることに目を奪われる。目取真作品の事件設定は、天願の著作が扱う時期(一九四五年八月一五日以降)より先立っているが、沖縄戦末期―占領以前に、早くも性暴力があったことを出来事の次元で記し、問題を投げかける。出来事が問題へ目を向けさせるとともに、作品が出来事とその奥を照らし出す関係がここにある。そして、ここでの出来事と作品との関係は、文学作品にとどまらず、研究の作法をふまえた「叙述」においても同様の関係性を持つであろう。

　目取真『眼の奥の森』の連載に先立つようにして、雑誌『世界』六八二号(二〇〇〇年一二月)が、「戦時性暴力」という特集を組んでいたことを想起したい。同年に開催された「女性国際戦犯法廷」に呼応する企画だが、特集副題に「市民による審判へ」と銘打ち、「慰安婦」を軸とする「事実」の究明をめざし、戦場での女性に対する強姦など一連の暴力をはっきりと「性暴力」と規定した。特集のきっかけとなった「女性国際戦犯法廷」は、「性暴力」について問題提起を行い、それを重大な犯罪として告発する姿勢をみせるものだった。それは、さらに目取真『眼の奥の森』と反響しあうこととなる。

戦場での女性への暴力はしばしば「敵」に対する暴力と等値され、男性性の発揮として肯定されることとさえ、まれではなかった。その認識が「性暴力」として転換されたのは、一九九〇年代から二〇〇〇年代初頭にかけてのことであり、目取真の作品にもそのことがはっきりとうかがえる。

このような社会における認識の転換を視野に、歴史学、とくに近代日本歴史学(日本史学)がどのように性暴力を論じてきたか、そして、その背後に何があるのかという問題に接近してみたい。

1　近代日本歴史学と性／性暴力

近代日本歴史学は、これまで主として「制度」と「運動」を分析の対象としてきた。制度と運動を公共的領域の要として認識することによるが、それは支配と抵抗という問題につらなり、「戦後歴史学」の根幹をなすマルクス主義のテーゼにぴったり照応する対象であった。権力の史的解明と、権力への対抗の発掘・紹介である。なによりも、このふたつの対象には史資料が豊富に残されており、「実証」が保証される領域でもあった。

このことは、(1)「戦後歴史学」とよばれる一九五〇年代の近代日本歴史学において、戦争への論及がすべて開戦への経緯と講和の叙述に終始し、戦闘や戦場における人間存在の闇の部分には入り込まなかったことと対応している。人間の存在論にかかわる私領域は、もっぱら文学の領分としたのである。しかし、①制度と制度を支える精神をめぐる丸山眞男とその学派の問題提起があり、さらに、それをうけて、②「民衆史研究」が、「民衆」という主体のありようを探るなか、歴史学も制度と運動からはみだす領域を扱うようになる。

すなわち、一九六〇年代以降、(2)「民衆史研究」が、非日常(事件、運動)と日常との関係に着目し、「戦後歴史学」が扱ってきた運動に先立つ、日常や戦争のなかの日常を論ずるに至る。つまり、私領域を考察の対象に組み込むようになったのだが、戦争のなかの日常について論ずる場合、まずは「銃後」を、ついで民衆(兵士)の戦場での経験に言及することとなった。先駆的に、大濱徹也が『近代民衆の記録8 兵士』(大濱編、新人物往来社、一九七八年)で兵士の性をとりあげた。大濱は兵士の日常にふれるなかで、軍隊内の「花柳病」対策とともに、兵士の性のありように言及した。こうした「民衆史研究」は、歴史学が次第に、社会学など他の学知との接点を持つようになったことを意味した。しかし、文学とは依然として分業体制を敷いていた。

かかる近代日本歴史学が大きな変容をみせたのは、(3)一九八〇年代後半からのことである。決定的だったのは、「慰安婦」問題をめぐる状況である。歴史学にとってみれば、「慰安婦」は既知の対象であり、すでに言及されてもいたが、その存在の持つ意味を展開しえなかった歴史認識が、あらためて問われることになった。「慰安婦」問題は、人間存在にあらためて接近することを促し、歴史学における「領域」―「対象」―「方法」―「認識」―「叙述」の工夫があらたに試みられた。歴史学における「性(セクシュアリティ)」の主題化も、そうしたなかで再浮上する。

むろん、それまで近代日本歴史学が性を扱ってこなかったわけではない。しかし、(1)や(2)の時期の歴史学が対象とする性といえば、「公娼(制度)」、および「廃娼(運動)」と「産児制限(運動)」に集中しており(買売春と生殖)、ここでも制度と運動の次元に限られていた。

だが、一九八〇年代後半以降には、あらたな方法と認識のもと、対象の拡大が模索された。性という経験、性的なるものをめぐる意識と表象の探究であり、「こころ」と「からだ」への関心であり、私領域を対象とする姿勢であった。連動して、公娼制度・廃娼運動、産児制限運動の考察にもあらたな視点がもたらされ、運動のなかに伏在する「娼婦」への差別意識が抉り出されるなど、歴史学の方法と役割に論が及んだ。

本章の主題に関連させれば、「慰安婦」問題登場以降の(3)のなかで、戦争と性暴力をめぐる問題系が、近代日本歴史学にとって抜き差しならない「対象」―「方法」となったのである。それは、暴力／性暴力の領域への着目であり、前者(暴力)においては、これまでもっぱら国家権力の暴力が扱われていたことからの転換が要請される。家父長制的暴力への着目であり、「性慾」さらには男性性の探究にまで踏み込む。国家権力にとどまらぬ家父長制的権力が指摘され、性暴力が戦争犯罪として認識されたのである(吉田裕「戦争犯罪研究の課題」歴史学研究会・日本史研究会編『「慰安婦」問題を／から考える』岩波書店、二〇一四年)。

また、後者(性暴力)にかかわっては、被害者に沈黙を強いる暴力としての性暴力という認識がもたらされる。戦時―戦場においては、加害者に自覚されない暴力としての性暴力が把握されることとなった。

加えて、歴史教育と連動しながら性暴力を問題化する営みもなされてきている。この点は、歴史学の領域の大きな特徴となろう。

こうして、歴史における暴力／性暴力が、歴史学における暴力／性暴力の考察対象として、一九八〇年代後半以降に自覚的に追究されることとなった。決定的な契機が、一九九一年に金学順《キムハクスン》が名乗り出て日本政府を告発したことであるのは、すでに共通の認識となっている。ここを転換点として、これまでエピソードのようにして叙述されていた性暴力が、戦争の史的考察の根幹であるとの認識がもたらされた(1)。

近代日本歴史学の動向

あらためて、近代日本歴史学の動向として整理するとき、(1)「慰安婦」をめぐる議論に関心を集中させつつ、(2)戦場とともに引揚げ、占領といった出来事のなかでの性暴力に視野を広げ、(3)「慰安婦」「占領軍慰安施設」という「制度」「施設」とともに、すべての女性に対する性暴力を視野に収める。また、(4)強姦に限定せず、多様な性暴力／性暴力の多様性にも目が配られるようになった。(2)

このことは、(5)戦争の再解釈につらなり、戦争という言葉が指す時期や認識を再確認させる。占領と性暴力が主題化され（M・モラスキー『占領の記憶／記憶の占領——戦後沖縄・日本とアメリカ』鈴木直子訳、青土社、二〇〇六年。恵泉女学園大学平和文化研究所編『占領と性——政策・実態・表象』インパクト出版会、二〇〇七年。茶園敏美『パンパンとは誰なのか——キャッチという占領期の性暴力とGIとの親密性』インパクト出版会、二〇〇七年。平井和子『日本占領とジェンダー——米軍・売買春と日本女性たち』有志舎、二〇一四年、など）、これまで性暴力という認識を欠いたところで戦争が論じられ、戦争像が提示されていたことの問題点が明らかにされた。

さらに、(6)核心的には歴史学そのものの再検討が行われ、「慰安婦」を中心的な課題に据え得なかったことへの批判的な反省がなされた。実証という方法があらためて問われ、文学の領域をはじめとする、(歴史学の学知にとって)不案内な学知との接近も試みられる。とくに文献史料の位相と意味が問われ、オーラルヒストリーへの関心が高まった。また、従来の歴史学の作法を相対化し、言説分析の手法、とくに史料に内在するジェンダー・バイアスへの自覚も進む。

かくして、一九八〇年代後半以降の近代日本歴史学は、性暴力への関心を持ち、「慰安所」という「制度」と、「慰安婦」の「経験」として、性暴力の具体的な考察を行うようになったのだが、それは歴史学にとって、(7)「経験」を対象とし、「経験」を方法化することにほかならない。性暴力を対象とすることにより、近代日本歴史学はあらたな一歩を踏み出した。

2 性暴力をめぐる近代日本歴史学の歴史

近代日本歴史学のここに至るまでの推移を、戦争研究に即して概観してみよう。家永三郎『太平洋戦争』(岩波書店、一九六八年、第二版一九八六年)は、戦争と性暴力に早い段階で着目している。「戦後歴史学」の主導者のひとりである家永は、独自に性の領域に着目していた歴史家であった(家永『歴史家のみた日本文化』文藝春秋新社、一九六五年)。

『太平洋戦争』で家永は、史料的には、戦場での強姦についての手記を参照・引用するほか、小説家・田村泰次郎の作品「裸女のいる隊列」(一九五四年)、「蝗《いなご》」(一九六五年。ともに『田村泰次郎選集』第四集、日本図書センター、二〇〇五年、所収)に着目する。田村は一九四〇年に独立混成第四旅団第一三大隊に召集され、山西省中東部での治安戦に従事したとき「慰安婦」に接し、後に作品とした。家永は田村に、作品中における出来事が「事実」であるかを問い合わせ、そのうえで『太平洋戦争』に叙述している。

ちなみに、多くの文学研究者も田村作品に関心を集中させ、証言として扱ったうえで、検証をしていた。その際、田村作品を含めた文学作品における性暴力の扱い――読みの転換――を示したのは、彦坂諦《ひこさかたい》の「シリーズ　ある無能兵士の軌跡」の第一部、『ひとはどのようにして兵となるのか』(罌粟書房、一九八四年)である。彦坂は同書で、「男であることから、田村泰次郎はむろんのこと、金一勉《キムイルミョン》も安田武も解放されていない」と喝破し、「「戦争と性」にまつわる神話」を暴き、兵士たちの「生の確証」としての性／性暴力という論を批判した。

また、(いくらか視野を広げるとき)石田米子・内田知行編『黄土の村の性暴力――大《ダー》娘《ニャン》たちの戦争は終わらない』(創土社、二〇〇四年)には、池田恵理子「田村泰次郎が描いた戦場の性」が収められ、田村の「饒舌」を指摘している。田村は「八路軍の女性兵士」「朝鮮半島出身の「慰安婦」」「性暴力被害にあった中国人女性」という「三種類の女性」を描く、と池田は論ずる。同書については、のちにさらに検討しよう。

吉見義明による問題提起

近代日本歴史学、さらには歴史学における転換――性暴力への認識と着目、そしてその問題化――の指標となるのは、吉見義明『従軍慰安婦』(岩波書店、一九九五年)の問題提起である。吉見は、さきの金学順の告発に促されるようにして、日本軍の「慰安婦」関与を公文書により実証した(『朝日新聞』一九九二年一月一一日)。吉見の問題提起により、「慰安婦」問題は政治・外交問題化するとともに、歴史認識としても大きな展開をみせることとなった。

吉見の提出した論点を、東京歴史科学研究会編『歴史を学ぶ人々のために――現在《いま》をどう生きるか』(岩波書店、二〇一七年)に収められた、「日本軍「慰安婦」問題と歴史学」に探っておこう。講演記録の再掲だが、二〇一五年の段階での吉見自身による総括となっている。

吉見は、「慰安婦」問題を「「過去の克服」のための自己検証」、そして「戦争責任問題」として考察する。「慰安婦」問題に「現代日本の歴史意識」を探り、「日本の指導者たち」の意識を考察するなか、彼らが「強制性」を「軍・官憲による略取」に限定し、元「慰安婦」たちの「被害」に無関心であると批判する。国際世論に目配りし、賠償・補償についても言及しつつ、戦時・戦後の国家責任の文脈から「慰安婦」問題に切り込んでいる。

また、吉見は「慰安婦」集めの「強制性」が同時代的にも違法であり犯罪だったとし、事例を挙げて詳細な議論を行い、歴史的な考察を展開する。法律が歴史批判の根拠となるとともに、戦後の戦争体験記・回想録からも「慰安婦」にかかわる事例を抽出し、その「実態」を紹介する。吉見にとっては、「慰安婦」の「実態」の解明が議論の出発点であり、かつ方法ともなっている。秦郁彦(『慰安婦と戦場の性』新潮社、一九九九年、など)を論争相手と名指しつつ、朝鮮人女性が「誘拐あるいは人身売買された」ことについて秦との見解の相違はなく、論点となるのは「日本軍の責任になるのか」という点についての解釈である、と吉見はいう。

そのうえで吉見は、「官憲による暴行・脅迫を用いた連行」について、軍法会議、BC級戦犯裁判の記録などから、インドネシアや中国の例を細かく挙げる。「慰安所」における「強制」についても、国際法をたどり「自由の剝奪」を基準として「慰安所」の規定を紹介・検討し、その実態を問題化する。

最後に、⑴戦争・武力紛争時の女性への性暴力を防ぐこと、⑵女性・児童の人身取引を防ぐこと、⑶売買春や性暴力に対する認識枠組みを変革すること、そして、⑷戦後に「平和で自由で民主主義的な社会をつくり上げてきた」「誇り」を「慰安婦」問題を研究する意義と課題とする。⑷に注釈を加えておけば、吉見は「日本人の誇り」をひとつの焦点とし、「外国からいわれるよりも先に日本人自身がしっかり解明して、過ちがあれば過ちがあったということをはっきりさせることが、日本人としての誇りにつながる」と述べている。

こうして、吉見は現時の課題と緊張関係のなかで、「軍隊と性暴力」「戦争と性」という議論の枠組みと対象を、「慰安婦」問題を核にしてつくりあげ、歴史学における性暴力をめぐる考察を主導していくこととなった。

歴史学は個別の実証の上に築き上げなければならないわけですが、現代の我々が抱えている課題を解決することに寄与していってこそ、歴史を研究する意味はある。

右のことばが吉見の原点を示している。また、「他の性奴隷制度との比較研究」の深化を「大きな歴史学の研究課題」とも述べ、性暴力を課題として設定することが歴史学の役割と結びつけられ、吉見の真摯な姿勢がうかがわれる。

「方法」に着目すれば、吉見は「実証」に際し、文字資料、それも公文書を重視する。さきの家永と比較すれば、家永は「証言」としてではあれ、文学作品に目を向け、そこへ踏み込んだ。それに対し吉見は、文学作品に対しては慎重である。『草の根のファシズム――日本民衆の戦争体験』(東京大学出版会、一九八七年)では戦記や従軍記を、『焼跡からのデモクラシー』(上下、岩波書店、二〇一四年)では日記をそれぞれ史料化し、人びとの経験のありように踏み入る。しかし、「慰安婦」の議論では、聞き取りのほかは公文書を主な史料としている。権力との対決という出発点を持つがゆえの作法であろう。

性暴力をめぐる議論の広がり

吉見を核のひとりとする歴史家たちによって、「慰安婦」問題の考察は急速に進んだ。東京裁判を長年考察してきた内海愛子は「戦時性暴力と東京裁判」(内海・高橋哲哉責任編集『戦犯裁判と性暴力』緑風出版、二〇〇〇年)で、東京裁判で裁かれた性暴力、およびそこでの認識と議論を明らかにした。さらに、『日本占領期性売買関係GHQ資料』(全九巻、林博史監修、蒼天社出版、二〇一六―一七年)や、『性暴力問題資料集成』(Ⅰ期＝全二五巻＋別冊、二〇〇四―〇六年、Ⅱ期＝全一一巻、二〇〇九―一〇年、ともに不二出版)など大部の史料集も刊行されている。前者は、GHQ法務局、とくに公衆衛生福祉局の文書の集成で、占領政策とその運用の実情がうかがわれる。これに対し後者は、「買売春」を軸に法規から実態調査、報告書あるいは身上調査票、手記、考察・研究、さらにドキュメンタリーまでを幅広く集成する。性暴力にかかわる史資料が整えられて公刊され、共有されることとなった。

ここで論点となるのは、史資料の生成である。性暴力の史料といったとき、当事者による史料の不在と空白がついてまわる。性暴力の持つおぞましさが史料の欠落をもたらすが、その空白を埋めるものとして「証言」がさまざまに求められてきた。なかでも、先に言及した『黄土の村の性暴力——大娘《ダーニャン》たちの戦争は終わらない』は、性暴力の証言にかかわる先駆的な試みであり、性暴力の証言をいかに聞き取り記述するかについての方法的な検討とその実践がなされている。同書は性暴力を、⑴戦争犯罪として、また、⑵戦場での人権侵害として考察し、戦争犯罪の対象を拡大するとともに、⑶性暴力についてのかつての認識に対して批判を行い、反省を迫り、文字通り歴史の再審を行った著作となっている。

この著作では、日中戦争期における中国山西省盂県での日本軍による性暴力被害が明らかにされる。地域史ともなっているが、そのことには積極的に言及していない。石田らは「慰安婦」問題の国際公聴会(一九九二年)のあと、一九九六年一〇月に実態調査を開始し、(一九九八年一〇月の訴訟をはさみ)二〇〇三年三月までの一八回に及ぶ聞き取りに基づく成果を同書で公表した。

石田らは、「証言記録」すなわち「いかなる聞き取り調査」も、「どのような条件と関係性の中で行われたかを抜きにして、その聞きとられた文言のみを一人歩きさせることはできない」(「はじめに」)という認識のもと、九人の女性とその家族ら合計二〇人から聞き取りをする。そのうえで、

多くの人が携わった何回もの聞き取りを、整理者が整理したが、その記録原稿は研究会で何度も推敲を重ねたもの。

として提出している。性暴力の三つのケース――女性の「割り当て」による「供出」、他村からの連行、拉致・強姦――と、性暴力の日常化が証言から明らかにされる。一年あまりも続く被害の様相(尹玉林、楊喜何)とともに、被害者のひとりである万愛花の言として、自分は八路軍の兵士であり「性暴力の被害者」という自己規定を持たない、ということばもしっかりと書き留めている。

同時に、石田らは「記憶と記録・記述の間にある問題」を探る――戦後、ずっと性暴力被害について「彼女たちを沈黙させてきたものは何なのか」。そして、日本軍に「敵の女」として「人間としての尊厳を蹂躙された女性たち」は、「敵によって蹂躙された女」とされ、そのことによって「存在自体が共同体の名誉を傷つけるものとなった」という解釈を施す。日本軍と共同体との二重の抑圧によって、女性たちは沈黙させられてきたとするのである。

同書は被害の構造をより立体的に理解するため、「証言解説 大娘たちの村を襲った戦争」を「論文篇」に入れず、「証言篇」に付すなどの試みも行っている。

あらたな段階での動向

こうして、「慰安婦」問題が軸となり、聞き取りがなされ、その経験が証言として明らかにされてきたが、近年ではさらなる段階に入っている。すなわち、戦争犯罪および戦争責任論のなかに性暴力を加えることへの共通認識ができあがるなか、歴史(戦争)叙述に性暴力を組み込む営みが始まったのである(笠原十九司『日本軍の治安戦——日中戦争の実相』岩波書店、二〇一〇年、など)。

また、論集として歴史学研究会・日本史研究会編『「慰安婦」問題を/から考える』(岩波書店、二〇一四年)と、論点整理として、岩崎稔・長志珠絵「「慰安婦」問題が照らし出す日本の戦後」(成田龍一・吉田裕編『記憶と認識の中のアジア・太平洋戦争』岩波書店、二〇一五年)が刊行された。

前者は、「「慰安婦」問題を考えるとは、「慰安婦」の制度や実態について考えることであり、それは「慰安婦」問題の基礎として不可欠なこと」としつつ、それに加えて「「慰安婦」問題から考える視点が重要である」と狙いを記す。「から」についての含意を説明し、「「慰安婦」問題とは、戦時と平時(日常世界)の関連を視野に入れてはじめて理解できる問題」であり、「「慰安婦」問題から考える視点」では、戦時だけでなく、「日常生活を含めた歴史の全体」を考えることが要請されるとした。性暴力を入口として「歴史の全体」が志向された同書では、さらに、吉田裕「戦争犯罪研究の課題」が、「戦争の「魅惑的な面」」として、兵士の「「男性性」の問題」が見逃せないことを指摘し、人間存在の領分に踏み込んでいった。

後者の岩崎・長論文は、「慰安婦」問題をめぐって、(1)「歴史学上の実証レベル」の高まりと、それと反比例するような「事態の悪化と深刻化」という「奇妙な逆立関係」を指摘し、このことを、(2)アジア・太平洋戦争と植民地支配、冷戦の終結という「ふたつの戦後の帰結の不全」と「記憶論的転回」から説明する。同時に、(3)「「慰安婦」問題の公論化」の過程を、「戦争犯罪」→「女性の人権問題」→「軍事性暴力」として整理するとともに、(4)当初は「「慰安婦」問題を被害女性たちの声として報道」したジャーナリズムに対して、「一度は開かれた可能性に対する忘却」を行っているといい、(5)「集合的記憶」が問われていると指摘した。

そして岩崎・長論文は、「「慰安婦」問題について、それをこの社会の集合的記憶をめぐる論争として理解するという視点」から、「反知性主義」と「運動の側の対立」をみすえ、「結果として犠牲者を奪い合う」ことになっていると述べ、(6)「日本人「慰安婦」」の問題の浮上を、あわせ言及する。

また、歴史学研究会編『(第4次)現代歴史学の成果と課題』全三巻(績文堂出版、二〇一七年)も、各巻の該当箇所で、「慰安婦」や性買売についての研究を紹介して言及し、「成果」として挙げている。基地や植民地との関連、制度の国際比較、「証言」とライフストーリーといった論点も出されている。もっとも、「制度」から「社会」に接近して、男たちの買春行為に着目し、性産業とその業者たちに言及するものの、もっぱら実証の対象としての検討にとどまり、歴史学の問題意識や方法にかかわる議論として考察することは少ない。

久留島典子・長野ひろ子・長志珠絵編『歴史を読み替える ジェンダーから見た日本史』(大月書店、二〇一五年)は、歴史学の性暴力への接近が歴史教育と連動して展開された成果のひとつである。同書の近現代史の箇所には「近代公娼制度と廃娼運動」「「からゆきさん」と植民地公娼制度」「日本軍「慰安婦」とアジアの女たち」「沖縄戦とジェンダー」「満州移民と引き揚げ経験」「占領と性・地域」「売春防止法の成立と性売買の多様化」「米軍基地と性暴力」の項目のほか、「特論 性と生殖」が記され、人身売買、性病(検査)、性奴隷、性(生殖)の国家管理、などの論点が加えられる。

ちなみに、近年の軍事史—戦争研究の成果のひとつである、『シリーズ 地域のなかの軍隊』全九巻(原田敬一ほか編、吉川弘文館、二〇一四—一五年)における性暴力の記述は、コラム「米軍による性暴力と女性たち」(第六巻)と「遊郭・慰安所」(第九巻)のみであり、後者には「近代の公娼制、遊郭は日本軍と密接な関係を有して展開された。戦時中にはそうした遊郭が戦争遂行一色に再編された」と叙述されている。男性ばかりの編集委員(執筆者も、ほとんどが男性)のなかで、ここまで立項しえたとすべきか、まだまだ不十分であるとするかは、見解の分かれるところであろう。

性暴力を対象—方法—認識の観点から考えてきたが、「戦後歴史学」「民衆史研究」と推移してきた近代日本歴史学は、かかる動きを背景に、いくつもの対立軸をかかえたまま、変わっていかざるを得ないはずである。それほどまでに性暴力は重要で、深刻な課題だということが発見されたのである。すでに上野千鶴子は『ナショナリズムとジェンダー』(青土社、一九九八年)で、その問題を歴史学に投げかけていたが、歴史学の反応は上野の批判に向きあわず、応答はほとんどみられなかった(本書第12章)。しかし、それでも、ここまで近代日本歴史学も推移してきていると把握しておきたい。

3　オーラルヒストリーとの「出会いそこね」

性暴力の歴史的考察は、近代日本歴史学の作法をあらゆる面において再検討するよう促してきたが、その内部において、性暴力という対象への着目と、それをめぐる方法と叙述、あるいは認識の(対立とはいえないまでも)ズレが顕在化していることも、あわせて指摘しておかなければならない。ズレの焦点を「史料」を軸にみてみよう。

「史料」をめぐっては、このかん、近代日本歴史学の展開のなかで文書中心主義からの離陸が提唱され、史料としての証言と実証との関係について、すでに提言はなされてきた。たとえば、林博史は、「事実にこだわり実証にこだわる研究こそが、被害者の深刻な体験の証言を支えるものになりうる」という。しかし、林は同時に「けっして旧来からの「実証主義」ではなく、元「慰安婦」をはじめとする性暴力被害者の人たちの証言によって自らの方法を真剣に問い直したうえで「実証」を追及する」と、「実証」の再定義を促していた(林博史「「法廷」にみる日本軍性奴隷制下の加害と被害」VAWW-NET ジャパン編『裁かれた戦時性暴力――「日本軍性奴隷制を裁く女性国際戦犯法廷」とは何であったか』白澤社、二〇〇一年)。

すなわち、歴史家の営みとして実証(論証)は必須であるが、書かれたもの(文書)を持ち出すだけでは、あまりに素朴だというのである。出来事によっては、当事者によって書かれたものがあらかじめ存在せず、あるいは、当事者によるもののなかに明らかな虚偽があることも稀ではなく、出来事の論証の手続きが「事実」や「真実」と単純には対応しないという状況がある。誰にとっての「事実」であり、何のために「事実」を論証するかをあわせて問うとき、実証の手続きが変わってこよう。林は実証の手法を手放さずに、これまでの実証の概念を定義しなおそうとしている。

しかし、自伝における「虚偽」の述懐など、自らにかかわる証言が意図的な虚言を含み「事実」との齟齬や矛盾をきたすとき、どのような「解釈」や判断をなすべきかにかかわって、さらなる論点も生じてきている(3)。そして、証言のズレとユレの存在への着目、その解釈こそ、オーラルヒストリー研究の提供した論点のひとつに他ならない。

いまひとつの史料の「生成」にかかわっても述べておこう。言うまでもないことだが、証言は、聞き手があってはじめて生成され成立する。戦時の性暴力にかかわる証言も、

「聞き取る側」と「聞き取られる側」とのあいだで生み出される。

オーラルヒストリーは、証言者と直接に対面して証言を聞き取ることをもっぱらとしており、文脈を共有しながら証言を生成する。しかし、文章化された証言の読み解きは、文脈を共有していないことからの出発となる。この観点からは、オーラルヒストリーといえども、いったん書き留められた証言を読み解くときには、同様の作法が求められることを意味する。

書き留められたものから、その声を聞き取ること。このことが、性暴力を対象とした場合の課題のひとつとなっている。書き留められたものを、いかに考察するのか。換言すれば、史料の生成過程への考察を組み入れた史料の解読が必要だということであり、史料は初めから完成した形で存在しているものではない。歴史学で史料批判とされる営みが、オーラルヒストリー研究においても同様になされており、読み解く際にはそのことに留意し、生成過程を組み込んで議論しなければならない。

オーラルヒストリーと近代日本歴史学

このように考えるとき、オーラルヒストリーとの関係が、歴史学にとってひとつの重要な論点となっている。歴史学とオーラルヒストリーとの「出会い(そこね)」(!)には、いくつかの画期がある。第一は、一九七〇年代後半(まだオーラルヒストリーという語が使用されていない頃)、山崎朋子、山本茂美、あるいは森崎和江らの「聞き書き」に歴史家たちが衝撃を受けたときである。中村政則は『日本の歴史29 労働者と農民』(小学館、一九七六年)の執筆時に聞き書きを行い、その関心から、山崎、山本と座談会を行っている。中村は「従来の歴史把握の方法をすこしでもかえてみよう」と聞き書きに取り組んだと述べている(中村前掲書「月報」)。

第二の画期は、一九八〇年代後半で、歴史学研究会がオーラルヒストリーに着目し、『歴史学研究』で特集「オーラル・ヒストリー——その意味と方法と現在」を組むとともに(五六八号、一九八七年六月)、単行本としても刊行した時期である。このとき、歴史学研究会が着目したのは本多勝一と澤地久枝であり、『中国への旅』(本多、朝日新聞社、一九七二年)や『記録 ミッドウェー海戦』(澤地、文藝春秋、一九八六年)を軸に、そこに至る両者の方法を検討している(『オーラル・ヒストリーと体験史——本多勝一の仕事をめぐって』『事実の検証とオーラル・ヒストリー——澤地久枝の仕事をめぐって』ともに、歴史学研究会編、青木書店、一九八八年)。

第三の画期は、二〇〇〇年代初めで、『歴史学研究』が「方法としての「オーラル・ヒストリー」再考」(八一一・八一三号、二〇〇六年二・四月)、および『歴史評論』が「オーラル・ヒストリーと女性史——沈黙の扉を開く」(六四八号、二〇〇四年四月)と、それぞれ(小)特集を組んだ。また、大門正克は、第二期の中心にいた吉沢南のオーラルヒストリーを論じ、その意義を検討した(大門「オーラル・ヒストリーの実践と同時代史研究への挑戦──吉沢南の仕事を手がかりに」『大原社会問題研究所雑誌』五八九号、二〇〇七年一二月)。

そして、現在が第四の画期となる。蘭信三「オーラルヒストリーの展開と課題」(『岩波講座　日本歴史21　史料論』二〇一五年)、人見佐知子「オーラル・ヒストリーと歴史学／歴史家」(前掲『(第4次)現代歴史学の成果と課題3　歴史実践の現在』)など、比較的長い射程をとった研究史整理がなされている。

しかし、しばしば歴史学とオーラルヒストリーのすみわけがなされ、証言や聞き取りに対して歴史学の頑なな態度がみられたこともあった。たしかに歴史学の対象は拡大し、聞き書き／聞き取りの持つ重要性が明らかとなったが、歴史学のなかではオーラルヒストリーをゲットー化して、特別視し限定する動きもみられる。

中村政則は、先の座談会から三〇年を経て、オーラルヒストリーを謳う著作『昭和の記憶を掘り起こす』(小学館、二〇〇八年)を刊行した。中村にとって再度の試みであり、「沖縄戦」(一〇人)、「満州」(九人)、「ヒロシマ、ナガサキ」(七人)からの聞き書きが記される。オーラルヒストリーを通じて「歴史学(日本現代史)の再構築を図りたい」との中村の意欲が語られる。

たんねんに話者の語りを再構成するなかで、歴史家としての中村は、たえず個々の体験を全体のなかで意味づけようとし、叙述の大筋の事実関係は研究や文献で押さえ、聞き書きで出来事の細部のリアリティを確かめるという手法をとっていく。この点で、中村のオーラルヒストリーは、歴史学の認識こそ変化させたものの、歴史叙述の転換にまでは及んでいない。あらたな手法は、あくまでも出来事の次元でのやり取りに限定され、(史料として)記述されること、(歴史として)叙述すること——書き留めるという次元の議論——はこれからの課題となっている。(4)

4 「転回」をめぐって

いくらか文脈を広げながら、このズレにともなう前述の論点を歴史学における「方法」として論じるとき、言語論的転回にはじまる「転回」の認知にかかわるズレに至りつく。ことは歴史学における転回の理解、いやそれ以前に転回の認否にあるように思われる。

「転回」をめぐっては、実体主義vs構成主義と理解されることが多いが、歴史学における転回には、ヘイドン・ホワイトに代表される歴史叙述の次元における転回と、ステッドマン・ジョーンズに代表される史料解読の次元における転回との二方向からの接近がある。「史料」の次元にかかわってジョーンズは、チャーティスト運動を、「実体的な「階級」」を基盤とするのではなく、国制から排除された人びとを「「人民」という言語」

によって構築した運動としている。[5] 史料と「事実」のあいだをジョーンズは読み解き、ホワイト流の物語論的転回とは異なる、史料解読の次元での転回を示した。さすれば、史料・証言から「実証」しうるのは、いったいなんであるのか、という認識にかかわる問いが背後に横たわっていることとなる。史料と実証という歴史学の根底にかかわることの問いは、性暴力を「対象」―「方法」とした場合に現前化される。

他方、「叙述」の次元にかかわってホワイトは、

歴史とは言語を使用する試みであり、その言語を使用して、歴史一般や全歴史過程のさまざまな断片の意味について、言明が構築される多様な言説世界を構成する方法を採用することなのだ。（『メタヒストリー――一九世紀ヨーロッパにおける歴史的想像力』岩崎稔監訳、作品社、二〇一七年）

としている。この叙述の次元については、オーラルヒストリー研究の側でも、まだ認識が浅いようにみえる。ことは、研究者が当事者になり代わって語る営みにともなう論点について、公刊するに際していかように実践的に格闘し、そのうえでいかなる再構成を行うか、ということになろう。

比較をめぐって

「転回」は、比較という歴史学の方法においても課題となる。性暴力の考察を行う著

作が『戦争と性暴力の比較史へ向けて』という表題を有していることは、比較(史)を根幹においてきたこれまでの歴史学に対し、あらためて比較(史)を焦点化し、その転回をもたらすことを意図している。ここで転回とするのは、「人権」にせよ、「民主主義」にせよ、これまでの歴史学の比較の視点(=軸)が西洋との比較に偏していたということにとどまらず(そうした指摘は、すでに充分になされている)、視点が固定され不動のものとなっており、それが客観性―普遍性を示すものとされてきたことへの批判である。

また、何と何、どことどこ、どの事例とどの事例とを比較するか、という対象の設定それ自体がけっして自明のものではないことも、念頭に置いていよう。対象の設定がすでに結論を先取りしているということとともに、事象の切り取り方にすでに視点(=軸)と評価が入り込んでいることへの批判的指摘である。

比較の視点、比較の対象の設定という、比較史の出発点そもそもが、歴史的な背景や条件、制約と拘束を持ち、歴史的に形成されてきている。その論点を組み込まなければ、現在の認識がそのまま歴史―過去の出来事を裁断することになってしまう。比較史的転回を、歴史学における方法的な課題のひとつとするのは、こうした理由によっている。このことは、なぜ、これまでの歴史学で性暴力が論じられてこなかったか、を問うことと同じ営みとなる。この問いを抜きにして性暴力は論じられず、この問いを経ることによって比較史的転回の必要性が認知されよう。

実際に、議論は開始されはじめている。「男性兵士の欲望なるものが普遍でも自然でもない」こと、また「兵士と男らしさ、当然に対のようでいて、こうした男性性の強調が国民国家成立以降の出来事だった」とし、「多様な国民を動員する近代的軍隊とは、肥大化したマスキュリニティに訴える史上稀な存在であった」という指摘がなされる（松原宏之「兵士の性欲、国民の矜持」前掲『「慰安婦」問題を／から考える』二〇一四年）。性暴力を考察することにより、歴史学は、さらなる推移―転換をしていこう。

加えてオーラルヒストリーとの出会いそこねも、転回にかかわっており、歴史学がオーラルヒストリーと出会うための物語論的転回の検討も必要である。

当事者の「声」を聞き取ることがオーラルヒストリーの実践のはじまりとなるが、歴史学においては、その「声」を再現―再構成―叙述する営みが、それに続く。そのため、ボタンを掛け違えれば、オーラルヒストリーは歴史家同士の「声」の奪い合い、または打ち消し合いになりかねないが、基本となるのは「声」は誰のものか、ということである。当事者の声をめぐる奪い合いとして問題を把握することは、歴史修正主義の罠にみごとにはまり込んでしまうであろう。

かつて、アボリジニの世界観に限りない共感を寄せた保苅実『ラディカル・オーラル・ヒストリー』は、

〈歴史的真実〉は、しばしば閉鎖的で排他的になる。しかし〈歴史への真摯さ〉は、他

者に対して開かれている。(保苅『ラディカル・オーラル・ヒストリー——オーストラリア先住民アボリジニの歴史実践』御茶の水書房、二〇〇四年。のち岩波現代文庫、二〇一八年)

と記している。

ここで保苅は、他者のことばを奪い取り競い合う「歴史的真実」ではなく、「歴史への真摯さ」(テッサ・モーリス-スズキ)が求められるとする。保苅が提起するのは、倫理ということである。[6]

換言すれば、歴史学の営みとは、出来事の当事者の声を聞き取る行為であり、したがって当事者とは誰かということに敏感であることが求められる、ということにほかならない。歴史学は、自らが経験しないことを、当事者になり代わって語ることを必然としており、当事者の声を何らかのかたちで奪っていることに自覚的であることが要請されよう。

さらに、誰に向かって、聞き取った声を語るかとの論点も浮上し、あらたな世代に語るという要因が、歴史教育にともなって加わってくる。記憶の段階に入った戦争経験を把握し叙述する歴史学の刷新が、性暴力への接近とともに喫緊の課題となっている。いくつもの出会いそこねから脱却し、近代日本歴史学、いや歴史学そのものの転回がなされなければならない。

(1) 以上の点は、成田龍一『歴史学のスタイル』『歴史学のポジショナリティ』『歴史学のナラティヴ』(ともに、校倉書房、二〇〇一、〇六、一二年)を参照されたい。
(2) これまで現象としてのみ扱われてきた、敵と通じた女性への報復としての「丸刈り」についても、性暴力のひとつとして議論が始まってきている。
(3) この点にかかわって、エゴ・ヒストリーという問題提起がなされているが、まだ議論の途上である。とりあえず、『歴史評論』七七七号、特集「伝記・評伝・個人史の作法を再考する」(二〇一五年一月)を参照されたい。
(4) 同書に対する成田の書評(『UP』三七一―一一、二〇〇八年一一月)、および論考「「聞くこと」と「書くこと」」(『日本オーラル・ヒストリー研究』四号、二〇〇八年)を参照されたい。なお、本章脱稿後に、大門正克『語る歴史、聞く歴史――オーラル・ヒストリーの現場から』(岩波書店、二〇一七年)が刊行された。
(5) 訳者である長谷川貴彦の解題「ニューレフト史学の遺産」(G・ステッドマン・ジョーンズ『階級という言語――イングランド労働者階級の政治社会史 1932-1982 年』刀水書房、二〇一〇年)を参照されたい。
(6) この「真摯さ」の語について、歴史教育者の小川幸司は「適切な言葉」であるか疑問だとしている。「真摯さ」が争奪戦の対象になりかねないことを危惧し、成田の『〈歴史〉はいかに語られるか――一九三〇年代「国民の物語」批判』(日本放送出版協会、二〇〇一年)を参照しつつ、「出来事の意味を他者との関係性の中で記述する」という表現が、保苅の「実践の意味」を表しているであろうとする(小川幸司・成田龍一・長谷川貴彦「〈鼎談〉「世界史」をどう語るか」『思想』一一二七号、二〇一八年三月)。

IV

〈歴史の知〉の環境

――歴史学・歴史教育・メディア

第14章　「歴史」が語られる場所

「歴史」をめぐって、さまざまな議論がなされている。歴史をどう認識するかという根本的なことから、歴史を論ずる対象をどのように選び出すかなど多数の焦点と論点が出され、議論されている。問われているのは、「歴史」そのものと同時に、(「歴史」を描く学知としての)歴史学であることが、現在の特徴をなしている。歴史の史料とはいったい何であるのか、歴史を書くという行為はいったい何を意味するのか、という歴史学の根幹がときには論争をともないながら議論されているのである。歴史学といったときに、みながもっているはずの共通の前提や了解事項が揺らぎ、問い返されている状況といってよいであろう。歴史家の鹿野政直は、こうした事態を指して(歴史学がもっていた)「自明性の解体」といい、歴史学が激しく化け変わろうとしている――「化生する」といっている(『化生する歴史学』校倉書房、一九九八年)。

こうした歴史学の変化は、歴史が語られる場所にも変化と困難を生じさせているように見える。そもそも、歴史について語られている場所は、大きく見ると三つある。第一の場所は、(いま揺れ動いている)〈歴史学〉という場所である。アカデミズムの学会から学会誌や学術書、さらには大学の史学科までを含み、歴史の史料を発掘しこれまでの学説を検討し、歴史の「研究」をもっぱらとする場所である。「学としての歴史」ということもできよう。

この対極に、(名づけが難しいが)〈歴史物語〉の場所がある。歴史小説をはじめ、映画やテレビでの歴史のドラマなど歴史をわかりやすく、多くの人びとに向けて物語っていくことを基調とする領域である。近年では、ドキュメンタリータッチの啓蒙的な番組や、歴史を扱うバラエティ番組も少なくない。(第一の場所との対比で言えば)「叙述としての歴史」ということができよう。司馬遼太郎の小説から、NHKの「その時、歴史が動いた」、あるいは『歴史読本』など歴史愛好家たちに提供される雑誌も含めてあまた出版され、放映・上映される歴史物のほとんどを含む場所である。

この第二の場所(=領域)は広大で、いろいろな要素をもち、傾向もさまざまであるうえに、量も多く目に付きやすい場所でもある。小林よしのりの『戦争論』(幻冬舎、一九九八年)が話題になったり、大河ドラマ化された新撰組が「史実」との対比であれこれ言われるのは、この場所が多くの影響力を有しているからであろう。

とともに、この第一、第二の双方に重なる場所として、〈歴史教育〉の場所がある。第三の場所として〈歴史教育〉の場所は、小学校から中学校、高等学校や大学での歴史の教育を中軸に、博物館や記念館、地域の歴史資料館などもこの場所に含まれる。歴史の教科書や図録とあわせ、毎日おこなわれている授業や展示などは、多くのエネルギーが費やされた〈歴史教育〉の実践となっている。

このとき、第二、第三の場所は、第一の〈歴史学〉の「成果」と相関的な関係をもっていることに注意を払っておきたい。中学校や高等学校の歴史教科書は〈歴史学〉の成果にもとづいて作成され、博物館の展示もそれを踏まえてなされている。だがことはそれにとどまらず、歴史学の「成果」が歴史的な「事実」(ときには、「真実」とも言われる)とされているがゆえに、しばしば第二の場所で、事件のあらたな「真相」がセンセーショナルにとりあげられ、これまでの通説とは異なった解釈が紹介される。このように思われているが「実は……」、という言い方がされるのは、こうした局面においてである。そして、新解釈による驚きと新鮮さが見られるためには、あらかじめ〈歴史教育〉が行き届き、〈歴史学〉の成果(＝通説)が広まっていることが前提となっていよう。

こうした三つの領域の存在と関係性を考えるとき、(冒頭では〈歴史学〉の困難に言及したが)第二、第三の領域も、やはりやっかいな問題を抱え込んでいよう。たとえば〈歴史教育〉の場所では、二〇〇一年に自由主義史観を背景に書かれた『新しい歴史教科書』が登場したことをきっかけとして、歴史教科書のあり方が議論された。また、教科書採択のときにも歴史教科書が問題になったことは記憶に新しい。二〇〇五年は中学校の教科書採択の時期であり、それに先立って、現在、教科書の改訂と検定が進行中である。歴史教科書の議論は再燃の火種を抱えている。

第二の場所との重なりから言えば、〈歴史物語〉が発信する情報や新解釈のなかで教育がなされなければならないということがある。加えて教室での歴史教育の場合、通史を教えなければならないという困難もある。縄文時代から、平安時代さらに鎌倉時代や江戸時代、そして近代の時代を経て二一世紀のいままでが満遍なく教えられることが、学校の歴史教育では要求されている。この困難は限られた時間で数千年の歴史を教えるということでもあるが、同時に、その時々によって「日本」の範囲も、「日本人」の内容も変化するときに、それを一貫したものとして教えることの困難である。思うに、〈歴史教育〉の場所は、第一の〈歴史学〉と第二の〈歴史物語〉という二つの歴史が語られる場所に重なり合っている。二つの領域を介在させる位置をもつ〈歴史教育〉の重要性があらためて考えられるとともに、そこでの困難はなかなかに深刻である。

第15章　「通史」という制度――「戦後歴史学」の風景のなかで

はじめに

二〇世紀の日本の歴史学界で「史学史」が焦点化された時期は、一九四〇年前後、一九七〇年前後と二度あった。前者の時期は、皇国主義者である清原貞雄の『日本史学史増訂版』（中文館書店、一九二八年。増訂版一九四四年）や、実証主義者である大久保利謙による『日本近代史学史』（白楊社、一九四〇年）が刊行され、『歴史学研究』が史学史の検討を始める時期であった（成田龍一「ナショナル・ヒストリーへの「欲望」」二〇〇二年、『方法としての史学史――歴史論集Ⅰ』岩波書店、二〇二一年、所収）。日本に定着した「近代歴史学」が、否定的（清原）、肯定的（大久保）に検証されたのである。

また、後者の時期には、戦後歴史学の主導者である遠山茂樹が『戦後の歴史学と歴史意識』（岩波書店、一九六八年）を著し、「戦後歴史学」の軌跡の過程が記された。さらに、野原四郎・松本新八郎・江口朴郎編『近代日本における歴史学の発達』（上下、青木書店、一九七六年)としてまとめられたプロジェクトや、五井直弘『近代日本と東洋史学』(青木書店、一九七六年)が刊行され、「国史」(日本史)にとどまらず、広く「東洋史」「西洋史」にも目を配って、近代日本の「史学史」が検討されようとした時期となっている。

「史学史」は、歴史学の歴史としてその認識の根幹を形づくっているが、ここに問いかけが焦点化されたことは、歴史学が自らを根源的に問いかけたことを意味する。この視点から見たとき、一九四〇年前後も一九七〇年前後もともに「近代」の意味が問いかけられた時期であり、日本の歴史家たちは、「近代」の過程のなかで形成された歴史学の歴史を検討する(＝史学史の考察)ことによって、「近代」の問いへ応答しようとしたと言えるであろう。もとより、「近代」への態度は差異をもち、清原は、「近代」に批判的に向かい、大久保は「近代」の擁護者であった。また、一九七〇年前後の戦後における史学史の検討は、いずれも「近代」の擁護の立場からのものであった。

「史学史」の検討は、こうして三〇年ごとになされているが、二〇〇〇年の〈いま〉における「史学史」の検討も、一九七〇年前後から数えると三〇年を経ている。三〇年ごとというのは、社会の変化と歴史学の変化のサイクルと関連しており、現在の「史学史」の検討が(一九七〇年から数えて)三〇年目に当たっていることは、単なる偶然ではなかろう。二〇〇〇年の現在は、グローバリゼーションのなかで「近代」の装置が総ざらいされ、再検討されているなかでの「史学史」の検討である。「戦後歴史学」を問いかけの対象とし、近代歴史学や、そこで形成された「近代」の歴史意識が点検されており、歴史家たちは、あらためて「史学史」に焦点をあわせている。

二〇〇〇年前後の「史学史」の検討の特徴は、(1)日本(国内)の歴史学界の射程にとどまらず、東アジアの射程で「史学史」を考察しようとしていることである。戦時期の日本の歴史学と植民地であった朝鮮の歴史意識との関係などが、考察されようとしている。(2)また、二〇〇〇年の「史学史」の再検討は、日本――東アジアにとどまるものではないことも、特徴としてあげうる。アメリカやフランス、ドイツなどでも「史学史」へ関心が寄せられ、「史学史」を主題とする著作が何冊も刊行され、「史学史」の検討が、世界的な規模での気運になっている。* しかも、(3)日本に例をとると、一九四五年以降に誕生した「戦後歴史学」の「史学史」にとどまらず、広く、一九世紀後半からの近代の歴史学の総過程を視野に入れ、この射程で歴史学を問題化しようとしている。「近代歴史学」を、再検討しようとする試みとなっている。また、このとき、「史学史」の対象として扱う素材も、単に歴史家の歴史分析のモノグラフィー(歴史学的分析の作品)にとどまらず、歴史小説や映画、あるいはマンガなども素材としてとりあげ、「史学史」の考察の手法とスタイルにも、これまでとは異なる特徴を示している(成田龍一『歴史学のスタイル』校倉書房、二〇〇一年)。

こうした「史学史」の(再)考察の動きのなかに、「批判と連帯のための東アジア歴史フォーラム」の試みもあるといえよう。**

* ほんのわずかの例をあげておけば、「客観性」の概念を手がかりにアメリカの史学史を描いたピーター・ノービックの著作(P. Novic, *That Noble Dream*, Cambridge University Press, 1988)、あるいはアメリカ・ドイツ・日本の史学史を比較史的に論じたセバスティアン・コンラートの著作(S. Conrad, *Auf der Suche nach der verlorenen Nation*, Vandenhoeck & Ruprecht, 1999)などが私の印象に残っている。

** 本章は、二〇〇四年一二月に、「批判と連帯のための東アジア歴史フォーラム」で報告した原稿である。

あらためて「史学史」の検討をおこなうとき、本章でとりあげるのは「通史」をめぐる諸問題である。「通史」という言葉そのものは、近代に誕生しており、たとえば、一九一〇年代に、「通史」を名乗る歴史書が書かれるようになる(高桑駒吉『日本通史』弘道館、一九一二年、など)。「通史」という言葉を辞典で引いてみると、「歴史記述法の一様式。一時代または一地域・一分野などに限った特殊史に対し、歴史の全体を通観した総合的記述」(『広辞苑』)として定義されている。* また、永原慶二「「通史」の役割」(『歴史評論』五五四号、一九九六年六月)** も「通史」を検討するにあたり、それを、(1)原始・古代から近代・現代へといたる「全時代の歴史過程」を対象とし、(2)政治・経済・文化などの「諸領域」に及びながら、(3)「通観」し「叙述」したものとしている。ひとつの出来事や事項にとどまらず、また、限られた地域ではなく、対象とする時期も限定せずに、総体的・総合的にあらゆる歴史事象に目を配り、「日本全土」における「日本歴史」の総過程を描くということであろう。

＊　歴史事典や、「戦前」の辞典には、「通史」という項目がない。前者は、歴史家たちが歴史学の枠組みそれ自体には、関心が薄いことを示しており、後者は、「通史」が歴史的な性格をもち、「戦後」に本格化することを意味しているように思われる。

＊＊　なお、同号は、特集「「通史」を考える――日本史篇」となっており、編集委員会による「特集にあたって」をはじめ、各執筆者も、同様の定義にもとづいて「通史」を把握し、検討をおこなっている。

この点から見れば、概念としての「通史」は近代以前から存在することになる。王朝を通観することに由来する「通」が、いかように「通史」となるかは、史学史上の重要な論点であろう。近代歴史学の「誕生」にかかわる問題である。

だが、ここでは戦後における「通史」の様相と論点を、「史学史」としてトレースすることにしたい。二〇〇〇年前後の「史学史」の再検討に直接にかかわる論点を、まずは提示したいがためである。戦後における「通史」の様相と構造を探ったうえで、「通史」について論じてみたい。

1　戦後史学史のなかの「通史」

「通史」の枠組み

一九四五年八月の敗戦は、日本の歴史学にとり、大きな出来事となった。戦前の歴史学が、皇国史観として戦争遂行を翼賛したために、敗戦を契機に支配的な歴史学(歴史学の主流)が交代したのである。皇国史観が、⑴歴史の本質主義を排斥し、構成主義を前面に出し、⑵近代歴史学(＝実証主義の歴史学)の叙述を拒否し、物語的な叙述をおこない、⑶近代の歴史学(＝実証主義)とは異なる歴史学を標榜し、三派鼎立という歴史学界の複雑な構造を形づくったことに関しては、すでに記したことがある(三派とは、実証史学、マルクス主義史学と皇国史観の史学である。前掲『方法としての史学史』第4・5章)。皇国史観と交代した歴史学は、したがって、反(あるいは、非)皇国史観として、実証をもっぱらとするとともに、歴史の総過程を対象とし、なかんずく「人民」(民衆)の様相を盛り込もうとした。また、歴史における継起的展開(社会構成体の移行としての歴史)を主張するようになる。

(皇国史観の歴史学に代わって登場した)「戦後歴史学」は、実証主義と社会構成体の移行を、他の地域(と言いつつ、実際にはヨーロッパであるが)との比較可能な概念で叙述することを構想した。「戦後歴史学」による日本史像は、したがって(1)連続性を軸としながら、(2)時期区分を不可欠で重要な視点とする「通史」として描かれることとなる。先の永原「「通史」の役割」はこの点を強調し、「社会構成史的「通史」」は「必然的に「時代区分論争」のかたちをとって展開することとなった」とする。

さて、現在の「通史」の構想は、教科書にひとつの典型が示されている。教科書の「通史」の特徴は、(a)大きな時期区分として、「原始・古代」―「中世」―「近世」―「近代・現代」という区分を採用していることである。これは、マルクス主義の歴史学の社会構成体の推移・発展史観とも一致している。日本の戦後の歴史学界の特徴として、アカデミズムのなかに、多くのマルクス主義者がおり、教科書執筆にもかかわっていることを指摘できる。「通史」としての教科書には、実証主義とマルクス主義の融和が見られ、このことは「戦後歴史学」の特徴(性格)ともなっている。

(b)また、「原始・古代」から「近代・現代」にいたる社会構成体のそれぞれの性格づけは、おおむね「奴隷制社会」―「封建制社会」―「資本制社会」とされるが、日本歴史の場合には、「近世」という区分を設けていることが特徴的である。ヨーロッパを基準とする時期区分(古代―中世―近代)を基本とするのであるが、「封建制」の後期として「近世」という区分をもち出す。(補註1) (c)教科書の時期区分は、各時期における政権の階級的な性格(豪族・貴族―武士―資本家)による区分であり、政治史が主導した区分となっている。

したがって、教科書においては「平安時代」とか「鎌倉時代」「江戸時代」と政権の所在地による言い方が用いられることが多い。

(d)こうして、教科書では、ほぼ二〇〇〇年間の「日本歴史」の過程を、「日本のあけぼの」から、「現代世界と日本」まで描く。はるかな過去から、幾多の変遷を経て、〈いま〉ここの時点にたどり着いた「日本」、そしてこの先も困難を克服していくであろう「日本」というわけである。教科書に描き出されたこのような「通史」は、すぐに述べるように、歴史教育の場を主軸にしながら、さまざまな場所で語られ、人びとにとり「日本歴史」の参照系となっていく。すなわち、制度化される。以上のような枠組みをもつ「通史」が、「日本歴史」に関しての参照系となっている。

別の言い方をすれば、現代日本の社会のなかで、「歴史」(「日本歴史」)が語られる場所はさまざまにある(テッサ・モーリス－スズキ『過去は死なない――メディア・記憶・歴史』田代泰子訳、岩波書店、二〇〇四年)。テレビドラマやマンガ、映画や歴史小説としても、多くの「歴史」が語られている。また、テレビでは歴史を扱う場合に、ドキュメンタリーの手法を用いる再現のほかに、歴史クイズや物知り情報のような番組も制作する。こうしたときに、テレビ局の制作者のみならず、番組を受容する聴取者が参照しているのは、上記の「通史」である。歴史小説をはじめ、映画もドラマも、ましてやクイズが扱うのは、歴史のなかのひとこまであり、ある局面にすぎない。社会のなかで語られる歴史的な事柄は、それ自体は「断片」であり、ひとつの「エピソード」として歴史の文脈からは切り離されてもち出されている。

だが、番組制作者や視聴者は「通史」を参照することにより、「断片」や「エピソード」を「日本歴史」のなかに位置づけ、その出来事を解釈し理解し、クイズに答えている。「通史」は、個々の出来事や「断片」を「日本歴史」上の事柄とし、それに歴史的位置づけと歴史的評価を与える参照系となっている。

このことは、さらに言葉を足せば、歴史的な出来事は「断片」や「エピソード」として提供されることが通念化され、「通史」が参照系として振る舞うことでもある。「通史」は、こうして、しばしば、正史の役割を果たす装置となる。

「通史」の通史

教科書を例として見たような、こうした「通史」は、「ヨーロッパ近代を「コード」としている」(宮嶋博史・李成市「序文にかえて」宮嶋ほか編『植民地近代の視座――朝鮮と日本』岩波書店、二〇〇四年)。かかる「通史」の枠組みが、戦後社会のなかに通用する「通史」の典型をつくり出し、かつ支配的なものとなっている。この「通史」が、戦後の過程でどのように形成されてきたのか、また、どこで流布し再生産されているのか、そして、こうした「通史」はどのように問題化されているかを、次に探ってみよう。

戦後における「通史」の出発に関しては、先の『歴史評論』の特集号に寄せた、山田晃弘「戦後「日本通史」文献目録」の労作がある。すでに記したように、戦時の皇国史観の物語に対抗するところから始まったが、この目録により、いくつかの「通史」を見てみると、日本史研究会編『新しい日本史』(日本科学社、一九四六年。目録では四七年とされている)は、「史前篇」―「古代篇」―「中世篇」―「近世篇」―「現代篇」という構成をもち、一九四六年から四八年にかけて刊行された毎日新聞社編『新しい日本の歴史』(毎日新聞社)は、時代史としての通史の構成をとっている。ここでは、戦後における初期の「通史」として、(a)東京大学国史研究室内日本史研究会編『日本歴史読本』(大地書房、一九四八年)と、(b)敗戦に伴って、書き換えられた教科書をとりあげ、いくらか詳しく検討してみよう。前者は、若い世代を中心とした、批判意識をもつ歴史学者(歴史学徒)を中心とし、後者は、文部省(当時)の主導により、年長の実証主義者が中心となって執筆された。

まずは前者であるが、『日本歴史読本』の「はじめに」で、「こゝに本書は、日本の歴史を貫いて流れている線を明確につかみ出し、之にいきいきとした肉付けをあたえることによつて、ダイナミックな歴史の叙述を試みようとした」と宣言している。皇国史観の恣意性を、「日本の歴史を貫いて流れている線」によって批判し対抗的な叙述をおこない、「日本のあけぼの」から「近代日本の夜明け前」、そして「近代日本」の展開を、敗戦にいたる時期までを対象として綴る(「　」のなかは、『日本歴史読本』の章のタイトル)。

「通史」としての「日本」の歴史の時期区分は、『日本歴史読本』においては、(先に見たような)現在に通用する時期区分と同様である。社会構成体の移行――すなわち、社会構成体の形成・発展・没落(＝新たな形成)(『日本歴史読本』の用語を用いれば、「古代世界」「中世紀」「封建制支配」「近代」)により「近代」に行き着く過程を区分し、発展史観にもとづくものとなっている。

『日本歴史読本』において、区分けされたそれぞれの時期(社会構成体としてのまとまり)を束ねる軸は政治である。『日本歴史読本』の叙述の中心をなすのは政治史であり、それを補完するために「近代日本精神史」が「附録」として置かれている(前近代の「文化」は、本文中に一節を設ける形で論じられている)。

「近代」の部分の叙述は、『日本歴史読本』において、三つの軸をもつ。ひとつは「国家形成」であり、近代「日本」における中央集権化の様相と産業の育成、および大日本帝国憲法の制定が描かれる。二つ目の軸は「戦争」で、日清戦争・日露戦争をはじめ、中国への「二十一か条の要求」や第一次世界大戦への日本の参戦、また「シベリア出兵」から「日華《ママ》事変」「太平洋《ママ》戦争」が叙述される。近代日本は、国家形成と戦争が並行的におこなわれているという認識が、『日本歴史読本』からうかがうことができる。

そして、『日本歴史読本』では、「国家形成」と「戦争」に対抗する「社会運動」を、第三の軸として扱っている。近代国家の形成に対抗しておこなわれた、「士族の反抗」や、近代国家になっても負担が軽減しないために農民たちによって引き起こされた「騒擾」、そして、政府に対して正面から反対していく「自由民権運動」が描かれる。労働者や農民の運動、一九一八年に起きた「米騒動」へも言及される。

「戦争」を必然化するような「国家形成」と「上からの」近代化に対抗する「社会運動」との組み合わせで、『日本歴史読本』の近代の部分は構成されている。現行の「通史」と共通する認識と枠組みで叙述されており、『日本歴史読本』は現在の「通史」の出発点をなしているといえる。執筆者の名前は明記されていないが、マルクス主義にもとづく歴史観(唯物史観)を有した学徒たちによるものであることが、証言されている。

他方、敗戦をきっかけとして、文部省による教科書の書き換えと、その教科書への批判が起こるが、このことも、「通史」をめぐる議論として考察できる。

一九四六年に刊行された国定の歴史教科書『くにのあゆみ』(上下)は、家永三郎や大久保利謙ら、実証主義の歴史家たちが執筆し、「日本のあけぼの」から始まり、「明治の維新」を経て「大正から昭和へ」にいたり、「太平洋戦争」までが書かれている(「 」は、『くにのあゆみ』の章のタイトル)。『くにのあゆみ』の時期区分は、政治史——政権の所在地で時代をくくり上げる区分となっている。『くにのあゆみ』の本文の冒頭は、「アジア大陸の東の海に、北から南へかけて細長くつらなる島島、これが私たちの住んでゐる日本です」「この国土に、私たちの祖先が住みついたのは、遠い遠い昔のことでした」と書かれている。神話の時代から書き出されていた、従来の歴史教科書に対して、『くにのあゆみ』は、日本列島の原始時代から記述し始めた点で、新しい記述の「通史」となっている。また、天皇の治世によって時期区分されていた政治史を廃止し、現実的な政権の所在地による時代区分に変更している。この点で、『くにのあゆみ』は、戦前の「通史」ではなく、戦後の「通史」としての性格をもつ。

だが、この『くにのあゆみ』には、マルクス主義の歴史家を中心に批判の声があがり、幾多の議論がなされた。活動を再開した歴史学研究会、あらたに京都で組織された日本史研究会、民主主義科学者協会歴史部会などからは、とくに強い批判が出された。その代表として、井上清が著した『くにのあゆみ批判』(解放社、一九四七年)を見てみよう。

井上は、まず、『くにのあゆみ』が秘密裏に作成されたことを批判する。作成過程の不透明さへの批判である。同時に、内容に関しても、井上は、『くにのあゆみ』が「皇室中心主義の立場で史実を選択し解釈していること」に批判を向けている。いまだ、皇国史観の影響から、『くにのあゆみ』は脱却しきれていないという批判である。たしかに、『くにのあゆみ』は天皇の記述に関しては敬語を使用しており、このひとつをとっても、井上の批判は妥当である。

注目すべきは、井上は、『くにのあゆみ』の目次をそのままにし、本文に当たる部分を書きあらためるという形で(『くにのあゆみ』への)批判をおこない、かつ、そのことを通じて「この書(『くにのあゆみ批判』―註)が独立した一つの日本歴史の概説として役に立つことをもめざした」と述べている点である――「この書(『くにのあゆみ批判』―註)の章節の順も題名もすべて「くにのあゆみ」にしたがっている」。あわせて、「人民の歴史」に関しては、『くにのあゆみ』には記述がないので、『くにのあゆみ批判』で書き加えた、と井上は述べている。

論点となるのは、井上の批判が、『くにのあゆみ』と章節をタイトルまで含めて同じくしているということに関してで、このことは、井上と『くにのあゆみ』の双方の「通史」としての構成―大枠が同じであることを示している。井上と『くにのあゆみ』が、(認識においては、批判的な関係にありながら)「通史」としての大枠は、共有している。

また、井上は、『くにのあゆみ』の「江戸時代」に関し、「構成が歴史的にも論理的にもはなはだ無理で、その構成にしたがつたのではどんなに多くのことをおぎなつても、その時代を正しく説明できず、いわんや明治維新への発展をあきらかにできないし、たとえそれができてもその統一的な理解をきわめて困難にすると思われるので、各節の内容は、かなりあらためた。節の中で項の順序をあらためた所はもつと多い」と述べる。すなわち、「江戸時代」は(『くにのあゆみ』の構想は)まずいが、その他の時代については、『くにのあゆみ』の「通史」としての「構成」はそのままでよく、『くにのあゆみ』の

「構成」による書き加えで、井上の構想する「通史」が叙述できる、ということである。歴史のなかの個々の出来事への評価や、出来事の選択に関しては差異と異論があるが、「通史」としての筋道には『くにのあゆみ』との差異がない、と井上は述べていることとなる。* こうして、実証主義者とマルクス主義者のあいだで、互いに共有できる「通史」の大枠が出来上がったと言いうる。(教科書という)狭義と、(歴史学者・学徒の啓蒙運動という)広義の歴史教育の場所から、戦後における「通史」執筆の実践が再開されていく。

＊ むろん、『くにのあゆみ』の「江戸時代」の描き方が「明治維新への発展」を明らかにしえないという井上の批判は、「近代」の性格と歴史的な位置づけとあいまって、『くにのあゆみ』への根本的な批判ではある。だが、井上が、『くにのあゆみ』と目次を同じくしていることは、戦後における「通史」の型が敗戦後数年のあいだに、ほぼ定まったことを示していよう。

「通史」の類型

戦後の「日本」における「通史」は、歴史教育以外の場所でも語られ、流布し、人びとのなかに浸透し、参照系としての位置を拡大していく。戦後の社会では、「通史」が展開され語られる場所と、そこで語られる「通史」の型は四つあった。第一は、すでに言及してきた「歴史教科書」の場所と型であり、第二には、新聞社や大出版社による歴史もの(歴史書)であり、第三には、アカデミズム(=歴史学界)が主導する「歴史講座」の類であり、第四には、自治体の編纂による自治体史の場所と型である。

教科書という場所と型によって展開される「通史」は、「国民」の歴史教育を目的とし、ここにかかわって執筆され流布する「通史」である。中学校(現在は「歴史的分野」)・高等学校(「日本史」)の教科書は、文部科学省が制定する「学習指導要領」にもとづいて執筆され、検定を受け、検定に合格した教科書が出版され、その教科書を各教育委員会(中学校の場合)や各学校(高等学校の場合)が検討し採択するという手順を踏む。二〇〇四年度には、中学校八社、高等学校一八社の歴史教科書が発行されており、中学校の場合は総計で一四〇万部の発行がある(二〇〇四年度)。もっとも、中学校は東京書籍、高等学校は山川出版社の教科書が多く採用されており、寡占的な採択になっているのが実情である。

アカデミズムの学者が主となり、中学校・高等学校の教員がそれに加わり教科書編集・執筆に当たるが、実証主義の学者とともに、(先に指摘したように)マルクス主義の学者も少なからず執筆しており、「戦後歴史学」の「通史」の構想が、教科書の「通史」叙述の基本の型になっている。

教科書をめぐる問題と言ったとき、これまでは主要な争点は、文部省による検定に関してであった。「戦後歴史学」の成果にもとづいて執筆したはずの歴史教科書が、文部省によって書き換えさせられ、ときには検定不合格となるという事態が論点となっていた。主戦場は、高等学校教科書であり、個々の歴史的な出来事の認識と評価、その記述をめぐっての抗争であった。

本章で主題としている「通史」の構想をめぐっての争点は、これまで教科書をめぐっては提出されていない。教科書執筆者は、教科書では「通史」を描き、時期区分は「原始・古代」―「中世」―「近世」―「近代・現代」の区分を採用することを自明としていた。「学習指導要領」がこうした方針をとっているからであるが、現行の「学習指導要領」(一九八九年)でも様相は変わっていない。すなわち、教科書の「通史」としての特徴は、依然として「(日本の)あけぼの」から現在の「日本」にいたるまでのすべての過程を政治史としてまとめ上げるとともに、経済、社会、あるいは文化の歴史について記すことにある。教科書は、「通史」としてあらゆる出来事を書き込むということが要請され、かつ、そのことが実践されている。

教科書型の「通史」に総合性という特徴を見出すときに、新書版で書かれたいくつかの「通史」をこの型に加えることができる。井上清『日本の歴史』(上中下、岩波書店、一九六五―六六年)、遠山茂樹・今井清一・藤原彰『昭和史』(岩波書店、一九五五年、新版一九五九年)や網野善彦『日本社会の歴史』(上中下、岩波書店、一九九七年)などである。前二者は政治史、後者は社会史が「日本歴史」をまとめ上げるときの基準となっているが、長い期間を総合的な観点から扱い、学習会のテクストとしてしばしば用いられている。

第二の類型としての、出版資本の主導による「通史」は、刊行時期と版元、内容や巻数により差異が見られるものの、いずれも相当のボリュームをもち、なかには数十万部を出したシリーズもある。一人の著者が一冊を書き下ろし、全巻を通じて日本歴史の「通史」を構成するというものであり、なかでも中央公論社版のシリーズはベストセラーになり、人びとが「日本歴史」の参照系を確立するうえで大きな影響力を有した。一巻ごとは、原稿用紙で八〇〇枚を超える分量で、平易な文章で綴られる。グラビア・ページをもち、多くの写真、図や表が掲げられる。また巻末に年表が付されるなど、理解を助けるためのさまざまな工夫がこらされている。加えて、各巻は、まとまった時期が対象となり、政治から経済、社会や文化が総合的に描き出されるため、当該時期の歴史像が提供されるとともに、その時代に関しての「通史」となっており、この型は「通史」の集成による「通史」の提示ということになる。

執筆者には、アカデミズムのなかで研究を推進する第一線の歴史家が当たり、その蓄積をわかりやすく、読みやすく提供した。立場としては実証主義の歴史家が多いが、マルクス主義の立場に立つ歴史家も加わり、出版主導の場所と型においても、「通史」の枠組みは「戦後歴史学」の成果が尊重されている。

この出版主導型の「通史」の始まりは、一九五九年から六〇年にかけて出された読売新聞社の『日本の歴史』(全一三巻)であり、それにつづいた、中央公論社版『日本の歴史』(全二六巻+別巻五、一九六五—六七年)が、型を完成させた。

「通史」が、出版資本により読み物としての体裁をもち、一九六〇年前後という高度経済成長のさなかで刊行されたことは、この時期に「日本」の自信が回復し、そのもとでアイデンティティを探る行為が始まっていたことと相関している。敗戦により大きな損傷を受けた「日本」や「国民」意識が、高度経済成長期にあらためて再編成—再整理され確認されるなか、「通史」がその役割の一端を受けもつのである。大部の巻数は、おりからの経済的な成長の気運に見合い歓迎され、借金をして購入した小家屋(=マイホーム)の片隅を歴史書が飾ったのである。

このとき、(歴史学研究における、現代史研究の未開拓ともあいまち)、出版主導の場所と型では、「通史」は前近代に比重がかけられ、近代では「明治期」に巻数が多く当てられている。中央公論社版は、原始・古代五巻、中世六巻、近世八巻、そして近代・現代は七巻となっており、近世の比重が高い。近代・現代は「明治期」に厚く(三巻)、「大正期」は一巻、「昭和期」は三巻(戦争に二巻、戦後に一巻)を割り当てている。なお「大正期」以降、すなわち二〇世紀の歴史は、政治学者、経済学者が執筆しており、歴史家の執筆にはなっていない。現代は、研究としてはまだ手薄で、戦争体験も共通体験として歴史化する途上にあり、「通史」として分厚く展開するにはいたっていない。

出版主導の「通史」は、その開始において、近代・現代よりは、前近代の歴史像を重視し提示することによって、「国民」としてもつべき「日本歴史」に関する教養目録を提示し、人びとはその読書を通じて「日本歴史」を通観し、これまで「断片」として知っていた出来事やエピソードを、あらためて歴史上の出来事として確認し、整理し文脈化し、歴史像として総合していく。前近代と「明治」の歴史像の消費的提供のなかで、「通史」の作法が威力を発揮しているシリーズと言え、歴史的な出来事が因果関係として叙述されるとともに、一つひとつが意味づけされ、いわゆる「歴史の流れ」を人びとが追認するにいたった。

こうした出版社主導の「通史」は、この後も、おりにふれ刊行されていく——文英堂版『国民の歴史』(全二四巻、一九六七—七〇年)、小学館版『日本の歴史』(全三二巻+別巻一、一九七三—七六年。「社会集団」の巻が設けられる)、小学館版『大系 日本の歴史』(全一五巻、一九八七—八九年)、集英社版(全二一巻+別巻一、一九九一—九三年)、講談社版(全二六巻、二〇〇〇—〇二年。「〇〇史の論点」の巻が設けられる。〇〇は、古代、中世、近世)などである。

史学史的に重要なものは、小学館版『日本の歴史』であろう。その時の最新の学説を取り入れようとした「通史」であることに加え、「通史」として扱いにくい構造的な把握を、「社会集団」の巻として設定した。「通史」としての歴史過程に、構造的な把握を加味したということであり、「古代豪族」「中世武士団」や、「労働者と農民」などが、「通史」に書き加えられることとなった。また、この小学館版のシリーズでは、近代・現代史の部分の充実も図られ、三二巻のうち一〇巻が近代・現代に割り当てられるほか、この部分の執筆は歴史家が携わっている。

小学館版『日本の歴史』での近代・現代史の「通史」の巻割り(＝構成)が、正統的な「戦後歴史学」の「区分」と重なっていることにも注意を払っておきたい。中央公論社版が「明治期」に偏っていたのに対し、小学館版では、(かつての『日本歴史読本』をはじめとする)近代・現代史の「通史」構想——「開国・維新」/「自由民権」/「大日本帝国憲法」/「日清・日露戦争」/「大正デモクラシー」/「アジア・太平洋戦争」/「戦後民主主義」/「経済大国とそれ以後」が踏襲され振り分けられている。「戦後歴史学」の成果が、近現代の部分も含めて出版社主導の「通史」のなかで定着し、拡大され肉づけされて流布することとなった。*

＊　なお、出版社主導の「通史」としては、手記や体験記を用いた『日本の百年』(全一〇冊、鶴見俊輔・松本三之介・橋川文三・今井清一、一九六一―六四年)は倒序的な叙述として現在から書き起こされている。また、そのほかの形体(＝器)として、「近代・現代」に焦点をあわせた、中央公論新社版『日本の近代』(全一六巻、一九九八―二〇〇一年。通史編と各論編)や、中学生・高校生を対象とした、ジュニア版(読売新聞社版、小学館版、岩波ジュニア

新書版など)や、あるいは、マンガによる「通史」(たとえば、石ノ森章太郎『マンガ 日本の歴史』全四八巻・現代篇七巻、中央公論社、一九八九―九四年、から「学習マンガ」の類いまで)など多くの類型がある。また、図説による「通史」の類も多い。これらをめぐる論点も少なからずあるが、ここでは省略したい。

さて、第三には、アカデミズムの歴史学会(在野の代表的な学会である歴史学研究会、日本史研究会を含む)が、最新の成果を集大成し、個別論文の集積という形態で編む講座型の「通史」がある。アカデミズムの歴史家たちが研鑽し明らかにした学術的な個別の成果を、「原始・古代」から「近代・現代」まで時代順に整理して並べてみせる、講座という形式による「通史」である。

「通史」の枠組みは、「原始・古代」―「中世」―「近世」―「近代・現代」と従来のままとし、各時代(=社会構成体)の個別の学術的な成果を、歴史学界としての共通の「成果」とし、「成果」の共有を図る講座(=「通史」)である。その時々の学術的な「成果」にもとづく研究論文の集成として構成される「通史」と言えるが、すでに一九五〇年代初頭に、河出書房から『日本歴史講座』(全八巻、一九五一―五三年)として刊行されている。

数多い講座のなかでも『岩波講座 日本歴史』(第二次=全二三巻+別巻三、一九六二―六四年。第三次=全二六巻+別巻三、一九七五―七七年。第四次は、『岩波講座 日本通史』全二五巻+別巻四、一九九三―九六年。いずれも、岩波書店)と、歴史学研究会・日本史研究会『日本歴史講座』(第二次は、『講座日本史』全一〇巻、一九七〇―七一年。第三次は、『講座日本歴史』全一三巻、一九八四―八五年。第四次は、『日本史講座』全一〇巻、二〇〇四―〇五年。いずれも、東京大学出版会)という二者が代表的なものであろう。

講座型の「通史」において読者として想定されているのは、歴史研究者と歴史教育者であり、執筆者はその大半が専門の歴史研究者である。歴史家は、学術的な論文を書くときには研究史(および史学史)を意識して書くために、個別の学術論文は「通史」の枠組みを壊すことがほとんどない。そのために、戦後に何次にもわたって刊行された講座の「通史」としての枠組み(＝時期区分)に、破綻(あるいは、疑問)は見られず、戦後の早い時期に想定された時期区分が、そのまま踏襲されている。戦後の過程のなかで「通史」の枠組みを変えにくかった部分は、アカデミズムの「通史」としての講座の型と場所に胚胎しているとも言え、「通史」の構想と時期区分は、ここでは固定された強固な枠組みとなっている。

「通史」の時期区分をはみ出す出来事は、基本的には講座からは排除される。F・ブローデルの提起した、「短い波動」にもとづく研究が講座にはふさわしく、中期や長期の波動にもとづく研究は、講座には居場所がないのが現状である。むろん、「近世」から「近代」への「移行期」が設けられたり、(講座に付せられた)別巻で「論争」として扱うなどの工夫が見られるものの、「通史」への疑義が明示された講座は、いまだない。

教科書や出版主導の「通史」を補強する役割を、講座は果たしている。

これに加えて、第四の自治体史型も、現在では「通史」の枠組みを堅持している。自治体史は、県、市、区町村とそれぞれのレヴェルで編纂されるが、自治体内に存在する多数の史料を収集することに多くの力を傾け、その史料を「史料編」として刊行することが眼目となる。と同時に、収集した史料により「通史」を執筆し刊行すること(通史編)も通例となっている。

刊行される自治体史は、実際のところ、精粗はさまざまで、自治体の規模や予算、委嘱された編纂委員の構成によって差異が大きいが、一〇〇〇ページを超えるような大冊が何巻も刊行される例も少なくない。かつては郷土史に携わるその地域の歴史愛好者が自治体史を編むことも見られたが、戦後には専門的な歴史家が(自治体より)委嘱され、編纂するようになる。このことは、自治体史にも戦後歴史学の「通史」の枠組みがもち込まれることを意味し、このことによって、自治体史が「科学的」になったという評価を受けることにもなった。自治体は濃密な人間関係をもち、そこでの出来事はいまだに人びとの利害対立にかかわっていることが多く、現職の議員たちが歴史的事項の解釈に介入する例もあった。「通史」の構想は、恣意的な自治体の歴史を駆逐する効用をもち、安易な郷土主義を排斥し、通用させない効用をもつ。

だが、「科学性」によって抱え込まれる難点も生ずる。「通史」という本章の主題にかかわって言えば、自治体史の時期区分が、各自治体の独自の時期区分ではなく、自治体史も「原始・古代」から「近代・現代」の「通史」の区分となり、自治体が全国画一のものさし(参照系)で割り切られ、地域ごとの個性が消失してしまう。自治体史では、従来は近代・現代史の部分は書き流される傾向が強かったが、一九七〇年頃から充実が図られるようになり、このとき、「通史」の参照系がもち込まれた。このことの意味は、ていねいに考える必要があろう。

自治体史の刊行の目的は、住民に自治意識と地域への愛着を促すためであろうが、自治体史は、大部のものが多く、「通史」の構想にもとづいているせいもあり、なかなか自治体の人びとには読まれずに、もっぱら研究者が利用することの方が多い。自治体の公的な記録(＝正史)としての役割が実際のところとなっており、自治体史の場所においても「通史」が、強固に位置づいている。*

＊　このほかに、オックスフォード版(A. Gordon, *A Modern History of Japan*, 2003)やケンブリッジ版(*The Cambridge History of Japan*, 6 vol. 1988–93)など、日本語以外の言語で書かれた日本の「通史」が見られる。英語で書かれたこれらの「通史」も、各国・各地域の正史として重みを有している。

このように現代日本では、四つの型の「通史」が見出されるが、読み手の数は、「教科書」＞「出版資本」＞「講座」＞「自治体史」の順に少なくなる。「通史」としての強度は、歴史学に近いほど強く、「講座」>「自治体史」>「教科書」、そして「出版資本」という順になろう。「通史」の枠組みは、戦後歴史学の成果として、大枠は共通していることも、あらためて確認しておきたい。

2 「通史」の構造

以上見てきた「通史」を、論点的に整理してみよう。「通史」を構成するのは、時間と空間(これまでは、「時期区分」として検討してきた)[*]と、「通史」の主体および「通史」の語り手である。この三者の観点から、「通史」を論じなおしてみよう。

＊ あらためて述べるまでもないが、歴史とは時間を扱う行為である。しかし、その時間は場所と不可分であり、時間の区分は自動的に空間の分割となっている。

時期区分と空間の範囲

「通史」の基本は、ばらばらに、個別に、多層的に、重層的に存在している時間と空間に対し、(a)まずはそれらを均一化・画一化し、連続する時間と空間をつくり出し、(b)次にその時間と空間を区分してみせることである。国民国家が、さまざまな場所と装置によって、「近代」の時間と空間の意識をつくり出してきたことは、すでに多くの指摘がなされている。均一的な時間と空間の創出であり、〈いま〉に向かって一方向に流れる時間の設定である。歴史学もこうした時間意識を創出する装置のひとつであったが、「通史」はその均一の時間と空間を前提とし、そのうえで地域(=空間の区分)と時間の区分を図るのである。

「通史」が創出する連続する時間は、「始点」(「日本のはじまり」と題されることが多い)と「終点」(「日本の新生」「世界のなかの日本」などの表現が好まれている)を設けることに始まる。「始点」――人類の生存が日本列島で確認された時点から、「終点」――「通史」を読む読者の〈いま〉にいたるまでの連続した時間である。そして、そのうえで連続する時間(=空間)として提供されたものを区分(分節)するが、戦後において説得力をもち支配的であった時間(=空間)の区分は、「戦後歴史学」が設定した枠組みであり、さらには「近代歴史学」が準拠した枠組みであった。「原始・古代」/「中世」/「近世」/「近代・現代」という区分であり、これを日本歴史に該当させれば、「律令制」―「荘園制」―(「戦国時代の領国制」)―「幕藩制」―「近代中央集権制」ということになる。

また「近代」の時期の区分は、「始点」は「国民国家の形成」(=「近代」の形成)に置かれ、「終点」である〈いま〉は、「展望」として、「国際化」や「現代化」の言葉が使われ性格づけられる。すなわち、未来への困難――不安と不確定を感じさせるような言葉で「終点」(〈いま〉)が歴史的に位置づけられる。

「近代」の「通史」の骨組みは、大筋をたどってみれば、「封建制の動揺と倒壊」―「近代＝国民国家の形成とそれへの対抗的な運動の開始」―「国民国家の完成(憲法・議会の制定・設置)」―「対外戦争と植民地獲得(帝国主義化)」―「改良的な社会運動の展開(帝国主義下の社会改良)」―「侵略的な戦争と破局」―「再出発・復興と成長(国民国家の再形成)」―「経済的な成長(平和的大国化?)」というものである。国民国家の形成―展開と帝国主義への転化、そして戦争(敗戦)による破綻とそこからの復興・繁栄という歴史の「流れ」が日本近代の「通史」の構成となり、「近代」の物語が、「通史」としてこのように設定される。

以上の「通史」の構成は、ヨーロッパ近代を「コード」としているが、認識のレヴェルでの特徴をいくつかあげてみよう。

(a)「日本」の近代は、内的な発展の過程で誕生するのではなく、ペリー来航(一八五三年)という「世界史的規定」によるために、江戸幕府の倒壊は、「市民革命」の不在のなかで実現したという歴史認識が、「通史」の全体を規定している。(b)すなわち、(「下から」の変革が不在のままに成立した)明治政府は近代的な性格をもつ傍ら、「半封建的」な性格をもつ絶対主義政権であり、この政権に対して自由民権運動という市民革命の性格をもつ運動が対抗すると把握する。

(c)また、資本主義の発展が未熟であるから、帝国主義化も「世界史的規定」にもとづき、日本帝国の侵略はきわめて暴力的であったとする。日本近代は、近代性が未熟で、(手本としている)ヨーロッパ近代から見れば歪んでいるという発想が根底にあり、日本近代の「特殊性」の象徴が天皇制であるという歴史家が、従来の「通史」の構想である。すなわち、(d)天皇制を(一般の王権とは異なる)特殊性を有するものとし、その特殊性を強調する歴史像が、日本近代の「通史」を貫いていた。

このとき、「通史」が展開される空間的な範囲は、〈いま〉の日本を基本的な空間(＝範囲)としている。日本列島を主とし、沖縄と北海道をそこに配置した範囲である。前近代の場合は、政権が機能している範囲は、はじめ畿内界隈であり、その範囲が次第に拡大してくるのであるが、「通史」では政権の支配が及んでいない地域や、空白の地域も対象の空間として設定する。政権の外部や空白の地域も、日本列島の内部である限りは、「通史」の範囲とするのである。逆の言い方をすれば、日本列島には空白の地域や複数の文化圏があることは、「通史」においては考慮されない。均一的な空間として把握され、内部の空間の分裂や亀裂が存在すること、重層的な空間が存在することを指摘せずに、いくつもの外部の文化圏が、中心的空間(＝政権)に包摂される過程として「通史」は描かれる。

近代・現代史においては、旧植民地を含む範囲を扱い、旧植民地を大日本帝国の侵略先として書き込む。もっとも、旧植民地といっても朝鮮半島と台湾が主であり、南洋諸島や樺太には充分に記述が及んでいない。また、中国東北部の「満州」にも、「通史」は言及し、記述の対象範囲とする。このことは、大日本帝国の侵略が負の遺産として扱われ、言ってみれば「陰画としての「帝国史」」が意識されている。イギリス帝国史のようにかつてあった「わが国」ではなく、蹉跌として植民地支配をおこなった地域という扱い方であるが、日本列島と旧植民地の関係は、中心／周縁として把握している。本国と植民地の有機的な関連、植民地(支配)によって本国が規定されるという関係性にもとづいた「通史」の記述は、まだなされていない。

主体(主語)と語りの位置

「通史」の叙述がなされるとき、歴史の主体として抽出され主語とされるのは、「日本」(「わが国」)と「日本人」(「われわれ」)である。「始点」から「現在」にいたるまで、「日本」と「日本人」をあらかじめの存在としたうえで、その変遷が描かれる。これまでは、しばしば「日本」は「わが国」に、「日本人」は「われわれ」「国民」に等置されていたが、さすがに近年ではそうした単純な置き換えは見られなくなりつつある。だが、それでも「日本」と「日本人」の一貫した連続性の虚構が「通史」の基礎をなしている。

「日本」と意識される範囲、「日本人」としての意識をもつ人びとは、時期と階層によってその都度、その瞬間に異なり、これと対応して「日本」「日本人」の範囲も絶えず変化する。歴史の一貫する主体として「日本」と「日本人」を設定することには、作為がある。だが、「日本」「日本人」のくくり上げ方の不合理性は、「通史」では消去され、歴史の主体として「日本」と「日本人」を呼び出すことが「通史」の機能となっている。

このことと相応し、「通史」を叙述する語りの位置は、第三者的な審級をもち、対象とする空間と時間を、語り手としての歴史家が束ねていく。多層的な時間、多重性をもつ空間は、歴史家の語りによって統合され画一化されるのである。このことを保証するために、(1)「通史」を語る語り手は、決して明示されず、叙述のなかに姿を消している。すなわち、空間・時間を束ね統合する歴史の語り手である歴史家の位置は、透明化されている。このことは、(2)歴史を「客観的」に語ることが可能であり、そのことをもって「科学的」とするという認識と通底している。「戦後歴史学」(＝近代歴史学)は、(1)(2)の立場を確信的に選択し、「通史」は総合史と把握し、政治、社会、経済、文化を総合し、歴史家がそれらの領域を束ねることに積極的な意味を見出している。

したがって円熟した歴史家が執筆する歴史叙述として「通史」が認定され、(戦後歴史学のなかには)歴史家の携わる最高度の叙述形態としての「通史」へのあこがれと期待があった。いずれの点も、歴史叙述のひとつの特徴的な形態であるが、「通史」はこの点を決して譲ろうとはしていない。

3 問題としての「通史」

かかる「通史」は、戦後の過程のなかで、修正され、書き換えられ、そして問題化されてきた。一九七〇年前後と、一九九〇年前後がその大きな指標となる。

一九七〇年前後の「通史」への異議申し立ては、三つの立場からなされた。まず第一は、「通史」が政治史主導で、人びとの生活や日常が反映されていないという観点からの「通史」への違和感の表明である。この点からの書き換えを実践した歴史叙述(=対抗的な「通史」)として、西岡虎之助・鹿野政直『日本近代史——黒船から敗戦まで』(筑摩書房、一九七一年)が早かった。『日本近代史』を実際に執筆したのは鹿野であるが、鹿野は、枠組みは「通史」の正統的な区分に準拠し、その叙述の素材に人びとの「自伝」「体験記」を用いるという手法をとり、当時の人びとの言葉(=記述)を用いて歴史を叙述する。日本近代の「通史」の構想に準拠するとともに、人びとの生の声を聞くというものである。*

＊ この延長上に位置するのが、『近代社会を生きる』『戦後経験を生きる』(ともに、大門正克・安田常雄・天野正子編、吉川弘文館、二〇〇三年)である。人びとの体験に着目することの「通史」は、ある人の体験を採用し、他の人の経験は記述しないという、人びとの体験の

束ね方をうまく説明できていない。「通史」を前提として、そのなかに「民衆」の経験をはめ込むという形式であり、人びとの体験は「通史」の流れに沿ったものとなり、一人ひとりの体験は羅列主義とエピソード主義の枠内にとどまることになってしまう。

鹿野の試みは、(a)「通史」を記述するときに、政治史として総合することへの批判が遂行的に展開され、政治史に回収されない人びとの体験に着目し、ここからの「通史」が叙述される。だが、このことは、(b)人びとの体験を歴史家が束ね上げるという手法となっている。人びとにとってのかけがえのない体験が、歴史家の立場から制御され整理されて叙述されることとなる。鹿野は、歴史家として一人ひとりの体験を追体験しながら、それを「通史」のなかに注ぎ込む。

第二の立場は、『日本民衆の歴史』(全一一巻、三省堂、一九七四―七六年)である。『日本民衆の歴史』は、「民衆」の立場からの歴史叙述を目指したものだが、実際上、社会運動の「通史」となっている。政局史に傾きがちな政治史に対しての対抗的な「通史」を試みるが、結果として人びとの生活の一部分としての社会運動の峰から峰を追い、その頂点をつなぐ叙述となっている。細かな時期区分こそ、政局史(としての政治史)から解き放たれるが、大枠は変更されていない。

これに対し、第三の立場は大きく異なる。一九九〇年前後の「通史」への対抗は、「通史」の内容を書き換える試みではなく、形式＝制度としての「通史」への疑念を表明し、「通史」という歴史叙述の概念自体を問題化した。一九九〇年前後の「通史」批判の認識と試みは、二方向の問題意識をもっている。まずは、(a)歴史における主語を、「国民」(あるいは、「日本人」)に設定することへの批判的立場からの「通史」批判である。「国民」「日本人」という虚構(=共同の幻想)ではなく、自らのアイデンティティ(=当事者性)による、「通史」への対抗の試みといってよい。「当事者性」によって、「国民」「日本人」という画一性・均一化に風穴を開けようとし、「私」から出発し、この地点から書き上げられた叙述には、「もうひとつの」という形容詞がしばしば付される。個人史の形を取ることが多いが、固有名詞をもつ、個別性からの「通史」へ対抗する「通史」の叙述である。

いまひとつは、(b)「通史」が〈いま〉の弁証のための叙述となっていることへの批判にもとづく叙述である。「近代」の創出した制度としての「通史」―国民国家の主体と範囲を、時間的・空間的に創出する器として「通史」が機能することへの批判で、均一的・単線的な時間と画一的な空間を創出し、ナショナル・ヒストリーを記述する「通史」への批判がなされる。

均一的な叙述への対抗と、〈いま〉を弁証する叙述への批判は、たとえば、韓洪九『韓洪九の韓国現代史』(高崎宗司監訳、平凡社、二〇〇三年)〔補註2〕において、実践のひとつの例を見出しうる。韓洪九の試みについては、書評という形式で論じたことがあるが(「韓洪九

『韓洪九の韓国現代史』、あるいは「同時代史」の叙述について」『UP』三三一一一、二〇〇四年一一月)、過去から〈いま〉に向かう時間の流れではなく、逆に、〈いま〉からの問題が非連続に過去を形づくり、それをゆるやかに束ねる歴史像の叙述が、韓洪九によってなされている。

一九九〇年前後の「通史」批判は、空間と時間の再定義——関係性のつくり方への提言と考えることができる。「北方史」や「環日本海史」、あるいは「ヤポネシア史」などの提起は、時間と空間の再編成の試みであり、テッサ・モーリス-スズキ『辺境から眺める——アイヌが経験する近代』(みすず書房、二〇〇〇年)は、多層的な空間と多重的な時間を指摘し、境界をつくり出すものの恣意性を論じ、境界の無化を試みた。いずれもこれまでの制度としての「通史」に対抗している。そして、非日本語圏からの実践に触発されるように、日本の場所においても「通史」への疑念が高まり、戦後日本の史学史の切れ目も、顕現してきた。

こうした試みはもとより、「通史」への検証と検討も、始まったばかりである。だが、この方向を推し進めたとき、「通史」はいかなるものとなるか。そのことが、歴史家に問いかけられている。

付記　「通史」をめぐる論点は、これに尽きるものではない。歴史学研究の観点から見れば、歴史叙述はまずは「概観」として大筋が設定され、次に個別研究の段階が始まる。そのうえで「概観」がさまざまな論点を含有し、陰影をもち「通史」叙述の準備がなされていくこととなる。「概観」から「通史」へのこの流れのなかでは、論理と認識の一貫性が何よりも重視される。こうした観点からの「通史」の考察は、「生態としての通史」としてあらためて検討することにしたい。

〔補註1〕 現在ではヨーロッパ史でも「近世」の概念が一般的となっている。しかしこのときには、(日本近世とは異なり)「初期近代」として使用されている。

〔補註2〕 二〇〇五年に平凡社より『韓洪九の韓国現代史2』が翻訳・刊行された。

第16章　「歴史」を教科書に描くということ

1　いま「歴史修正主義」とは

二一世紀の初頭、歴史教科書をめぐる問題が焦点となっている。「新しい歴史教科書をつくる会」(以下、つくる会と略称)が旗揚げしたのは、一九九六年暮れのこと。このときから活動を始めた同会が、二〇〇二年度からの使用を見越して主導・編集した中学校の「歴史」の教科書が、数々の批判を受け、検定でも多くの検定意見がつきながらも「合格」した。このことが、多くの問題を投げかけている。

渦中のつくる会の会長の西尾幹二(当時)は、「歴史を学ぶとは、いまの規準からみて、過去の不正や不公平を裁いたり、告発したりすることと同じではない。過去のそれぞれの時代には、それぞれの時代に特有の善悪があり、特有の幸福があった」(『朝日新聞』二〇〇一年四月四日)と述べている。この考え方は、この会の面々がことあるごとに繰り返しており、また教科書編集の方針としているものでもある。これは、歴史教科書をめぐる問題が、教科書の問題であるとともに、歴史の叙述をめぐる問題であり、さらには歴史認識にかかわるものであることを示している。

一九九〇年代は、歴史——とくに戦争の歴史をめぐる議論が焦点となる時期であった。アジア・太平洋戦争下で、日本軍によって「慰安婦」とされた金学順の発言＝証言と告発をきっかけに歴史の再審がおこなわれたが、これは同時に、こうした体験を忘却してきた歴史認識と歴史叙述とは一体何であったのか、という問いかけでもあった。したがって、と言ってよいであろう、ここから歴史の認識と叙述をめぐっての抗争と論争が見られることとなった。一方で従来の歴史認識への批判的問いかけがなされるかたわら、他方では「慰安婦」の記述を中学校の歴史教科書に掲載することへの非難が出されてきたなどのことは、記憶に新しい。

こうした歴史の認識と叙述をめぐる対抗は、いくらか大きな視点から見れば、グローバリゼーションと呼ばれる事態の進行のもとでの出来事であり、冷戦構造の崩壊に伴う事柄であると言えよう。すなわち、これまで歴史を叙述するときに自明のことであった概念が、一つひとつ問われるということに起因する出来事である。言葉を換えて言えば、これまで、「日本歴史」を描くときに前提としていた「日本」や「日本人」、あるいは、「日本歴史」の概念自体が歴史的に形成されたのであって、あらかじめの前提にできないということが明らかとなっていったときに現れた事態にほかならない。これは、安易に「われわれ」を打ち立てない――打ち立てられない、ということでもある。これまでの「われわれ」の歴史として描かれてきたもの、すなわちナショナル・ヒストリーの概念とその叙述が問いかけられる事態にたちいたっていると言いうる。

この事態を現時の危機意識と不安感でとらえ、声高に「日本」再発見の歴史の復権をいう潮流のひとつが、つくる会の動きである。政治学者でつくる会の理事(当時)である坂本多加雄は、その著作『歴史教育を考える――日本人は歴史を取り戻せるか』(PHP研究所、一九九八年)で、「輪郭を失い人類や市民に拡散してしまった日本人のリアリティの再生の糸口」を見出そうとしている。これは、グローバリゼーションのもとで、すさまじい勢いで社会が変容しこれまでのアイデンティティが揺らいでいくなかで、不安感を癒すために「日本」や「日本人」に根拠を求めていこうという姿勢である。坂本の姿勢や、つくる会にかかわる歴史教科書は、一見すれば、単純な復古的な形で、「日本」「日本人」を主張しているように見えかねないが、そうではなく、一九八〇年代のポストモダンの議論を経て、グローバリゼーションに対応するものとして、「日本歴史」が持ち出されているのである。

こうしたなかでのひとこまとして、歴史教科書をめぐっての議論がたち現れてきている。そのため、生起している事態は決して単純なものではない。何よりも、一九九〇年代を通じて、歴史の対抗の軸はいっきょに複雑になり、教科書をめぐっての事態はそのなかでの動きであることが見失われてはならないだろう。この要因のひとつには、歴史学そのものが、人びとに敬遠されがちとなっていることがある。司馬遼太郎に代表される歴史小説への関心の高まりは、歴史に関心を持ちつつも、歴史学への不信と不満を持つ人びとの多いことを示唆していよう。人びとが歴史に求めるものが、「私」のアイデンティティであり「私たち」(われわれ)の由来であるということである。そして歴史を語るときに、「学」として客観的に、分析的に語られることを拒む姿勢でもある。

歴史学の外側とともに、いまひとつ、歴史学の内部も変化を見せてきている。一九九〇年代に入って、敗戦後の歴史学界をリードしてきた「戦後歴史学」が揺らぎを見せたことで、これまでの進歩/保守・復古の図式では説明のできない歴史学の配置と対抗関係——すなわち歴史認識と歴史叙述の対抗が生じてきた。ここではこの局面に注目してみよう。

始まりは、一九八〇年代に「社会史」と呼ばれる潮流が登場し、社会経済史を柱とし、法則性を重視していた「戦後歴史学」を相対化していったこと。社会史派は、身体や心性の領域に入り込み歴史の対象を一挙に広げ、隣接の領域と交流し、「社会全体」を明らかにしようと「全体史」の提唱をおこなった。しかも社会史派は、歴史の「大きな物語」の終焉を言い、身体や心性など日常性と生活の深みから歴史を考察することを試みた。このとき、社会史派は、戦後歴史学派が「歴史の本質主義」の立場をとるのに対し、

「歴史の構成主義」の立場をとっている。すなわち、歴史とは過去における出来事の復元ではなく、解釈されることによって存立するという「歴史の構成主義」―解釈の立場をとる。

この「社会史」が、「戦後歴史学」を揺さぶる一方の極とするとき、いまひとつ、ナショナリズムをことさらに強調してみせる一派が台頭してきた。つくる会を含む「歴史修正主義」の立場を声高に主張するグループである。「歴史修正主義」派は、「社会史」とは異なって「大きな物語」の復権を唱える。だが、以下に論ずるように、今回の歴史教科書を執筆した人びとの基調をなす歴史的立場は、(社会史と同様に)「歴史の構成主義」である。こうして一九九〇年代における歴史学をめぐっては、戦後歴史学派／社会史派／修正主義派の三派の鼎立の状況がある。

戦後歴史学派や社会史派は、歴史を叙述することが過去／現在の批判である、という立場を示すのに対し、修正主義派の当面の主流をなす、今回の歴史教科書にかかわった人びとは、現在／過去をずるずると肯定してはばからない歴史認識にもとづいている。戦後歴史学派は、歴史の主体を「人民」とするのに対し、社会史派はいったん段階概念をカッコにいれ、修正主義派は「日本人」＝「国民」を歴史の主体とする。このように、三派はイデオロギー、歴史認識、叙述の作法といった側面において、それぞれ互いに対抗し対立しているが、社会史派と修正主義派がともに「歴史の構成主義」の立場をとるなど、そう単純ではないねじれた関係をも有している。

修正主義派について付け加えておくと、旧来の復古的な歴史観にもとづくように見えるが、先に見たようにグローバリズムのなかの危機意識のもとで唱えられ、社会史派の台頭を見るなかでの主張である。しかも、このグローバリズムのもとでナショナルなものの強調を歴史修正主義として記述―展開していくという行為は、ひとりつくる会の動きだけではなく、世界中に共通して見られる動向である。この様相は、歴史学研究会編『歴史における「修正主義」』(青木書店、二〇〇〇年)に詳しいが、単純な修正主義ではない。さらに、このグループが一枚岩でないことが、よりいっそうの複雑さを増している。

たとえば、今回の歴史教科書と、パイロット版と位置づけられている西尾幹二『国民の歴史』(扶桑社、一九九九年)とは、歴史の叙述の作法は大きく異なっている。『国民の歴史』は、「テーマ別論集」であり(「ある程度まで通史仕立てになっている」と抗弁しているが)、「私は素人だからすべてわからないという立場で書いている」と言い、「私」の次元を強調する(西尾の「個人の歴史」まで挿入している)。「通史」で書き手の存在を消去し、歴史像を提供する教科書の叙述のスタイルとは違いを見せる。

とともに、先にひとくくりに述べたつくる会に集まった面々は、実のところ「歴史の構成主義」の立場に立つ論者だけではない。いや、歴史においては多数派である、「歴史の本質主義」――実証主義の論者も加わっている。原理主義派や、さらには、古典的な修正主義派もいる。しかも、歴史学研究の成果を取り込むことにも貪欲な姿勢を見せる。西尾は、「いま第一線で活躍しだした五〇歳前後の学者」の論文・著作を引用し、彼らの仕事に注目している。

歴史修正主義は、必ずや、歴史学研究の成果をずらし、自己の文脈に取り込む形で登場する。決して一枚岩ではないところに、つくる会の特徴があり、ここから歴史教科書が作成されている。

もとより、「戦後歴史学」も社会経済史をベースとしつつ、地域史や民衆史――すなわち、歴史の主体である民衆の思想と行動や生活を論じ、国家の次元では明らかにしえない民衆の動きを地域において考察する研究を積み重ねてきている。また、歴史の主体をどこに求めるかをめぐって、「にとって」と「される側」という論点も提起されてきている(鹿野政直)。歴史の出来事がそれぞれの人――差別を受けている人、障害を持っている人、周縁に位置している人「にとって」どのような意味をもたらしたか。また、「する側」ではなく「される側」から出来事の意味を見なおしてみること。このことを方法とした歴史認識と歴史叙述をおこなうことが言われてきた。これは、歴史叙述の際に主語をどこに設定し、どのような認識にもとづいて歴史的出来事を取捨選択するかということにほかならない。戦後歴史学のなかで民衆史を考察してきた鹿野政直が、今回の歴史教科書に対し「民衆の歴史の黙殺だ」との批判を加えるのは(『朝日新聞』二〇〇一年四月四日)、かかる歴史学研究の意識によっている。こうして、歴史学の対抗や模索と重なり合うようにして、歴史教科書の問題が登場している。複雑な対抗関係があるとともに、歴史叙述の原理的な問題が問われてもいるのである。

2 物語としての歴史

『国民の歴史』と今回の「歴史教科書」が共有している論点もある。この点については、今野日出晴「『国民の歴史』から中学校歴史教科書へ」(「教科書に真実と自由を」連絡会編『徹底批判『国民の歴史』』大月書店、二〇〇〇年)が、両者の距離が「意外に近い」ことを言い、その「共鳴板」として、現在が「肥大化」し、過去や未来が見えにくくなっている状況を的確に指摘している。両者に共通する「語り口」=方法的姿勢として、ここで注目したいのは、「物語」というキーワードである。歴史が「物語」であると主張することとは、語りの主体に注目することである。歴史、とくに「通史」においては、語り手の存在が消去されるが、それを復権するのがこの試みである。先にふれたように、歴史学そのものへの不信感が強まってきている理由のひとつには、語る主体が透明化され、歴史を語る「私」の次元が落とされていたことがあるが、このことへの作法上の反省が「歴史の物語」論となる。換言すれば、「だれ」が、「だれに向かって」歴史を語るのかを明示しようという議論である。

しかし、この論点を、修正主義派の物語論は横領したうえでずらし、議論をあいまいにしてしまっている。修正主義派の物語論を積極的に展開している、坂本多加雄の議論を見てみよう。坂本は、その著作である『日本の近代2　明治国家の建設』(中央公論社、一九九九年)の冒頭に「プロローグ　物語の競合と統合」を置き、物語論として歴史叙述の方法的姿勢を開陳する。同書は、廃藩置県から大日本帝国憲法・帝国議会の時期である一八七一年から一八九〇年までの近代日本の時期を描く「通史」として提供されている。叙述は、「明治国家の建設」期における国学派の議論を軸とし、「天皇親政」が強調され「天皇の権威が神話的次元にまでさかのぼって基礎づけられる」ことを描き出す。「明治国家」の原理的基礎が天皇に求められたという点を強調し、日本の国家建設の復古的性格と事項を軸とする記述である。この通史の記述の方法として、坂本は、次のように述べている。

日本近代史の当事者たちが、自らが置かれた状況や行動を、実際にどのような物語で理解していたかということから出発して、そこから、ひとつの統一的な歴史像が描けないかと考えている。いわば、日本近代史の「筋」を組み立てていく手がかりを、当事者たち自身の念頭にあった物語のなかに探ってみようと考えるのである。

『明治国家の建設』を近代日本の歴史叙述の方法的観点から見たとき、いくつかの論点を指摘することができる。まず、坂本は、これまでの「日本近代史解釈」としてマルクス主義にもとづく研究をとりあげ批判を加えるが、これを「講座派の立場からの歴史の物語」と言い、その「筋」を批判する。この言い方によって、マルクス派の歴史観を相対化するとともに、自らの歴史叙述の「筋」をも物語として見せる。マルクス主義の「物語」に対抗して、坂本という歴史の語り手が選びとった「物語」。こうして、『明治国家の建設』は、坂本が語る「物語」＝書き手としての「私」の次元が強調されての「物語」として提供される。ここで坂本が選択した物語は、「競合と統合」の物語であり、意識的に排除した物語は、（マルクス派による）「革命と断絶」の物語である（このとき、坂本は明示していないが、彼の排除した物語は他にもあることは言うまでもない）。

次に、坂本は、「当事者の物語」を持ち出している。状況のなかでの物語を描くにあたって、「当事者」の物語を特権化し、「当事者」の物語を描き出そうという。だが、ここで「当事者」とはいったい誰を指すのか、また、当事者の現場とはどこを言うのか。そうした問いかけは、まったくないままに、坂本は「当事者」という言葉を用いる。当事者同士の物語はしばしば互いに矛盾する局面を有するが、「ある種の共通する核心」を見出そうとするのである。

こうした坂本の論は、物語論として問題をはらんでいる。坂本は、先に記したように、『明治国家の建設』を叙述する際の「筋」は、「競合と統合」であるという。しかし、これは物語論から言えば「筋」ではなく、単なる視点にすぎない。しかも、坂本は、「歴史の「物語」そのものは、たんに、そうした実証的な作業からおのずから生まれるものではない」と言い、「物語」と「筋」が、「事実」や史料から独立して存在しているように言う。だが、坂本の議論とは逆に、歴史叙述を物語論として展開していくということは、「歴史の物語」を「事実」や史料のなかから紡ぎ出してくるということにほかならない。

さらに、坂本の議論では、当事者の「物語」と、歴史を叙述するときの(記述者の)「物語」とが混同されている。したがって、「歴史の物語」論としては、問題をはらみ、実際の叙述もきわめてオーソドックスでこれまでの歴史叙述とまったく変わらないものとなっている。しかも、ここでは「物語」に伴う責任の論点がまったく見られない。「歴史の物語」論は、どの歴史「物語」を選択するか(ということは、排除するか、ということでもある)ということによって、選択する主体の判断とその責任が問われる。

物語が裸のまま、宙ぶらりんにあるのではない。どの物語を選択するかということは、その選び取る側の主体的な判断と責任が問われる行為で、くり返し述べるようにある物語を選択することは、他の物語を排除することである。このことを論じない「物語」論は、恣意的な歴史解釈となっていくであろう。

3 歴史研究と歴史教育

歴史意識が形成されるひとつの、そして重要な場所が、歴史教育の場である。歴史教科書がその舞台となる。歴史意識の対抗は、この場所をめぐっての抗争がひとつの焦点となっている。歴史教科書は、「学習指導要領」に拘束され、検定という制度のもとにある。読者(語りかける相手)は生徒であり、教師を経て解釈がなされる。歴史叙述といったときに、歴史叙述はさまざまな拘束があり、さまざまな読者によってさまざまに解釈されるが、そうした現場が、はっきりと見える形で存在している歴史叙述として教科書はあると言えよう。教科書の読者対象となっている中学生は、「学習指導要領」においては「我が国の歴史に対する愛情を深め、国民としての自覚を育てる」対象として規定される。だが、その「国民」そのものが歴史的に形成されてきたことを問うこと、「国民」という同一性をつくり出す境界の歴史的形成を問うことが、ここでは必要なことであろう。したがって、「我が国の歴史」がそれ自体別個にあるということ——自国史/他国史といった区別をつくりあげる「境界」も問いかけられることとなる。

また、歴史教科書は「通史」の体裁をとった歴史叙述となっている。「通史」とは、ある連続性を描き出す叙述の形式である。古代から現在までが連続しているという意識は、近代の国民国家において成立・誕生したのであるが、いったん誕生したその地点から、過去が一連の出来事として描き出される。現在では、中学校の歴史教育は、「通史教育」とされており、通史をいかに叙述するかということはその根幹をなす。こうして問題はここでも、「我が国の歴史」の通史――ナショナル・ヒストリーをどのように描くかということに帰着する。

先の坂本が、「歴史教育」において主張しているのは、この論点にふれている(前掲『歴史教育を考える』)。坂本の出発点は、歴史教育においても物語論である。ここでの物語論は、先よりいくらかていねいに論じられている。そもそも、坂本によれば、「私」は多様性と重層性を持っており、「重層的な意識構造の主体」として人間は存在している。そのなかで「「国民」としての「私」の意識の層」を問題とするのが歴史教育であるとし、そこでは自己の「同一性」=「一貫性」の物語が求められるとする。そして、この「「国民」としての「私」」の次元における「物語」の共有を目的として歴史教育を位置づけるのである。

坂本は、こうしたことを前提に、(1)歴史教育を政治と切り離し、(2)歴史教育は国際政治と「オーソドックス」な歴史を教えることが目的であるとする。そして相互に微妙に関係を持ち影響しあっているが「政治の世界」「歴史研究の世界」「歴史教育の世界」は、「それぞれあくまで別の原理に立つべきだ」と主張する。戦後の歴史学研究と歴史教育が互いに連携してきていることへの批判である。しかも同時に、歴史教育が歴史研究であり、さらに政治であることを見失わせる発言となっている。坂本は、政治を、もっぱら、「先の戦争で被害を与えた国々」に対する「政治的配慮」に限定し矮小化している。ここで坂本が歴史教育の内容としているのは、国民意識の形成――国民形成の「物語」である。坂本の主張に沿って考えてさえも、だれが「国民」であり、そこにはどのような「物語」が形成されるか、さらに、国民形成のどの「物語」を選択しどの「物語」を排除するかこそが、政治にほかならない。また、これは歴史研究の課題でもあり、この三者は、切り離しては考えられない。

いまひとつ、「国家の物語を考えるということは、国際関係を考えるということ」に結びついていると、国家を介在させて国際関係を考察することを坂本は重視している。このことは、国民国家を主語とした歴史の記述をおこなうことに他ならず、歴史叙述の際に主語を何とするかに連動する論点である。先の「明治前期」の通史＝歴史叙述である『明治国家の建設』は歴史教育にかかわらないと考えているせいか、存外に国際関係の記述が少ないが、そのなかで、たとえば、一八七五年の江華島事件は、次のように書かれる。

明治八(一八七五)年九月二〇日、朝鮮との間に江華島事件が勃発した。朝鮮西海岸を航行していた日本の軍艦雲揚のボートが清水を求めて陸地に接近中、江華島の砲台から突然発砲を受け、日本側はただちに応戦、同砲台を占拠したという事件である。この年の二月ごろから、朝鮮側は前年の日本の台湾出兵に脅威を感じて、対日交渉にやや積極的になっていた。

この記述は、「日本」が主語となっている。これを受けた文章も「朝鮮」が主語となっている。なぜ、日本の軍艦が朝鮮西海岸にいたのか、なぜ、発砲を受けたのかといった「なぜ」という問いが消去されているとともに、事態が、国民国家と国民国家との間の出来事としてのみ描かれている。これは、主語としての「日本」に同一化し、その物語を共有するように読み手をリードしていく認識と叙述である。このことは、「国民国家」を前提に歴史教育を論ずるという姿勢と不可分のものとなっていよう。

坂本は、「国民形成の物語」が「フィクション性が強い」ことを認めつつ、それが「ありありとしたリアリティを伴って厳然と存在していることは否定できない」とする。こうした坂本の立場は、歴史の構成主義の立場に立ち、構成されたものとしての国民国家の物語をあえて選択するというものである。過去／現在への肯定・追認をもたらす歴史の解釈を坂本はおこなってみせる。この議論と立場に対して、「歴史の真実」で対抗するときには、坂本はその批判をもひとつの物語と見なすのであるから、有効な批判とはならないであろう。構成主義と相対主義を組み合わせた地点に坂本はいる。

構成主義の立場に立つといえば、西尾も同様である。西尾は、「歴史は言葉によって語られて初めて成立する世界である」という。そしてここから、「歴史はだから民族によってそれぞれ異なって当然である」とする。ここでは「民族」も言葉によって構成され、さらに、歴史的に構成されているという認識はない。西尾の「日本は……どの文化圏とも異なっている」という認識は、坂本とは異なっている。坂本は、グローバリズムへの対応として、「日本は他の国と比べてとりたてて特殊な国ではない」としていた。同じ、「歴史の構成主義」の立場に立っても、どのような解釈をおこなうかは異なってくる。

4　問われる歴史の語りの主体

「過去の人びとの営み」を理解するためには、何よりも「共感能力」が必要であり、「その時代に生きたかのように感じ取ることができなければ、歴史の教育は効果をあげたとは言い難い」と、坂本は言いきる。これは、「過去のそれぞれの時代には、それぞれの時代に特有の善悪があり、特有の幸福があった」という冒頭の西尾の言と、同様の趣旨である。歴史における「当時の論理」を探ることを目的とし、それを歴史の教育―研究とする態度である。しかし、「当時の」と言ったときには、出来事は「現在」から切り離され、それを記述する記述者(西尾や坂本)は、出来事の「外部」に位置している。

すなわち、出来事を「事後」と「外部」から論じているということとなる。

一見まっとうなこの認識と叙述の作法は、「現在」を絶対化し、しかも、過去／現在をともに、肯定的に論ずる立場である。叙述としては、第三者的に出来事から超越している特権的な立場におり、認識としては現在の価値規準を疑わず現状肯定的な立場にいる。これは、歴史や社会に矛盾や亀裂を見出そうという姿勢とは正反対の立場である。「事後」と「外部」に位置することは、支配者的な目線で歴史や社会を見ることにつながり、自らを支配者の位置に置くということに連なる。批判の意識がまったく欠如した歴史への向き合い方となっていく。

歴史を叙述することは、出来事を何度でも審判に付し書きなおし、自らを問いつづける行為であろう。そして、歴史における「共感の能力」は、出来事を「事後」と「外部」からではなく、「過程」と「内部」から認識し叙述するという営みからこそ、求められるであろう。生起し進行しつつある関係性のなかで出来事を把握＝叙述するということである。

今回の歴史教科書が投げかけているのは、ナショナル・ヒストリーという、いわば自画像をどのように描くかという問題である。自分のことは自分が一番よく知っているという当事者を絶対化する立場に立つとき、批判が入りこむ余地はなくなる。「国境」という境界の内側に自閉したり、境界の外側に向かって語りかけるのではなく、境界そのものの歴史性を考察し、境界を無化したところに生まれてくる(無化するような)想像力――「国境」を超えた共感の能力＝共通感覚＝想像力によってこそ歴史が叙述できよう。このことは、歴史を語る主体を明示し、だれに向かって語るのかを意識することである。「歴史」を教科書に描くということは「われわれ」と「かれら」を絶対化せず、関係性のなかで把握しつつ歴史を叙述していくということにほかならない。

このとき、いまひとつ、歴史の認識と歴史の叙述の作法とが切り離しては論じられない点に着目する必要があることが、教科書や一九九〇年代の歴史学をめぐって明らかにされたことに、注意を払っておきたい。『教科書の思想――日本と韓国の近現代史』(すずさわ書店、一九九六年)を著した君島和彦は、教科書を検討するにあたって「「名詞」だけではなく「動詞・形容詞」にも着目した」という。「名詞」と「動詞・形容詞」に注目することとは、文の統辞法への検討へといたる。先の鹿野は、今回の教科書における日清戦争の下関条約の記述のなかで、「清は……遼東半島と台湾などを日本に割譲した」という記述をとりあげ、「清に割譲させた」としなければならないと指摘している(同右)。認識の問題は、こうした叙述の問題として現れてきている。

教育の場では、歴史の語りをおこなっていくのは、教室での教師ということになる。この点で教師の役割は重要である。議論は、かくして「歴史教科書」にとどまらぬ論点となってくる。一人ひとりの歴史認識と叙述＝表現が問われている。

第17章　「教科としての歴史」との対話

はじめに

一〇年ほど前から、中学校「歴史的分野」、および高等学校「日本史A」の教科書にかかわる機会を与えられている。教育実習の学生指導などで、中学校・高等学校を訪れる機会はあったが、教科書作成に携わり中学・高校の先生方と会う機会が一挙に増え、互いに対話し議論することが多くなった。

教科書にかかわったことは、「調べる」(歴史学)こととあわせ、「教える」(歴史教育)ことにもかかわっていることを、あらためて自覚する過程であり、得難い経験となっている。教科書体験によって自覚するにいたった、歴史教育におけるあれこれを、私なりに考察してみたい。*

* 以下、歴史教育の実践(歴史教育)と、歴史教育を議論し考察すること(歴史教育論)とを区別し、表記を書き分けながら議論することにする。

「教科としての歴史―日本史」を、いかに教えるかを考えること。このことが、教科書作成過程における先生方との議論の内容であると現在進行形で考えている。「教科としての歴史」とは、曖昧でこなれていない語だが、歴史教育論の立場から考えられ、設定された「歴史」ということを含意している。

私自身も、学生を相手に歴史を講じている限り、「教科としての歴史」を実践していることとなる。加えて、教員になることを志す学生たちのための科目も担当している(そこでの私の授業実践は、『近現代日本史と歴史学――書き替えられてきた過去』中央公論新社、二〇一二年、として報告をした)。ここでは「教科としての歴史」「教科としての日本史」について、考えてみたいと思う。

いきなりややこしい議論を提示することになったが、「教科としての歴史」「教科としての日本史」という言い方をすれば、ただちに、歴史学で対象とする「歴史」「日本史」と、この「教科としての歴史」(歴史教育論の設定する「歴史」)とは異なるものであるのか。異なるとすれば、両者はいかなる関係にあるのか、などという問いが出されよう。

然り。このことは、歴史教育論の側からの議論と、歴史学による歴史教育への発言との差異でもある。歴史「教育」と、「歴史」教育との相違といってもよいであろう。

近年、歴史学の側から歴史教育を論ずることが試みられ、『歴史学研究』八九九号(二〇一二年一一月)は「新自由主義時代の歴史教育と歴史意識」、また、『歴史評論』七四九号(二〇一二年九月)は「いま、歴史教育は何をめざすのか」を特集した。それぞれに力点の置き方が異なるが、歴史認識に着目しながら歴史教育の論点に接近しようとしている。

しかし、ここでの議論は、歴史教育論の側からの議論、たとえば『歴史地理教育』の特集「歴史教育の未来」(七九九号、二〇一三年一月)と読み比べると、力点の置き方の差異に目がいく。歴史教育論の側からは、歴史の伝達の仕方に比重が置かれ、生徒たちの認識と環境(歴史的現在)に、より重心を置いていることがうかがわれる。

ともに「歴史」を対象として扱い、生徒や広義の読者に「伝える」ことを目的としながらも、歴史教育論と歴史学は、「教える」/「調べる」と入口が異なり、したがって作法が異なっている(異なって見える)。当面は、歴史学が扱う歴史と、歴史教育論での歴史(「教科としての歴史」)とは、異なったものとして設定されているところから議論を出発させる必要がある。

ことばを換えれば、歴史教育論と歴史学の両者の関係を考え、両者をどのように理解するかを考えてきたのが、戦後の歴史教育論の歩みの重要な柱であった。歴史学と歴史教育の関係の追究は、戦後における歴史学と歴史教育論の双方にとっての重要な課題であり、これまでに多くの議論が積み上げられてきている。いま、あらためてその議論に直面したということである。

歴史学と歴史教育論との関係は、論じられて久しい。近年も『歴史評論』(七〇六号、二〇〇九年二月)は、「歴史研究と歴史教育をいかにつなぐか」の特集を組み、この問題に正面から取り組んでいる。とともに、両者の関係の論じ方それ自体にも推移がある(成田龍一「戦後歴史教育の実践について」加藤公明・和田悠編『新しい歴史教育のパラダイムを拓く』地歴社、二〇一二年。本書第18章)。いまの状況のなかで、歴史学と歴史教育論との関係のなかで「教科としての歴史」は、いかに考えられ議論されるべきかということである。

長野ひろ子・姫岡とし子編『歴史教育とジェンダー』(青弓社、二〇一一年)は、歴史学の立場から、教科書におけるジェンダー記述を扱った一冊である。また長野・姫岡を含むメンバーが、二〇一一年七月二日、日本学術会議・史学委員会主催のシンポジウム「歴史認識を変える——歴史教育改革とジェンダー」を開催し、当日の報告は、『歴史評論』七四八号(二〇一二年八月)に特集「歴史認識とジェンダー」として、掲載されている。

後者に参加(本書第11章)することにより、私はさらに「教科としての歴史」について考えこむこととなった。本章では、入口を教科書に置き、そこから見えてくる歴史教育のいくつかの論点を提示してみよう。

教科書を入口としたことは、ほかでもない。私自身が教科書にかかわることにより多くのことを学んだことが大きいが、あわせて、これまで歴史教育が議論されるとき、教科書を論ずることと、授業実践を報告することとが切り分けられていたことへの私なりの応対である。教科書執筆者Aと教師B、そして生徒Cとの関係があるとき、しばしば、Aが切りはなされ独立して論じられたり、B―Cの関係のみで授業実践が論じられてきた。しかし、歴史教育は、A―B―Cの三者の関係性のなかで考察される必要があろう。

「教科としての歴史」に携わっているとはいえ、歴史学に軸足を置いている身であるため、本章は、歴史学の側から、「教科としての歴史」への発言ということになる。

1　歴史教科書の叙述

歴史教科書を議論するとき、現行では「通史」の体裁をとっていることが、まずは出発点となる。原始・古代―中世―近世―近現代と、時間を追って通時的に出来事を記述する「通史」という歴史の叙法については、かつて議論をしたことがある。(「「通史」という制度」『歴史学のポジショナリティ』校倉書房、二〇〇六年。本書第15章)。また、今野日出晴はさきの『歴史評論』特集「歴史研究と歴史教育をいかにつなぐか」のなかで、「通史」学習を俎上に載せ検討を加えている。

現行の歴史教科書では、おおむね政治体制を軸に、ヤマト政権から律令国家、中世社会の鎌倉幕府・室町幕府、そして織豊政権から幕藩体制の確立・展開へと叙述がなされる。幕藩体制の動揺から近代国家が誕生していく過程を扱い、明治維新―立憲政治―日清・日露戦争、第一次世界大戦、アジア・太平洋戦争―占領―高度成長・経済大国―冷戦体制の崩壊と現在と、近現代史の目次立てがなされる。

このスタイルは、歴史に接するときに多くの読者が触れる形式であり、教科書のみならず「日本の歴史」と銘打つシリーズはおおむねこの形式に拠っている。

本来は、バラバラの出来事の堆積であるものが、このようにひとつの大きな流れ――日本という国、日本人という集団、日本文化というかたちを作りあげる過程として説明されるのが「通史」である。「私たち日本人」の来歴として語られることがしばしばであるが、このときには空間＝範囲が限定され、多様な出来事とその変化がひとつの時間の流れとして描かれている。

日本列島を舞台にした、ほぼ一万年の歴史―「通史」を描くとき、この「通」は、一般的には政治に拠っている。政治史によって枠がはめられ、あらためて「中世社会」「武家社会」「近代国家」などとひと固まりの時代像が作りだされ、それぞれの時期の文化や社会が従属的に触れられることになる。

政治体制がすべてにわたって決定的である、という認識とともに、政治史が出来事として取り上げやすいということが背後にある。このことと、原始・古代―中世―近世―

近現代という時代像が重ねられ、政治／経済／社会／文化のまとまりが提供されるのである。

加えて、このとき扱われる政治は中央の政治であり、中央の政治が政治を代表している。地域の政治は登場しないのみならず、中央の政治の決定が地域に及ぶと一方向で書かれる。

こうした政治を軸とする連続性のみが歴史でないことは、もちろんである。衣食住のありようや、家族の形態、子育てや男女の関係などは、狭い政治の枠以上に、長い時間のなかでの変化となる。人間と自然の関係といったときには、さらに長い時間によって変化する。政治の変化の時間に比べ、はるかに長い時間の幅で推移していくのである。また情報の収集の仕方や、価値判断、表現の仕方も、政治と関連しつつ、政治のみでは考えられない。

このように考えるとき、歴史における時間の流れが一様、均一ではないことに気づくであろう。歴史には多様な時間の流れが重層的となり、多層に及んでいるが、「通史」は政治の時間を特別視し、その時間の流れによってすべての歴史事象を単色に括りあげてしまっている。そのため、歴史のイメージが一方向の時間の流れとしても考えられてしまうのである。

ことは、時間だけではない。歴史における層も、「通史」で切りだされた政治の層のみではない。「こころ」と「からだ」にかかわる層もある。衛生や病気、ことばや伝達の方法なども、人間にとり切実であり、歴史を有している。歴史にはたくさんの層が盛り込まれている。

こうした時間の流れの輻輳性や入り組んだ諸層による、多様性と多重性の総体が歴史に他ならない。「教科としての歴史」もまた、こうした歴史の多層性・複雑性を射程に含んでいよう。

このとき肝要なのは、この複雑性・輻輳性を、現行の歴史教科書は意識し、包摂しているということである。

教科書は、本文が「通史」になっており、そこを主とする体裁を持つが、同時に教科書における多様な形式を用いて、歴史の重層性を提示している。教科書に設けられたコラムは、そのひとつである。コラムは、「通史」の流れからはみ出してしまう、多様・多彩な出来事や地域での動き、あるいは人物が紹介される。

あるいはまた、特設ページは、中央政治とは異なる歴史の層が扱われ、政治の層とは異なる層を扱い、図版はしばしば歴史のなかの個別(個性)を視覚化し、キャプションもあらたな歴史の局面に接近する役割を持つ。本文以外の個所は、それぞれに「通史」を相対化しているが、教科書に見られるこの叙述の重層性は、歴史の多様性・重層性に対応しているということができよう。

本文(「通史」)の添え物としてのコラムや図版、特設ページではなく、多様な歴史のあり方、さらにいえば多彩な歴史認識と歴史の語り方として、それらが置かれている。こうした認識に立つとき、教科書には多様な歴史の声が提示されていることがうかがえるであろう。

2　授業という場所と歴史教科書

歴史教育論のなかで、生徒を相手にする教室は歴史叙述の場であるという認識は、すでに一般的になってきている(今野日出晴『歴史学と歴史教育の構図』東京大学出版会、二〇〇八年。前掲、加藤・和田編『新しい歴史教育のパラダイムを拓く』など)。歴史叙述という話が大きくなるが、教師は、教室で日々、歴史の語りの実践をしている。

教科書と関連させては、教科書「を」教えるのか、教科書「で」教えるのか、ということが議論されることがしばしばある。さきの『近現代日本史と歴史学』を上梓したとき、静岡県の先生たちが合評会を開いてくださったが、そのときにもちょっとした議論となった。教科書「で」教えるとすることが、しばしば、教科書「を」教えることのできないことへの弁明になる、というのが、教科書「を」教えることを強調する先生たちの意見であった。

教室での実情を知る方たちの議論なので、軽々に論ずることはできないが、教科書「で」教えることを考えていた私にとっては、いささか驚きを持つ議論であった。

だが、ここで論じたいのは、「を」と「で」の議論が示しているのは、教科書は授業の場で用いられる性格をあらかじめ持つということである。書物は、すべからく、読者により読まれることが織り込まれているが、教科書は授業の「現場」で用いられ初めてその本領というか役割を発揮する。

この点で、教科書は戯曲に似ているかもしれない。戯曲もまた、演出家をはじめとするスタッフ、そしてキャストにより、さまざまに解釈され上演されることに使命を持つ。作者は全力を尽くすが、演出家・俳優たちの解釈があらたな価値を生み出す点は、生徒や先生によって、あらたな価値が付与される教科書も同様である。

完成品であると同時に、「現場」に置かれることにより、解釈の重層性というあらたな意味を持つものが教科書といえよう。

教科書が解釈の重層性を持つことを、論じなおしてみると、以下のようになる。すなわち、教科書は出来事を叙述し、ひとつの歴史像を提供しようとする。どの出来事を取り上げ、どの出来事とどのような論理で結び付けるかが、執筆者の解釈である。これを「解釈A」とすると、「解釈A」は教室で先生によって解釈されなおし、生徒に伝えられる。「解釈B」である。生徒は、「解釈B」を学びながら、それぞれあらたに自らの解釈をつくりだし「解釈C」が生み出される。

ややこしい過程のようにみえるが、現在の「学習指導要領」で「諸資料」を扱わせ、さらにその結果を「表現」することを促すことは、この筋で説明することができる。生徒は、歴史の素材としての「諸資料」を扱い自らの解釈をつくりだしそれを「表現」することを求められている。

いまの「学習指導要領」にある「調べてみよう」「やってみよう」などの主題学習は、生徒たちに歴史への参画を体感させるのであるが、それは本章の立場からするとき、生徒自身が「諸資料」の解釈と表現をする過程ということになる。

この過程は、別言すれば、出来事(「諸資料」)の解釈の積み重ねによって「歴史」がかたちを成して出現してくるということを示している。歴史を教えるということは出来事を伝達するようにみえるが、実際には解釈され再構成された出来事を伝え、それを生徒が自らの解釈によって、自らの知識としていく過程である。

そのときの基準を教科書としたとき、出来事の解釈として、A—B—Cは近似するが、決して一致はしないであろう。解釈のズレの生じる要因はなかなかに複雑である。ひとつの要因は「世代」であり、いまひとつは現在との向き合い方の差異である。

生徒Cは一〇代の若者と固定されているとき、執筆者Aと教師Bとは年代のばらつきがある。性差があり、経験の差も見逃せない。執筆者Aは、自らの体験をふまえ教科書を書くが、世代の課題が意識されている。歴史学の研究上の課題もまた意識されていよう が、それもまた世代によって異なる(この点については、前掲『近現代日本史と歴史学』の主題となっている)。

このことは、教師Bにおいてもあてはまる。生徒の解釈を触発し促すものとして、教師は「解釈A」を媒介にしながら自らの解釈を提示することとなる。生徒Cが、主体的に「解釈A」「解釈B」に向き合い、自らの解釈を示すことが理想であろう。

しかし、それを阻害する要因が多々ある。そのひとつとして挙げられるのが、入試である。

3 入試問題をめぐって

受験―入試問題は、歴史認識のあり方を議論するとき、無視しえない圧力を有している。多くの生徒にとっては、入試に出題されるかどうかが、歴史に向きあう重要な判断の基準になっており、そこを基準として学習している。身近なばあいには、中間・期末という学内のテストであろう。テストに出るぞ、とは生徒の側からすれば、教科書を読む基準となり、歴史を解釈するガイドラインとして機能している。いや、機能させられている。

入試も教室でのテストも千差万別で多彩であるが、とりあえず、大学入試センター試験(二〇二〇年度より、大学入学共通テスト)を念頭に置きながら、設問のタイプ分けをしてみると、(1)時系列の順序を問うもの、(2)出来事や時代の理解、およびその影響を問うもの、(3)時代の差異や変化について問うもの、(4)人物、場所、歴史用語などの正確な把握を問うもの、さらに、(5)史料に接しているかどうかが問われるが、近年では、(6)モノを知っているかどうかも問いかけられている。

『センター試験　日本史B重要問題集』(実教出版、二〇一二年版)をみると、説明文の正誤の判断を問う問題が必ず出されている。センター試験は、マークシート方式であるため、選択方式となっている〔補註〕。

一例をあげると、「幕末の政局」にかかわり、正しい文章を選ばせる問題として、

①公武合体論の具体化として、孝明天皇の妹が一橋慶喜に嫁いだ。
②公武合体論の具体化として、孝明天皇の妹が徳川家茂に嫁いだ。
③尊王攘夷派の懐柔をめざし、幕府は一橋慶喜の妹を孝明天皇に嫁がせた。
④尊王攘夷派の懐柔をめざし、幕府は徳川家茂の妹を孝明天皇に嫁がせた。

(二〇〇三年、本試)

公武合体論にかかわる基本的な問題であるが、入試問題とされた瞬間に、出来事が孝明天皇の妹(和宮)と徳川家茂とのあいだの事柄に限定されてしまう。公武合体論が年表

的な出来事に還元されてしまい、出来事と出来事との関係性のなかで把握する思考が閉ざされていく。「教科としての歴史」が単純化され、単独の出来事へと誘導される。

この点、記述式の入試問題は、出来事の関係性を問い、解釈に踏みこんでいく。相澤理『東大のディープな日本史』（二冊、中経出版、二〇一二年）は、解釈という観点から、東京大学の入試問題（「東大日本史」）を解説していく。同書によれば、歴史学で議論となっているところが出題されており、歴史認識の要点が問われている傾向がうかがえる。いや、正確に言い直せば、相澤は、入試（記述式）を媒介としながら歴史認識へと議論を展開していく。

たとえば、大日本帝国憲法に関し、その条文だけではなく、運用を問う問題への言及は、その一例である。相澤は、設問を解説しつつ、大日本帝国憲法には、（大久保利通・伊藤博文らが「理想」とした）「デモクラシーの精神」が埋め込まれていることを述べる。大日本帝国憲法自体が「非「民主的」」だったのではなく、「戦前の国民」が憲法を「「民主的」に運用（傍点は、原文―註）できなかった」と、相澤は入試問題を媒介にしながら、大日本帝国にかかわる議論―論点―解釈を提示する。

「東大日本史」は解釈を問う入試問題となっているとし、相澤は、

「東大日本史」の面白さを一言で言えば、**自明に思える歴史の見方・考え方に揺さぶりをかけられる**、ということにあります。……**学校で習ったこととは違う日本史**に出

会うことになるでしょう。〔ゴチックは原文のまま―註〕という。このゴチック部分に力点があるが、教科書の知識と考え方を前提とし、そこからあらたな解釈を要求した入試問題として扱っている。

「近代」の入試問題のうち、五箇条の誓文と五榜の掲示にかかわる問題を検討した相澤は、「「御一新」のリセットボタンを押したはずの新政府」だが、民衆に対しては「封建的・抑圧的な態度」を「踏襲」し、五箇条の誓文も旧幕府を引き継いでいることを指摘する。

「「御一新」というリセットボタン」は「全てを改めるものではありませんでした」との認識を示し、それを「受け継ぐべきもの」を受け継がなければ、制度やシステムが「機能」しないと、いまの状況にも接続させようとする。この点は、戦時と戦後の関係を扱った入試問題の解説でも、同様の指摘をしている。江戸幕府と新政府、戦前と戦後との連続／非連続という要の論点を入試問題から導きだし、解説を加える。

私自身は、教科書を持ち込んだうえで、こうした「解釈」をともなう入試がなされればよいなどと思うが、ここでは深入りはしない。

論じたいことは、「東大入試」の検討という作業が、問いの意図を探り、さらに歴史に対する問いのたて方、その検討に通じていくということである。歴史の解釈という姿勢に、ことは及んでいくであろう。

歴史といったとき、とくに歴史学は、これまで「解答」を重視してきた。また、入試やテストは、「解答」を求め、それに評価を下す作業であった。

しかし、ここでは「問い」への「問い」――歴史への問いかけの仕方が問われている。あくまでも入口であるが、問いのたて方を判断する点にまで行きつけば、入試が持つ役割はそれなりにあるということになる。膨大なエネルギーを投入する入試の現状をみるとき、出題側の責任が問われることは必至である。自身を顧みて忸怩たる思いがある。このとき、解釈、さらに歴史認識へ至る回路として出題された入試問題が扱われることは、少なからぬ意味がある。

おわりに

教科書を入口にするとき、議論は学校教育に限定されてしまう。歴史教育という射程からみたときには広大な領野がある。そのことを意識したうえで、本章ではあえて教科書から、歴史教育に接近してみた。

「教科としての歴史」は、決して単純ではない。たとえば、先に議論した「通史」によって歴史を学んでいくとき、座標軸として「通史」が機能し、このことにより、多様で多彩な出来事が位置づけられることになる。唐突な例であるが、テレビの歴史クイズ問題も、こうした「通史」学習があればこそ、成立している。出来事がバラバラに提示されるのではなく、「通史」の枠組みに沿って提示されるがゆえに、整理が可能となっている。

しかし、「通史」においては、「他者」が欠落してしまう。「通史」は、必然的に「われわれ」の歴史を語り、「われわれ」がいかに作り上げられ、いかなる経験をし、ここに至ったかという来歴を説明する。そのとき、「われわれ」は、「われわれ」ではないもの、すなわち「他者」との対比で語られることとなる。「他者」は、しばしば「われわれ」を作り上げる否定的な媒介となってしまう。

ことは、なかなかに深刻である。歴史に対するリアリティを持たせるため、身近な事例を持ち出すことの有効性とともに、そのことにより「他者」への想像力が欠落していくことは、充分に配慮され、意識されなければならないが、そのことは「通史」から直接には導き出されにくい構造となっている。

しかし、「通史」の知識がなければ、「他者」理解も可能ではなく、議論はここで循環していく……。

近年の歴史教育論の領域で見逃せない著作のひとつに、小川幸司『世界史との対話』(上中下、地歴社、二〇一一—一二年)がある。小川は、「事件・事実」という第一層、「解釈」という第二層からなる「基礎」のうえに、自分の第三層を「批評」として存在させる。「存在するにすぎない」と小川は慎重な言い方をしているが、同時に「対話」をここで持ち出す。「私と歴史」「生徒と歴史」、そして「私と生徒」とのあいだの「対話」。対話の繰り返しと積み重ね、その粘り強い試みが必要であろう。本章は、「教科としての歴史」との対話のことはじめの一編である。いや、対話のためのはじめの一編にすぎない。

〔補註〕 大学入試センター試験（大学入学共通テスト）のマークシート方式に比し、記述式の入試問題が勝っているような書き方となってしまった。しかし趣意は、入試が解釈に制約を加えている点にあることは既述のとおりである。

そのうえで、マークシート方式でも解釈にふみ込むことが可能であり、実際そうした工夫がなされていることをつけ加えておきたい。

解釈にふみ込む設問をいかに作成し、それに見あった選択肢をどのように配するかという次元の議論を経たであろう問題も見ることができる。

第18章　「戦後歴史教育」の実践について

――加藤公明・授業実践を考えるために

はじめに

加藤公明（一九五〇―）とは、一九七〇年に、大学の教室で出会っている。いまだ、若いというよりも幼いもの同士であったが、ともにそれなりの夢は持っていた。教室の外には学生運動の余燼があり、授業もしばしばクラス討論や、ときにはストライキのために中断された。しかし、歴史学を学ぶための基本文献は提示されていたし、それをもとにした議論のやり方も学んだ。古代史から中世史、近世史から近現代史まで、日本歴史の一通りをカリキュラムに沿いながら学習した。

この時期は（当時としては、その意識はなかったにもかかわらず）、社会構成体史を軸とする歴史観にたつ「戦後歴史学」の再編成と、「民衆」の主体性を強調する「民衆史研究」の展開の時期にあたっており、歴史学の大きな転換期にあった。しかし、歴史学それ自体はいまだ堅牢で自信を有しており、学部生でも専門書を購入し、互いに議論する環境があった。覚束ないながら、おずおずと歴史学研究会の大会に顔を出したこともある。歴史学のこうした状況に立ち会い、そのなかで私たちが勉強をはじめたことは、加藤の教育実践を考えるうえで見過ごせないことであるように思う。

とともに、「戦後歴史学」の研究者も、「民衆史研究」を主唱する面々も、それぞれ歴史教育との関係を真摯に考えていた。このような意味合いにおいて、一九七〇年に遭遇した私たちは、戦後歴史教育の活性期にも立ち会うことができた。私自身は、その後、高等学校の非常勤講師を経験することとなり、歴史教育の一端にかかわることともなった。

かかる歴史学、そして歴史教育を介しての加藤との出会い、さらに加藤の教育実践の意味を、機会を得て、一九九〇年代以降のいま、あらためて考えることになる。加藤の著作は数多いが、ここでは、いずれも地歴社から刊行された著作である、『わくわく論争！　考える日本史授業』（一九九一年）、『考える日本史授業2』（一九九五年）、『考える日本史授業3』（二〇〇七年〔補註〕）〔補註〕を直接の対象としたい。

私の側からいえば、教室で日々行っている歴史教育に加え、歴史教科書の執筆にかかわるようになり、歴史教育を考察することの必要性を感じていたなかで、歴史教育論への「事始め」となる。歴史教育は、現在では授業実践やその報告として提供されることが常であるが、ここではあえて「論」として考察をしてみたい。

1　「戦後歴史教育」の推移

まずは、「戦後歴史教育」といったばあい、その独自の語られ方と領域があるということから考察をはじめたい。ことばを換えれば、「戦後歴史教育」も歴史的な存在であるということである。

「戦後歴史教育」は、いうまでもなく戦時の皇国史観に基づく歴史教育を批判し、あらたな理念と方法、認識を持ち、実践を行っていく歴史教育である。そのため、戦前・戦時の歴史教育への反省と自戒—歴史学と歴史教育の結合の必要性、歴史教育の科学性の主張などが出発時に刻印されている。

同時に「戦後歴史教育」には、持続性がある。一例をあげれば、歴史学が「民族」の主題を早くに放棄し、その変わり身の早さを見せるのに対し、歴史教育においては民族という対象と主題を、一九七〇年代まで持続的に扱っている。そうした議論の積み重ねに加え、折節に行われる議論の整理と課題の提示が「戦後歴史教育」の分厚い層をなし、その外延と内包を形づくってきたといえる。「戦後歴史教育」といったとき、内実を持った実践の集積であり、かつ方法と認識を軸に積み上げられた理念の体系として提供されている。

そのとき、「戦後歴史教育」は、当初、みずからの教育理念と教育実践にかかわる主張を「論」として立てるとともに、教材研究に比重を置いて議論を作り上げていた。

たとえば、遠山茂樹『歴史学から歴史教育へ』(岩崎書店、一九八〇年)は、「戦後歴史学」の主導者であった遠山による、一九五〇年代末から一九七〇年代末にかけての歴史教育への発言の集成であるが、歴史教育の理念と、「学び方」「教え方」があわせて説かれている。「研究者の立場」から「歴史教育の科学性」を重視し、歴史教育と歴史学の結びつきを強めようとしていた。

しかし、「戦後歴史教育」はある時期からは、「論」以上に、実際の授業実践を重視し、その報告を行うというスタイルを持つようになる。これも一例として挙げるのだが、黒羽清隆『日本史教育の理論と方法』(地歴社、一九七二年、増補版一九七五年)は、そのタイトルの構えにもかかわらず、教育実践を基にしての議論となっている。具体的な教室での実践から議論を提供しており、現場性の重視と、(教師による)生徒の学習効果を規準とし把握するという姿勢を示していた。(1)

遠山と黒羽のスタイルの差は、なかなかに興味深い、遠山と黒羽が、交々、歴史学と歴史教育の結合を説くなか、遠山が歴史学、黒羽は歴史教育に立脚するところからの差はあろうが、それ以上に、両者には「戦後歴史教育」のなかでの歴史的位相の差異があるように思う。戦後の広義の意味での歴史教育における、遠山と黒羽の位置と作法、認識と実践をめぐっての差異である。「戦後歴史教育」も、けっして一枚岩的に継続してきたのではないということである。

こうした点を念頭に置きながら、歴史教育をめぐっての「論」を提示してみたい。「論」ではなく、実践にすべてがあるという主張はそのとおりである。しかし、ここでは「戦後歴史教育」自体が推移しているという認識にたち、議論を行うことにする。

まずは、そのために補助線として、歴史学の推移——「戦後」の史学史を見ておこう。きわめて大づかみにいえば、「戦後」の日本の歴史学は、「戦後歴史学」「民衆史研究」「社会史研究」として主潮流が現れるということができる(成田龍一『近現代日本史と歴史学』中央公論新社、二〇一二年)。

「戦後歴史学」は、さきに記したように社会構成体の移行という観点にたち、労働者と農民による運動を重視する。これに対し「民衆史研究」は、労働者・農民に止まらない「民衆」に着目し、被差別民や女性、諸民族や諸階層の抱え込む困難と運動に目を向ける。さらに、「社会史研究」は、狭義の政治史に還元されない長期間にわたる人びとの変容を考えるゆえに、家族や身体、男女の関係の歴史というあらたな対象へのあらたな視点を打ち出す。

こうしたとき、歴史学の推移に対応する、「戦後歴史教育」の移行という仮説を、ここでは立ててみたいと思う。とりあえずは、「戦後歴史教育Ⅰ」「同Ⅱ」「同Ⅲ」と表記するが、基本的には時間的推移による区分であり、Ⅰは一九四五―七〇年、Ⅱは一九七〇―九五年、Ⅲは一九九五年―、を主たる対象時期とする。同時に、これらは時期的な特徴をあわせ持ち、(歴史学の推移を参照しつつ)Ⅰは通時的把握を前提としたうえで「歴史認識」を重視し、Ⅱは歴史における「主体」の強調をいう。そして、Ⅲは歴史の「語り」という論点を提供し、歴史叙述としての授業実践―授業における歴史像の提示をするとしておこう。

この仮説による「戦後歴史教育ⅠⅡⅢ」は、それぞれ三者の明確な切断よりは、強調点の差異にその眼目がある。歴史学と同様に、歴史教育は枠組みの転換はなかなか難しく、重層的に推移する。ⅠからⅡ、そしてⅢへと移行するというよりは、ⅠにⅡが重層的に加わり、さらにⅢが重なり合うということである。

三つの点を、付け加えておきたい。ひとつは、歴史教育である以上、歴史像を提供するのは当然であるが、このとき、歴史叙述として歴史教育を把握し、授業実践とは歴史像の提示であるとの論点は、Ⅲで明示されたということである。いまひとつは、歴史教育を実践する教師自身、時間的な経緯とともに推移していくということ。これらのことが、仮説的に述べたⅠⅡⅢの推移を、いっそう見えにくくさせている。しかし、ここを議論の出発点としたい。

さて、第三は議論の限定である。近年では、科目を横断した歴史教育の試み(「倫理」「現代社会」あるいは「政治経済」「地理」において歴史を扱うこと)がなされており、生涯教育や博物館展示などをふくむ、広義の授業実践の比重が高まっている。そのことを承知のうえで、本章では、「戦後歴史教育」の内容と領域をめぐる考察において、学校教育、それも歴史教育の授業に限定した。また、(加藤の教育実践を対象とするため)高等学校の日本史教育を、念頭において考察することとしたい。

加藤の授業実践(加藤実践)を論ずるに当たり、いささか抽象的な議論と補助線の設定にかかわる議論が長くなった。節を改めよう。

2　「戦後歴史教育Ⅱ」としての「考える日本史」授業

まずは、加藤公明の実践について、さきの「戦後歴史教育」の三型のうち、Ⅱに当たるということを前提とし、授業実践、歴史教育、日本近現代史教育の構想力という観点から検討を加えてみよう。Ⅱに当たるというのは、加藤自身の学習の出発の時期、および実践時期の大半がここに該当しているためである。

1　授業実践をめぐって

加藤実践には、生徒による「投票(評価)」という相互評価、および教師による「講評」という評価が組み合わされており、教師と生徒がともに主体的に渡り合う場として教室が設定されている。重層的な討論の積み重ねによって、生徒の主体的な授業への参加とともに歴史認識の獲得が目指される。加藤は、生徒による「自力での発見」を強調し、教室と歴史という二重の場における生徒の主体性の発現を重視する。

このとき、「戦後歴史教育Ⅱ」は、加藤実践に止まらず、(教師による)「問題提起」と(生徒による)「討論」を軸とするスタイルを持つものが少なくない。生徒の参加、すなわち主体性の喚起を行い、問いを立てさせ(加藤の言い方では、「変だなぁ」探しの教授法)、討論をさせるという歴史教育である。

この実践の背後には、「一方的な講義」――すなわち「戦後歴史教育Ⅰ」が自明としてきたことへの懐疑がみられる。付言すれば、加藤が行う(生徒の)班編成もまた、「集団的討論の積み重ね」とその「階層性」を目的としている。技法の面からも、Ⅱの特徴として、生徒の主体性の意図的な追求を行っている。

2　歴史教育をめぐって

教育における主体の強調を、歴史における主体と合致させること――歴史への主体的な取り組みと、授業の主体となることとを一致させる点に、歴史教育の要があるというのが、加藤実践である。このことは、授業のなかで、「自分(主体性)」が、「史料」と「事実」に基づき「論理的」に考えるということ、さらに討論によって各人の論を深化させ、自他ともに歴史認識を深める(変える)という経験を積むことを促す営みとして実践されている。そのために、加藤実践は、(1)歴史認識という場に、「共感(実感)」を導入し「生き生き」とした授業を実践し、「解釈」の作業を持ち込むことを図る。

「戦後歴史教育I」と対比すれば、遠山茂樹は、歴史認識は「個人の「実感」」からかけへだつとし、そのゆえに「教えること」を不可欠としていた。そのうえで、遠山は「教えること」が「自主性」を失わせる危険を持つことを認識し、双方のはざまに「実感」を置いていた。すなわち、遠山は「実感」を慎重に扱うことをいい、歴史に対する「理性的判断」を養うことこそを強調していた。実感を重んじつつ、歴史教育の場における本末転倒を警告する。「知的認識」こそが、子どもが社会に出たときの「大切な武器」としたのである。

こうして、遠山―「戦後歴史教育I」が「科学」ゆえに、あえて踏み込まなかった「実感」の領域を加藤は復権し、そこを核にした歴史教育を試みる。(すぐに述べるように)「戦後歴史教育I」を継承しつつ、批判的な実践を行っているといえよう。

さらに、加藤実践がいう(2)「歴史の真実」への接近と「正答がない」ということもまた、Ⅰへの批判的実践となる。

再び遠山を持ち出せば、遠山にとり「科学」的であるとは、「各時代の社会のしくみの特色」、および「次の時代の社会のしくみへの転換の仕方の特色」を把握することであった。また、そのために「基本的な史実」の習得をいい、遠山は「典型的な時期における典型的な歴史像」を生徒が持つことを重視する。Ⅰにおいては、厳然と「史実」が存在し、「基本的」とされるものの重要度（段階）が、あらかじめ決定されている。これは、先の論点とも結びつき、Ⅰの啓蒙的性格を示している。こうした「戦後歴史教育Ⅰ」への批判が、加藤実践によってなされていった。

しかし、加藤実践は、遠山の啓蒙的側面こそ批判するが、「歴史の真実」の存在については共有している。この点で、加藤は、しっかりとⅠの継承者でもある。この点にかかわり、加藤実践では、(3)なにを参照系とするかも問いかけることになる。このとき加藤は、遠山と同様に、歴史における論理性や実証性を重視している——「歴史に対する個性的で科学的な認識能力と主体的で民主的な歴史意識の育成」（第2集）を図るとしている。（遠山が念頭に置く研究史上への到達こそ、当面は前面に出さないが）歴史における論理性や実証性を生徒に伝えるべき価値とし、歴史教育の目的としている。

加藤実践は、このように見るとき、Ⅰの成果を継承しながら、Ⅱとして生徒に二重の主体性を強調するものとなっている。この点を、角度をかえて見てみよう。

『考える日本史授業』(第1集および第2集)では、年間計画として、問題史的通史を構想し展開する点が興味を引く。Ⅰにおいて、遠山は、歴史認識を育てるために「通史学習」を重視した。「歴史の因果関係」は「連続的」であるためだが、先に記したように、そのゆえに遠山は「典型」を抽出し、その教授を歴史教育の根幹に置いた。

これに対し、加藤は網羅主義を拒否し、各時代で学ぶべき事項を(時代の性格に沿いながら)選択する。第2集に所収した「歴史教育の系統性と私の年間授業計画」で明示されるが、古代史(研究)は、「少ない史料」をもとに「オリジナリティに富んだ仮説」を立て「論理的・総合的に歴史像を構成する」試みをしており、生徒が自らの「個性」に基づき、「科学的に歴史を考える体験」を持つ素材を発見しうるとする。

また、中世史は「各自の歴史観」を鍛えることが可能なフィールドであり、それぞれの階級や階層に着目しながら、「現実の社会や政治や文化」をつくりだすさまを見ることができるとした。近世史は、「日本という民族とか国家とか、国民性」などについて考え、近現代史では、「歴史をつくろうとしたいくつもの潮流」のせめぎあいが「現実の歴史」となった「原因」を「解明」するとともに、その潮流のどれが「真の意味で人類の幸福」に寄与したか、また自らが「継承し発展させるべき潮流」を選択することを目的とすると述べた。

歴史教育の常として、加藤もまた各時代を扱うが、遠山のように「未知なものへの好奇心」の優先、社会の仕組みの「単純・明快」な時代から出発するという発展史観を排し、時代ごとの学習課題を設定する。そして、そのうえで「テーマ(単元)」が選択されていく。素材の面白さが先行するのではなく、時代ごとの課題とねらいがあり、それにふさわしい素材が選び出されている。

これは、授業のヒトコマが、エピソード主義に陥らないための工夫がなされているということでもある。「常に問題提起を含んだ、生徒が自分で歴史を考えて互いに討論を通じて自分の歴史認識を発展させ、その認識能力を向上させていくといった授業」に耐えるテーマの抽出と、加藤は述べている。

別の言い方をすれば、ここでのテーマの選択は、(コラムと本文のような)本筋—脇道、あるいは本流—傍流といった関係ではなく、自らの歴史教育のねらいと直結したものとなっている。注目すべきは、時代の「構造」—「矛盾」を、あらかじめの政治史・経済史から接近するのではなく、具体的な事象(モノ、コト、ヒト)を導入とし、社会構成—歴史像の解明へと向かう方法と結びつけていることである。(授業における手順は、逆向きとなるが)時代的なさまざまな要素の集成として、対象を読み解く実践となっている。

こうした加藤実践は、「戦後歴史教育Ⅰ」の継承のうえにありながら、Ⅰの根幹をなしていた要素を換骨奪胎することにより、「戦後歴史教育Ⅱ」として展開していったとすることができる。Ⅰで強調された「科学性」—「科学的な歴史学」や「歴史の真実」という語彙を用いながら、(Iが主張するような)「典型」を学ぶのではなく、歴史認識の「有効性」の「体験」として各時代を学習していくことを目的とした。Iと、IIの加藤実践では、「科学性」の意味するところ、ねらいとするところが異なっており、さらに、加藤はこのことを「主体的」な「立場性」の選択として遂行していく。生徒による主体的な、歴史の主体の選択を促す実践であり、ここに加藤実践の眼目があろう。

こうした加藤の実践は、さらに「現代とは別の世界である過去」という認識を示すなど、IIをもはみ出す局面も見せている。なかでも、史料との向き合い方の提示——絵画史料の有効性をめぐっての実践は(「江戸図屛風絵から考える」「肖像画のアイヌたちはなぜ蝦夷錦を着ているのか」など)、そのことをよく示している。

加藤は、「〔絵画は—註〕問いを持たずに対面する者にはひたすら寡黙な存在でしかない」(第2集)という。(2) Iにおいてしばしば見られたような、史料の自明性を排し、主体的に働きかけることにより、史料は意味を持つとした。問題意識を持ち史料に接することによって、はじめて史料の歴史的意味があきらかになることを、生徒自らの作業を介しながら講じていく。史料解読を、その問いのたて方(＝問題の発見の仕方)から遂行して見せ、問題意識こそが歴史認識の要となることを指摘し、実践するのである。主体的な選択—歴史認識の獲得というねらいが、史料解読に沿いつつなされ説得力を持つとともに、加藤の言う「立場性」とは、問題意識と言い換えることができることに気づく瞬間である。

　このとき、描かれた対象(A)に止まらず、描いた主体(B)にも着目すべきことを、加藤はいう。(B)によって、(A)の描かれ方が変わり、偏見やそれに基づく作為が入り込むことが示唆される。とくに、「肖像画のアイヌたちはなぜ蝦夷錦を着ているのか」(第2集)では、こうした絵画史料の持つ複雑性に立ち入り、(A)に止まらず、画家(B)について論及し、そこからさらなる認識を展開してみせた。もっとも、絵画史料のばあい、さらに、依頼者という要素が入り込むが、いずれにせよ、史料と解読者という二者の関係ではなく、史料作成者を入れ込み、三重、四重の関係で史料を扱うことを生徒に促した。

　加えて、同実践では、アイデンティティの歴史学／他者(性)の歴史という領域にも踏み込んでいる。加藤は、「日本人のアイデンティティ形成史のあり方と歪み」を認識することによって、「日本人独特の、無自覚であるがゆえに強固な自国・自民族優越主義(エスノセントリズム)的な民族意識」を、自覚し、反省するようにいう。相手が「異質」であることを認め、その生活や思想、文化を尊重し、「共生」することを促す。「民族としての主体性」を抽出し、生徒にこれからの「あるべき民族意識」を探らせようとするのである。

　「他者」を否定的な鏡として形成される、アイデンティティ・ポリティクスを具体的に提示し、返す刀で「他者」との共存を加藤はいう。主体(性)といったとき、他者の存在を介し、他者との関係性のなかで立ち現れることを具体的に示した。そして主体の持つ両義性に接近し、非対称的な関係を創り出すなかから自らの主体の正当性を論じることを、史料の解読を通じて生徒に学ばせる。「戦後歴史教育Ⅰ」が「国民」としてのアイデンティティを論じたとき、「戦後歴史教育Ⅱ」としての加藤実践は、「国民」生成の歴史性を取り上げ、その歪みと亀裂をあわせて学習させている。

「国民」化への批判が「あるべき民族意識」との関連で論じられており、この意味においては、加藤実践はⅠの射程内にある。しかし、加藤実践は、創造された恣意的な「他者性」の存在を批判的に自覚しており、ここから「他者」の持つ歴史の認識までは、数歩の距離にある。「他者性」を生きる「他者」そのものに目を向けたとき、アイデンティティの歴史とは異なる、あらたな歴史の存在に立ち至ることとなる。Ⅱからのさらなる歴史への志向が、加藤実践のなかに胚胎している。

そして、「肖像画のアイヌたちはなぜ蝦夷錦を着ているのか」が、加藤と同じ千葉県歴史教育者協議会に所属し、実践を交流している楳澤和夫の実践の「追試」であることは、「戦後歴史教育」の積み重ねによる可能性を示してもいるであろう。

3　日本近現代史教育の構想力をめぐって

いま一度、問題史的通史の観点から、加藤の実践を検討してみよう。さきに記したように、加藤は各時代の授業のねらいを語るなか、近現代史は「現在の日本をつくった直接の過去」であり、そのゆえに、主体的に「潮流」を選択させる課題を設定していた。

加藤実践で近現代史に割く時間は、一一一―一二四時間中、三四―三九時間であり、おおよそ三分の一強である。まずは現実的に適切な割合ということができるであろう。

近現代史の要をなす、アジア・太平洋戦争の授業に関し、第2集で報告された「だれのための国体護持か」をみるとき、加藤は、映画を導入とし、サイパン島の戦闘→近衛上奏文(国体護持)→沖縄戦(集団自決(強制集団死))→原爆投下、およびソ連参戦という対象と推移を組み立てる。入口は、ビデオ、スライド、あるいは証言テープや写真パネル、手記などを用い、「実感」を共有させる工夫を払っている。

そのうえで原爆投下をひとつの焦点とし、生徒に討論をさせながら、授業は、「日本」側の観点から、なぜ原爆が落とされたのか。他方、「アメリカ」側の観点から、なぜ原爆を落としたのかとの問いを発し、国民の側の戦争責任という論点をつくりだしていく。そして、「加害者であったがゆえに被害者になってしまった十五年戦争における日本人」を指摘する。

この実践は、「戦後歴史教育Ⅰ」の成果としての平和教育の延長上の授業実践である。討論を持ち込み、「科学的・構造的」に把握させ(認識の「発達」と、加藤はいう)、平和と戦争への主体的な意見と態度を持たせることをねらいとする。「生き方」と結びついた戦争論・平和論とは、Ⅰの正統的な継承である。「生徒一人一人を平和の建設的な担い手に成長させる」と加藤は述べ、「平和の主体としての自己」を自覚させるとする。

加藤の近現代史の授業は、Ⅰの問題意識の継承と、Ⅱの方法・素材による実践となっているが、このとき、生徒の現有する戦争認識、平和意識をその出発点としている。そのゆえに、戦争の歴史を「系統的・構造的」に「講義」して、こと足れりとすることに対して、加藤は批判的である。すなわちⅠの継承であるが、そこに充足してはいない。いや、被害／加害の対立ではなく、その重層性を指摘していることは、Ⅱからはみ出す論点へと赴いているともいえる。

Ⅰにおいて、近代史の課題は、「資本主義」「民主主義」「帝国主義」の形成(遠山茂樹)とされていたが、Ⅱでは戦争学習が重視され、戦争史の課題と方法が豊かに開花する。加藤はその一翼に加わり、第3集ではこの主題を集中的に扱っていった。もっとも、この実践は現代社会の科目でなされている。歴史教育の実践の多面性を示すとともに、歴史―日本史の授業でどこまで踏み込むことができるかを考えさせる報告でもある。

3　「戦後歴史教育」の歴史的位相と加藤実践

民衆史研究の主導者のひとりである鹿野政直が、(本章でいう)「戦後歴史教育Ⅱ」の実践者である黒羽清隆に強い共感を示していることは、史学史と歴史教育の相関を考えるうえで、興味深い(『鹿野政直思想史論集』第七巻、岩波書店、二〇〇八年)。戦後の歴史学の第二の潮流である「民衆史研究」が、Ⅱと親近性を持つとき、「社会史研究」が歴史教育とどのような関係を持つかが推測されるのである。はたして、「社会史研究」はⅢと相関しているのか。両者は、どのような関係にあるのか。

ただ、日本を対象としての社会史研究も、「戦後歴史教育Ⅲ」も、誰のどの作品を指すかについての共通の了解がいまだないなか、先走ることは自制しよう。

ここでは、その代わりに、「社会史研究」の知見を、加藤の実践に投げかけてみることにしたい。「社会史研究」の観点から、加藤の近現代史の授業を考察するとき、まずは、(1)近代史と現代史——近代の課題と現代の課題を分節する必要があるのではないかという論点がある。また、このことと関連して、(2)価値としての近代と、時代としての近代を弁別することが、加藤実践には求められるのではないかという論点もある。

ことばを換えれば、歴史の授業において、近代的な価値——たとえば、「衛生」や「時間厳守」、「自己規律」や「自由平等」、「平和と民主主義」などは自明の価値、順守すべき事項となっており歴史化しにくい。いずれも歴史的に生み出され、そのゆえに歴史的な形態を有した価値であるが、そのことを加藤はどのように生徒たちに教授するのであろうかということである。

これは、(3)はたして、加藤実践は、経験科学からの離陸を射程に入れているかという論点となる。生徒に発見をさせるとき、自らの経験を参照系としていることをどれだけ自覚させているか。すなわち、自明性＝現時の価値観を問うことが、〈いま〉の歴史化の作業であり捷径となるが、そのことが加藤実践にはいかに織り込まれているのであろうか。〈いま〉を支える価値を、自明のこととしてはいまいか、ということである。

こうした論点を、近代の歴史的位相をめぐる探求とするとき、(4)前近代史と近現代史の関連がどのように把握されているのか、という論点が続く。時代区分論の必要性は認じられているが、その根拠を、加藤はどこに置いているのかということでもある。時代別の歴史教育上の課題の相違が述べられていたが、近代と前近代の差異は、前近代のなかの区分と同列でよいのかということも、あわせ問われることになる。

この点は、(「現代社会」や「倫理」「政治・経済」などの科目で目的とする)人びとの生命と生存にかかわる実存性と、それが歴史性を持ち歴史的に存在するということをいかなる関連性において把握し、教授するかということでもある。普遍と個別をいかに考えるかがⅠの課題であり、そのゆえにⅠでは「典型性」の把握が求められた。Ⅱは、このとき個別の側に立ち、個別「にとって」の歴史(＝「民衆史研究」)を追究していった。このとき、「社会史研究」の観点を持ち込めば、誰が、どのような根拠で、どの現象を「典型」といい、「普遍」と「個別」を分別するのかということとなる。

加藤実践に即して整理しなおせば、加藤が唱える「主体」といったときには、歴史の主体、授業の主体という二重の主体があり、歴史の現場と授業の場における「当事者」という意味合いが込められている。主体と主体性、当事者と当事者性という論点には立ち入らないとしても、二重の主体は、分節化される必要があろう。また、(授業のなかでの)教師の立ち位置とともに、(歴史を語るうえでの)教師の役割が意味づけられなければならない。

さらに、授業が実践報告として記述されるときには、記述者という主体が入り込む。加藤のシリーズ「考える日本史」は、この複合体として提供されている。すなわち、生徒が歴史にかかわるということと、授業を生徒の主体(性)の発揮の場所とすることという、主体をめぐる二重の過程が、さらに加藤による記述として報告されるということになる。「認識」—「方法」(方法としての討論)—「記述」(報告としての記述)として、実践報告が提出されている。

こうして考えるとき、加藤の実践報告をめぐる論争にも、あらたな局面がみえてくる。周知のように、加藤実践をめぐっては、今野日出晴(『歴史学と歴史教育の構図』東京大学出版会、二〇〇八年)をはじめ、厳しい内容を含めたやりとりと論争がある。このやりとりは、加藤の報告における複合性・さまざまな水準の差異——教師と記述者という二重性とその関連が、さまざまに問いかけられていたと考えることができる。

この論点は、歴史の叙述(歴史の「語り」)という問題系と重なりを持つ。すなわち、授業という場を共有したことによる発見が、事後に、遂行的に記述されることにより、その意味を転換してしまうことは、歴史における出来事が歴史家により記述されることで当事者からかけ離れてしまうことと相似している。「社会史研究」が提唱するのは、こうした叙述におけるあれこれの論点である。「戦後歴史教育ⅠⅡ」にとっても、教室とその報告という二つの場における「語り」の位置が問われているということになろう。

このとき、加藤が、生徒が「自分で獲得した概念を駆使して、歴史と現在を認識する自由を認めること」という提言は重い意味を持つ。生徒の使用した概念の不正確さやあいまいさの指摘ではなく、授業という現場での生徒の輝きとひらめきに着目しており、加藤の姿勢に賛意を示したい。問題は、この先である。この現場を事後の報告として、どのように記述していくのか。実践報告における記述がもたらす論点がここにある。

言うまでもなく、実践報告という形式は「戦後歴史教育」の歴史的な語り方であった。このことが俎上に載せられることにより、「戦後歴史教育Ⅱ」の歴史的位相もあきらかになる。Ⅲが意識されるのは、こうした作業と過程においてである。

加藤の実践を介し、これまで論じてきたのは、近代歴史学の歴史的な位相であり、そこでの「戦後歴史教育」の歴史的な位置と方法、そして記述の作法であった。歴史教育とその実践、報告の考察に、史学史を持ち込むことの可能性と必要性とを本章では主張してきた。加藤実践をめぐり「論」は輻輳していき、加藤実践は、ゆたかな内容を有した営みであることがあらためて実感される。

（1）授業実践の報告といったとき、年間計画と、（報告を行った）ヒトコマの実践との関連が問われ、報告には、教師の記録という要素と、生徒の変化・成長という要素の二つをあわせ持つことなどが、頭をよぎる。このことは、歴史教育が、当面、授業実践に切り詰められてしまうようにも見えかねない。だが、この点に関し、黒羽は、歴史教育における「構造化」と「系統性」、あるいは「基本事項」と「指導計画」をあわせ論じ、教科書や指導要領についても言を及ぼしている。

（2）もっとも、文字史料においても、このことは基本的には同様であろう。文字史料も、読む側が働きかけることにより、はじめてその相貌が現れてくるのであり、働きかけに応じた姿しか見えてこない。

〔補註〕その後、『考える日本史授業4――歴史を知り、歴史に学ぶ！　今求められる《討論する歴史授業》』（地歴社、二〇一五年）が刊行された。

第19章　次世代に「知」を伝えるということ
――歴史の「知」と歴史学の「学知」のあいだ

はじめに

歴史学とは、律義な学問であると、しばしば思う。一年間の歴史学の「成果」をめぐって「回顧と展望」がなされ、時期がたつと、五―一〇年くらいの幅で、このかんの「成果と課題」が提供される。加えて、(歴史学が元気であったころには)「研究入門」の類の刊行もさかんで、史料のありよう、研究の状況について、懇切丁寧な「指導」がなされていた。

これまた、ほぼ一〇年ごとに刊行されてきた歴史講座の類は、こうした「成果」集約の集成をなし、ここでの総括があらたな地平を切り開く拠点を形成する。したがって、ということだが、個々の歴史家が執筆する研究論文は、たんねんにその主題をめぐっての先行研究に触れ、自らの考察の研究史上の位置を明示することが求められていく。

他方、個別の研究を包括する大枠として「通史」が提供され、「通史」を念頭に置きながら個々の研究はなされている。出版社が主導しての「通史」のシリーズは、こうした歴史学の営みを踏まえたものである。個別研究に目配りをしながら、あらたな「成果」を踏まえて(束ねて)あらたな歴史像として「通史」を描き出す、という構造である。教科書もまた、さまざまな条件・制約のもとであるが、こうした方向を追求しようとしている。

歴史学の営む「知」の共有が、さまざまなかたちでなされているということだが、かかる「知」の共有は、別の側面からもなされる。年表が編まれ、事典が編纂され、歴史学の「知」が「事実」の提供と「解釈」の提示として、さらに確たるものとされるのである。研究の前提をなす「事実」が、「成果」に基づき更新された「解釈」とともに、「知」として共有されてゆく。このときには、歴史家たちにとどまらず、さきの「通史」とともに、ひろく一般の人びとにも共有され、歴史学の「知」の社会への提供となっている。

こうした「歴史学のスタイル」のひとつの顔は、歴史家たちの共同性が持つ強さの投影である。歴史家たちは、その「学知」を共有し共同の「知」とし、ことあるごとにそれを確認してきたが、このことは、あわせ自分たちのつながりを認じてきたということでもある。なんと麗しい、歴史家たちの共同体であったことよ。

歴史学の「学知」がひろく発言力を持ち、多くの人びとを引きつける魅力を持つとき、このスタイルと共同性は大きな強みであったろう。歴史学の「学知」は、生産―再生産がうまくなされ、外部にも拡大―認知されていく。しかし、いったん「学知」を革新しようとするとき、このスタイルと共同性はしがらみとなり、呪縛・束縛となってあらわれてくる。改革の芽はことごとにつぶされ、革新の試みは歴史学の「学知」ではないとして放逐される――あらたな「知」は、歴史学の「成果」として登録されず、「回顧」の対象となされないのである。

かかるとき、歴史学の「学知」は負のスパイラルに入り込み、縮小再生産がなされ、そのゆえに外部との関係も希薄になりゆくであろう。〈いま〉歴史学が直面し、問題として抱え込んでいるのは、こうした状況ではなかろうか。ことばを換えれば、歴史を考察する「知」を、歴史学が占有する時代はすでに終わった。こうしたなかで、あらためて、歴史学の「学知」が試されているということでもある。

以下、近現代の日本を対象とする歴史学を念頭に置きながら考察するが、歴史学では「明治維新」―「自由民権」―「大日本帝国憲法」―「日清・日露戦争」―「大正デモクラシー」―「アジア・太平洋戦争」―「戦後社会(占領・戦後改革)」―「高度経済成長」―「ポスト・戦後社会」といった流れと歴史像が共有され、それぞれの時期の通説を前提に、個別の研究が営まれている。しかし、そうした営みは、歴史家共同体の外部に開かれ、外部の人びとに対する説得力を有しているであろうか。

二〇一二年に刊行した、私の『近現代日本史と歴史学――書き換えられてきた過去』(中央公論新社)は、このような想いのもとで著した。歴史学の「学知」は、いかなる過程をへて練り上げられていったかをみることにより、この先の歴史の「知」のありようを探る第一歩とした。歴史家共同体の確認ではなく、逆にその共同性の再編成の方向を探ろうとの試みではあった。

いまさらいうまでもないことだが、先の著作で、戦後日本における歴史学の営みを、第一期「戦後歴史学」―第二期「民衆史研究」―第三期「社会史研究」と区分したことは、個々の研究をそこにあてこむことを目的としたのではない。区分・分別それ自体を図ったのではなく、歴史学のスタイルのありようの変化が歴史像の変化を伴い、そのことは歴史学の「学知」の推移を伴っている、ということをあきらかにせんがためであった。歴史家とその研究に即し、具体的に提示しようとした。

もっとも、この営みによって「成果と課題」の一翼に私自身も位置してしまった、との想いもある。しかし、歴史学の「学知」を外部に開くためには、かかる営みを経ねばならなかった……。

この著作をめぐって、広義の意味での歴史教育に携わる方々から意見をいただけたことは、まことにうれしいことであった。とともに、私自身の探求もおのずから歴史教育に向かうこととなった。(歴史学ではなく)歴史の「知」の継承・伝達・分有としての歴史教育、そのありようの考察である。ここまで述べてきたいい方でいえば、歴史学の「学知」を、歴史の「知」としていく回路の模索である。

本章の目的は、歴史の「知」の継承と伝承を、歴史学の「学知」と広義の意味における歴史教育のありようから考察することにある。* 歴史学の側から、「歴史教育と歴史学のかかわり」を検討することであり、再び歴史学のありようを考察することになる。

＊ 歴史学と歴史教育といったとき、歴史教育が現場性を重視していることが、ひとつの特徴である。歴史教育では、「学力」をめぐっての議論が欠かせない。歴史の「知」の継承と学力との関連については、今回は踏み込めなかった。

戦後に限定して議論をたどるが、その「戦後歴史教育」においても、歴史学と同様に三局面の転回─推移があり、「戦後歴史教育Ⅰ」─「戦後歴史教育Ⅱ」─「戦後歴史教育Ⅲ」として把握したい。また、(その歴史的記述である)歴史教育史も、同様に「戦後歴史教育史Ⅰ」─「戦後歴史教育史Ⅱ」─「戦後歴史教育史Ⅲ」と推移する。対象(歴史教育)が変わるとともに、その記述も変わるということであるが、これらは、歴史学における「戦後歴史学」─「民衆史研究」─「社会史研究」とも関連しよう。

迂遠なやり方であるが、まずは戦後における歴史教育論を、とくに歴史学との関係を考えながら、検討するところからはじめたい。

1 「戦後歴史教育」のメタヒストリー

上原専禄・西岡虎之助監修『日本歴史講座』(全八巻、河出書房、一九五一―五三年)は、「歴史理論篇」と「歴史教育篇」のあいだに、「原始・古代篇」「中世篇1・2」「近代篇1・2」「現代篇」が置かれる。理論と教育が、時代の歴史像をはさみ置かれることは、理論→それに基づく歴史像の追求→歴史像の教授という流れが、再び理論にもどり、あらたな歴史像の追求となり、教授へ至るという循環の構造を示している。歴史学の「学知」を検討し、実証し、それを伝達する歴史教育が考察されるという巻構成となっており、第Ⅰの時期における講座として、よく考え抜かれた編集―構成となっていよう。*

＊ ちなみに、「歴史理論篇」は松島栄一が編集を担当し、「歴史学の課題」「歴史科学の方法」からはじまり、民族学や考古学、民俗学、地理学、文学との関係を講じ、ヨーロッパ・中国の歴史学と比較し、日本の史学史を記している。

ここでは、「歴史教育篇」に立ちいってみるが、編集は、高橋磌一が担当している。まずは、第Ⅰ部に「わが国における歴史教育史」(三島一)と「世界における歴史教育の現状」(五本。アメリカ、ヨーロッパ、中国、ソ連の事例が示される)が配され、時間・空間において歴史教育が把握される。そのうえで第Ⅱ部に、「歴史教育論」(高橋)、「歴史学習指導」（「計画と実践」「展開と総括」）、「歴史意識」（南博）、「社会科・歴史教育と平和教育の推進」（松島栄一）が置かれる。歴史教育のねらいと現状、理論と実践ともいうべき論稿が並べられる。そして第Ⅲ部として、歴史学（地方史）の研究法が記され（筆者は、古島敏雄、大石慎三郎、久永春男、今井誉次郎）、最後に付録として、「日本史学習指導案」が掲載される。

三島の論考は、教育勅語、教学刷新などを論じつつ、「儒教的道徳」「天皇主義」を強調する、戦前期の「歴史教育に加えられた国家主義的強制」を指摘したうえで、戦後の「歴史教育の転換」をいう。そして、『くにのあゆみ』批判を行い、「社会科歴史」の誕生をいうが、戦後歴史教育の推移を叙述する原型ともいうべき論考となっている。

それを受けるようにして、高橋は「抵抗のないところに教育はない」と言い切り、「平和と愛国の歴史教育」を進める方向は「現場教育者の実践」のなかにあり、「今日の歴史教育論とは歴史教育実践論でなくてはならない」とした。そして、いくつもの教育いくつもの教育実践の事例を紹介した高橋は、「学習そのものを科学的に変革せねばならない」という。経験の中でどうどうめぐりしつつ進歩の断片を拾いあつめるのではなく、現実の生活の中から事実を確かめつつ体系化し理論づけて、それが一郷土におけるものであるときはそれを日本民族の歴史の中に位置づけ、理論的に確信を得て自らの郷土の現実における実践に向かおうとするのである。

と、高橋は述べる。「生きた現実」から出発し、それを「体系的な歴史」―「科学的綜合的な歴史理解」とし、さらに子どもたちの「現実」に投げ返す「生きた実践の力」をいう。教育全般に通ずる「歴史教育的方法」といい、「自分のおかれた現実から歴史を見る眼をきたえること」を強調した。「歴史教育は歴史学的に正しいことを教育科学的に教え学ばせる」こととされ、その内実がこのように説かれるのである。歴史学との関係でいえば、その「成果」を伝えることが、歴史教育においては自明のこととされている。

こうした一九五〇年代の議論に対し、第Ⅱの時期である一九七〇年代には、様相が異なってくる。歴史教育者協議会編『歴史教育の創造――その課題と実践』(青木書店、一九七五年)をとりあえずの指標としてみよう。

「I　歴史教育の課題」として、さきの高橋磌一が「1970年代後半の歴史教育」を論ずる。高橋は、(後述する)折からの自由民権運動の掘りおこし運動にふれ、この運動を広義の「国民運動教育論」とし、どのように教育のうえに定着させるかを提起する。

ここには、「歴史学方法論」「国民教育運動論」は追求されてきたが、「大きな抜け穴」として「教育学」が残ってしまったという、高橋の認識がある。そのため高橋は、あらためて「歴史教育学」の樹立を提唱する――「歴史教授法というようなレベルではなくて、根本的に歴史教育学の樹立をめざしたらどうか」といい、「生きた子どもたち」を前にすることに「誇り」を持ち、「歴史学者の書いたものに寄りかかって」授業を行うような教師であってはならない、と強く主張した。

歴史学の成果から学び、歴史学の方法論を駆使するも、「いまや歴史学から独立した新たなる任務」を持つことを「自覚」するように訴える。自ら研究し、調べ理解し、地域の人びとの歴史意識を高めることを背景に、授業実践に赴き、歴史学からの「一定の独立」をすることを述べるのである。歴史教育の歴史学からの「独立」の主張自体は、この時点でもすでに久しくいわれていたが（たとえば、『歴史学研究』二八三号、特集「歴史教育の現状と展望」一九六三年一二月、など）、高橋はさらに踏み込み、（歴史教育学としての提起を伴った）歴史教育の自立といいうる。

符牒を合わせるように『歴史教育の創造』は、「地域の歴史の掘りおこし」を「研究と教育の結合」と位置付け、「新しい、より民衆の生活と発想に根づいた歴史の見方をつくりだしていく」とする。そして「子どもの現実、教室の現実、教師・職場の現実、地域・民衆の現実・実際から出発し、方向・方法を発見していく」ことを提言した（歴史教育者協議会常任委員会「民族の課題」*）。

＊　このとき、歴史教育者協議会（歴教協）常任委員会が、課題を「民族の課題」として把握することについても、あわせ検討しなければならないが、このことは本章の範囲を越えるため、言及するにとどめておく。

この意を汲むようにして、『歴史教育の創造』には「Ⅱ　歴史の教え方・学び方」が置かれ、小学校から、中学校、高等学校、大学までの七本の教育実践が収められる。いずれも「国民の歴史意識の形成・変革に責任を負う」との課題を自覚し、「教科(分野・科目)の授業者に閉じこめぬ、〝歴史教育者〟という自己規定」によっているとしている。

あわせて、「いわゆる実践記録に、言葉・文章・文体の変革を志向するものが、いくつか出るようになった」と六〇年代後半の運動を特徴づけた(研究会議運営委員会「七〇年代の歴史教育実践」)。ここに収められた、吉村徳蔵・本多公栄(ききて・鈴木亮)「生徒の感想文の書かせ方・読み方・かえし方」は、歴史教育学としての一助であろう。

だが、かかる歴史教育の主張は、歴史学への不信に他ならない。*『歴史教育の創造』に収録された、遠山茂樹「歴史学と歴史教育との関係」は、歴史学の側から、こうした状況に真正面から答えようとする一編である。遠山は、「世界史の基本法則の再検討」と「世界史像の再構成」との関わりを念頭に置きつつ、一九五〇年代後半以降、「歴史学の問題設定・分析方法・論証結果と、歴史教育者協議会の強調する民族的現代的課題とそれへの接近の方法」との「へだたり」が大きくなり、歴史家が歴史教育者の側から「遠のく傾向」が強まったことをいう。双方の「関係性の困難」を率直に認め、そのうえで遠山は、歴史教育からの「要請」を引きうけようとし、まずは「歴史学と歴史教育とのへだたりを、双方の側で、率直にみとめあわなければならぬ」とした。

＊ なお、遠山の唯一といってよい歴史教育論集として、『歴史学から歴史教育へ』(岩崎書店、

一九八〇年)が編まれ刊行されたのは、こうした歴史教育からの提起を受けとめてのことであったろう。ここには、一九五七年から七八年まで(本章でいう第Ⅰと第Ⅱの時期)の論稿が収められている。しかし、さきの「歴史学と歴史教育との関係」は収められていない。

このとき、遠山は歴史教育の「要請」は「あまりにも過大」「あまりにも性急」といい、いつになく当惑をみせ、困惑も示す論となり、引き裂かれるようにしながら発言している。遠山が述べるのは、科学としての歴史学―「歴史発展法則の認識」という命題と、「歴史学→歴史教育という筋道だけではなく、歴史教育→歴史学という筋道をもあわせ考える」という課題との関連である。

後者の課題に関し、遠山は「歴史学の発展を先どりする歴史教育の実践」といい、「法則的究明で充分説明できず、しかも歴史像の構成に不可欠の諸要素をも歴史教育の内容にとりいれなければならない」とした。遠山の議論の眼目は、歴史像の提示を核とする点にあり、歴史像を双方の接点にしている。すでに、遠山は、歴史教育が歴史像を伝えているという認識を前提としているようで、認識と叙述の議論に遠山は踏み入っている。

歴史学の「個別事象の分析」も、それがいかなる歴史像を前提とし、どのような歴史像の再構成への「接近」をいうかが読みとれる論でなければならないと遠山はいう。「歴史学の出発点は歴史像にあり、その到達目標はやはり歴史像にある」ことを確認するとともに、歴史像こそが、歴史学と歴史教育、歴史学と人民のかかわりあい―接点をなすと議論を設定する。

歴史の学問的究明の基盤は、歴史のおもしろさを体得することにあり、そのおもしろさが歴史像をえがく力から生れる。

と、遠山は述べた。歴史の「知」は、歴史像として集約されるという主張として、〈いま〉に響く議論となってこよう。

歴史学と歴史教育との関係は、第Ⅱの時期の後半期である一九八〇年代には、さらなる議論を生み出す。『歴史学研究』(一九八六年四月―九三年五月)が二四回にわたり、「歴史学と歴史教育のあいだ」という連載を行った(その抜粋が、歴史学研究会編『歴史学と歴史教育のあいだ』三省堂、一九九三年、として刊行された)。

多様な議論がなされるが、初回の座談会「歴史学と歴史教育のあいだ」(一九八六年四月。参加者は、石渡延男、本多公栄、峰岸純夫、安井俊夫、司会・小谷汪之)が問題を投げかけ、あとに続く連載の枠組みを設定している。座談会自体も多様な論点を提供しているが、歴史教育の側から、(歴史学と歴史教育は)「相対的独自性」を有することをいい、歴史学との「一体性」を自明とすることへの疑義と提言がなされた。

座談会での議論を五点にわたって考えたいが、第一は、歴史学での見解と異なる事例が、教室では出来することをめぐってである。「相対的独自性」の例として、座談会では、スパルタクスの反乱をめぐる安井の実践が議論される。スパルタクスが、ローマに攻めていくこと／アルプス越えをすることをめぐって、歴史学のもとでは後者（アルプス越え）が議論され、前者（ローマ攻撃）は問題とされない。しかし、教室ではローマ攻撃がいわれる――「ローマへということは、子どもが出してきていることで、それを抑えるわけにはいかない」（本多）。『歴史学研究』誌上では、このあと安井と（スパルタクス研究者の）土井正興との論争がなされた。

また、同様の事例として、「自由自治元年」をめぐっても議論される。歴史学ではこの私年号の使用に疑義があるが、秩父事件についてはいえないとしても、自由民権運動全体でもいえないか――「歴史教育の場で、限定しながらも使いたい」（本多）。また、小田為綱「憲法草稿評林」を授業で使用したとき、歴史家がまだこの史料が確証されつくしていない、と述べたことに関し、安井は、

確かに事実として未確認のものもあるだろうけれども、だからこそ、それを素材として子どもと教師が一緒になって考えることは、歴史教育としては意味があるんじゃないか。

という。このことは、第二に、「歴史教育も研究であるという側面」を、歴史教育の側からだす（安井）という主張に連なる。「よい授業をつくるためには、やはり自分で調べ

ないとだめ」(本多)ということの確認であるとともに、歴史学が「研究」という名のもとに、歴史教育の上位におかれることへの批判である。

第三は「正答主義」をめぐってである。「客観的な事実では済まず、教える人間の価値観に規定されて答えが多様になる側面」(小谷)との論点がだされる。さらに、答えがひとつであるということは「中立」―「中立主義」であるとともに「一種の権威主義」(本多)であり、「民主主義を単なる「必然論」として教える」ことの問題性が指摘された(石渡)。

そして、第四は、議論は、座談会においては必ずしも詰められなかったが、「共感」「追体験」をめぐってである。「第一義的に重要なのは科学的認識」であり、「共感」は入口にすぎないという歴史家の議論を引き、安井は「その通り」だが「実体はそう簡単に割り切れるものではない」とした。

第五は、「事実をふまえて子どもが構想する、というときの「事実」」(本多)をめぐってである。

歴史教育としては、はっきり言えることは、歴史像のもとになるもの、これは知識、歴史の事実だと思うんですが、これを身につけさせることは、絶対、歴史教育で教師がやるべきことですね。しかし、そのあとで子どもがどういう歴史像を描いていくかというところは、子どもどうしの討論であったりするわけです。(安井)

こうして、ここでの論点は、「共感」と「自分の目」、認識の過程となり、生徒の受けとめ方を修正するか、そのまま肯定するか——歴史学の「学知」と、生徒の発見との溝をどのように考えるのかということとなる。生徒を「主体」としたとき、歴史学の「学知」から離れる事例があらわれ、そのことは歴史教育において決して無視しえないという論点である。

近刊の加藤公明『考える日本史授業4』(地歴社、二〇一五年)は、生徒の「主体」を前面に押し出し、生徒に「歴史認識の主体性」を回復させる営みを強調する——「肝心なことは、その歴史意識をいかに主権者にふさわしい民主的で科学的なものに成長させるかである」。*

＊　このとき、私は二重の主体性を考える。①歴史を認識する主体性、②歴史においての主体性だが、ここで加藤がいうのは、①であり、②は、「主権者」の意識を獲得させる教育目標として、組み込まれている。

加藤は、組織者として教師の役割をいい、(「知的好奇心を喚起」し「答えの多様性」を持つ)問題提起から始める。あわせ「教育内容設定」によった授業づくりが、いまや「教材・授業方法(子どもの側)」から始まるものに「転換」してきたことを指摘する。

こうした加藤は、歴史学による歴史教育への「圧力」をいい、「生徒の歴史認識の成長が阻まれている」とした。歴史学のありように対する、歴史教育からの批判である。

このように、歴史学の「学知」と歴史教育の実践とが対照され、その関係が議論されてきている。双方の関係は、(「学知」と「実践」という問題設定も含め)あらたな状況にさらされている。*

＊「史学史」を織り込んだ授業が私なりの双方の関係性への向きあい方であり、状況に対しての実践である。前掲『近現代日本史と歴史学』は、その報告であった。

他方、本章では、その作法に従い、推移を「戦後歴史教育Ⅰ」―「戦後歴史教育Ⅱ」―「戦後歴史教育Ⅲ」として把握してきた。「なにを」伝えるのか(Ⅰ)に比重が置かれた時期に対し、「いかに」伝えるのかが浮上し、「教材論」から「教育論」に比重がかかり(Ⅱ)、さらにはいまいちど、双方を関連付けることが求められてきていよう(Ⅲ)。

しかし、このように示唆に富む歴史教育論であるが、議論は教室のなかに閉じてしまっている。そのことの検討が、本章でのいまひとつの課題である。

2 歴史教育の「場所」(その1) ―― 教室内外での自由民権運動

歴史教育といったときに、いわば狭義の歴史教育が自明とされ、歴史学の「学知」と教室での生徒・学生たちとの関係に議論が集中している。加えて、歴史教育といいつつ、事実上、議論されているのは歴史教授法となっている。「何を」と「いかに」の次元である。

これに「誰に」をあわせ考えること——生徒、学生、一般社会人のすべてを対象とするのが第Ⅲの時期の課題とするとき、それぞれの人びとの背後にあるメディアを射程・視野に収めることが必要となってくる。

メディアを視野に収めるということは、二重性を持つ。第一には、メディアと「学知」を接続する領域に歴史教育が位置していることであり(図)、第二には、生徒・学生はむろんのこと、教員自身もメディアが提供する歴史像から無縁ではあり得ないということである。

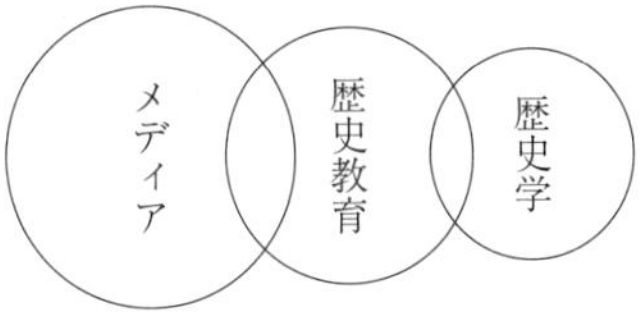

伝達する「知」、「知」の伝達を考察するために、広義・狭義の歴史教育といういい方をしてきたが、あらためて「歴史教育的なるもの」として把握するとき、その「場所」として、まずは、

(A)教科書、副読本、修学旅行、および、入試、参考書
(B)映画、ドラマ、小説、漫画
(C)博物館、資料館、社会教育・生涯教育

が考えられる。ここでも、「戦後歴史教育Ⅰ」—「戦後歴史教育Ⅱ」—「戦後歴史教育Ⅲ」の推移のなかで、(A)(B)(C)の内容、それぞれの関係(および、その把握のしかた)も変容してきていることを前提とし

ておく必要がある。

具体的に、対象としての自由民権運動が、いかに扱われていたかを(A)と(B)について見ていこう。

まずは、(A)において、「戦後歴史教育」に一貫する「戦争と平和」――「平和教育」の構成と射程のなかで、単元としての自由民権運動の扱いを、第Ⅰの時期に探ってみる。さきの上原専禄・西岡虎之助監修『日本歴史講座』の「歴史教育篇」に掲げられた「日本史学習指導案」における、中学校の「自由民権運動」(大森良治)の学習の個所である。これは、歴史教育者協議会の「有志」の提案にかかわり、「目標」「教材配列」「準備」「導入・展開」「取扱上の注意」という形式を持つ。

第2年目の展開で、( )内は時間数をあらわす。

一学期「近代のめばえ」(8)、「明治維新」(10)、「自由民権運動」(8)

二学期「日清・日露戦争」(8)、「第一次世界大戦」(8)、「日本の近代文化」(6)、「太平洋戦争」(8)

三学期「戦後の日本」(8)、「世界平和と日本」(6)

との単元、および時間の配分である。教材には「二つの山」があり、(1)自由民権運動がめざしたもの―政府と民衆とのあいだで「一体、何がたたかわれたのか」、(2)運動の成

果──「日本の進歩にどのような貢献をしたか」と「導入・展開」が説明される。そのうえで、「教材配列」は、

Ⅰ　政府と国民

1　当時の国家の位置(半独立国)、2　政府の方針(富国強兵)、3　国民の方針(自由民権)

Ⅱ　運動の発展

1　運動の発展(日本国憲法草案と政党)、2　政府の対策(弾圧)、3　運動のゆくえ(分裂・敗北)

Ⅲ　大日本帝国憲法

Ⅳ　運動の成果

とされ(カッコ内は原文)、(1)自由民権運動がなければ、「このような憲法すら」出されず、さらに遅れ、(2)「このような憲法議会」でも、「国民の政治に対する関心は、それ以前に比べて急速に高まっていったこと」を、運動の「成果」としてつかませることをいう。

また、「準備」として、京都大学日本史学研究会編『日本史研究資料』(上下、羽田書房、一九四九・五二年)、遠山茂樹『平和を求めた人々』(福村出版〈中学生歴史文庫〉、一九五〇年)、『画報近代百年史』(全七巻、国際文化情報社、一九五一─五二年)が挙げられ、さらには「地域の故老から当時の話をきく」ということも挙げられている。

第Ⅱの時期には、自由民権運動にかかわる研究—教育は大きな体験をする。自由民権百年の集会が各地で開かれ、三度にわたり全国集会が開催され、歴史教育もまた、活況を呈す。この時期に『歴史地理教育』は、「自由民権運動」(二八四号、一九七八年一一月)、「秩父事件」(三〇一号、一九八〇年一月)、「自由民権百年」(三二六号、一九八一年一〇月)、「自由民権運動と秩父事件」(三六九号、一九八四年七月)などの特集を組む。

まずは教室に限定をし、ここからみていこう。一九七〇年前後から一九八〇年前後にかけての時期、『歴史地理教育』は「地域」に軸足をおく教材を発掘することに熱心であり、あわせて「どのように教えたか」という実践報告を多く提供していた。*

＊ たとえば、三四四号(一九八二年一二月)は、特集「実践記録の書き方読み方」を組み、授業研究が主流となる。

自由民権運動を対象とし、どう教えたかをめぐり、多くの報告がなされ、主なものだけでも、小池喜孝「近現代史の中で井上伝蔵をどう扱ったか」(一九七一年一月)、鈴木義治「秩父事件をどう教えたか」(一九七五年一〇月)、松影訓子・島崎忠志「自由民権をどう教えたか(小六)」(一九七六年二月)、松本成美「秩父事件・飯塚森蔵を教えて」(一九八〇年五月)、佐藤喜久雄「中学(歴)松沢求策と自由民権運動」(一九八一年九月)、鈴木義治「高校生と自由民権運動をさぐる」(一九八五年八月)などがある。

こうしたなか、第Ⅱの時期には、遠山茂樹により、歴史学の側からの要請「自由民権運動の学習の重点」(『歴史地理教育』二八四号、一九七八年一一月)が掲げられる。遠山は、自由民権運動の歴史を、(α)一八七八(「愛国社再興大会」)―八四年(「自由党解党・秩父事件」)と(β)一八八五―九三年(「第四議会」)とに二分し、自由民権運動が(自由党解党後も)「敗退しつつも成果をのこしてきたこと」をいう。

同時に、遠山は、

> 中学の学習では、典型的な時期における典型的な歴史像を生徒がもつことのできることに努力の重点をおきます。このことは、歴史学習の目標である時代の認識のうえでの基本なのです。

という。「典型」を教えることを基本とするのが、遠山の歴史教育論である。これは唯物史観の立場でもあるのだが、この点は、とりあえずおこう。遠山はこの観点から時期は(α)に限り、「国会期成同盟結成とその活動、自由党・立憲改進党など政党の結成にいたる過程」が「学習の中心」であるとする。「国会開設要求の署名運動」が全国各地で展開され、国会期成同盟が結成されること、そして天皇に(「請願」ではなく)「要求書」が出される過程について、「具体的な歴史像」を生徒が持つよう「教材」を提供するように述べた。

すなわち、遠山は自由民権運動の「本質」を「国民的規模への発展の展望をもった組織的な政治運動」（傍点原文―註）とする。このことは、「近代の特色」の三つの柱――(1)「日本資本主義の形成と確立」、(2)「民主主義の発展」、(3)「日本の統一国家の形成および確立（日本帝国《マ》主義の成《マ》立）とアジア諸民族との関係」と捉え、そのうえで「自由民権運動の性格と役割」を(1)と(2)の関連にあるという認識によっている。

関連して、秩父事件は「党の指導が失われ、諸階級・諸階層の連携が解体しはじめた情況の所産」であり、「通史学習の一環としての」自由民権運動の学習においては、福島事件にくらべ比重は低いとした。遠山は、慎重に、「もとよりどちらの歴史的意義が大きいかを問題にしているのではありません」と述べているが、「近代」→「自由民権運動」→「国会期成同盟」と構想し、生徒は具体的な「国会期成同盟」の活動から「自由民権運動」を理解し、「近代」の特徴をつかむという道筋を提唱する。「本質」を把握するために「典型」を提供することが、遠山にとっての歴史教育であった。

このとき、『歴史地理教育』（三六九号）に掲げられた小出隆司「地域の教材を生かした自由民権の授業」は、歴史教育者協議会の教育実践を、(1)民権運動の前半期（一八八一年）に視点をあてたもの、(2)激化事件（秩父事件）に視点をあてたもの、(3)は(1)と(2)を組み合わせたものと分類し、そのうえで、自らは「地域の素材を教材化」し、小学校における(3)の実践を報告した。さきの遠山の提言に沿えば、(1)を重視する見解に対し、(3)を選択する。

高校の実践は、小沢誠「追体験で学ぶ喜多方事件」(同右)が報告している。(a)自由民権運動の展開、(b)福島県の自由民権運動、(c)喜多方事件、(d)自由民権運動の退潮と帝国憲法の成立(各一時間)と授業を組み立て、遠山構想に接近している。

小沢がねらいとするのは、自由民権期が「社会変革の国民的エネルギーがあふれていた時代」であることをイメージさせ(a)、(「政社政党の発達」「国会開設運動」「県会闘争」「農民の示威行動」「政党と農民の連帯」などを念頭に置きつつ)福島県の自由民権運動が、自由民権運動の「全体」を代表しうる「典型的な動き」を持つことである(b)。

また、喜多方事件は「地域の歴史の進歩的な伝統」を「教材化」しうる対象であり、三方道路開設問題は「地域開発と地域住民の要求」を「地方政治」のみならず、「国政革新の展望」のなかでも考えうるとした(c)。そして、全国的な動向や、政府との対抗関係のなかで、運動が発展し分裂していく過程をたどり、地域により「日本の歴史全体」を考えることができるとした(d)。「地域」の事例を日本全国の動向と重ね合わせること、「地域」の事例を「典型」とみなすことによって、自由民権運動の単元をつくりあげる。

加えて、小沢は農民たちの喜多方警察署への押し寄せを追体験する「歩く会」に学び、自由民権運動―喜多方事件を生徒に体感させる。こうして、小沢は、「地域の歴史にふれた生徒」が歴史と社会に対する「関心」を強め、「主体的」にかかわろうとする姿を伝え、「生徒の自己変革の契機をつくる教材」を提起していった。

さて、動きは、教室の内部にとどまらない。さきの遠山の論稿が掲載された『歴史地理教育』は、あわせて座談会「自由民権運動の問題点」を掲載する。副題に「研究・掘りおこし・教材化をめぐって」とあり、「自由民権研究の現段階」(江村栄一)、「北海道における自由民権の掘りおこし運動」(小池喜孝)、「秩父事件をどう教材化するか」(中田宗紀)との「問題提起」を行っている。この時期、歴史教育では「地域」とともにその「掘りおこし」が熱心に実践され、そのことが議論のひとつの焦点をなしている。*

＊ 小池喜孝の『鎖塚――自由民権と囚人労働の記録』(現代史資料センター出版会、一九七三年。岩波現代文庫版、二〇一八年)や『伝蔵と森蔵――自由民権とアイヌ連帯の記録』(現代史出版会、一九七六年)、小池の監修にかかわる『民衆史運動』(現代史出版会、一九七八年)などが刊行されるなか、船津功は「民衆史掘りおこし運動の成果と課題」および「民衆史掘りおこし運動の方法と課題」(『歴史評論』三六五・三六八号、一九八〇年九・一二月)で、掘りおこし運動を、小池を軸に検討している(のちに、船津『歴史学と民衆史運動』北海道出版企画センター、一九九四年、に所収)。

「掘りおこし」は「顕彰」と対をなし、運動として展開されており、多くの文献を有

しているが、本章ではこの座談会に拠ってみよう。小池喜孝は掘りおこし運動の中核的な役割をはたすが、

ゲストを私たちは常に講座におよび、集会に招いて、そのゲストとともに歴史意識を変える、そういう運動をしている。

と述べる。「いわば遺族のぬれぎぬ、怨念のようなものがなくならないで何の顕彰ぞや」と小池は述べるが、歴史学との関係では、

研究者の方からは若干違和感を持たれているという、苦渋はたびたび感じております。

ともいう。「冷静・客観性」を欠いているとされるようだが、この実践は「国民の歴史意識」を、みずからともども変えるという「大衆運動」であり、「感動・感性的認識」から入っていくことは「不可欠の要件」とした。さらに小池は、歴史家に対しては、あたらしい史料や聞き取りを「大事に保管」し「史料操作」をくりかえした後で論文としており「歯がゆい」と手厳しい。自分たちは、それをすぐに「運動の一つのエネルギーに変え」すぐに発表する……。

こうした「掘りおこし」と「顕彰」にかかわり、『歴史地理教育』は、三三〇号(一九八一年一二月臨時増刊)で「地域の掘りおこし運動と歴史教育」の特集を組む。自由民権運動にかかわって、「秩父困民党小柏常次郎の足跡」(山寺利男)の報告がある。そのほか

にも、二二三号(石井重雄・小池喜孝・鈴木義治・中沢市朗・本多公栄「民権運動と地域の掘りおこし」一九七四年四月)、二三四号(小池喜孝「秩父事件の研究と顕彰」一九七五年二月)、二七二号(「第一回北海道民衆史掘りおこし運動 見学参加記」一九七七年一二月)などが掲げられた。

一九七〇年代の「戦後歴史教育Ⅱ」の活動の一端が、ここにある。『歴史地理教育』は、さらに特集「歴史教育から歴史学へ」(三八〇号、一九八五年三月臨時増刊)で、「子どもとともに歴史を学び、歴史をつくる」を副題とし、「Ⅰ 歴史意識の形成と歴史教育」「Ⅱ 子ども・青年は歴史を学び、歴史をつくる」「Ⅲ 歴史教育運動と歴史認識の形成」のもと、「自由民権百年と歴史教育の課題」(本多公栄)、「民衆史掘りおこし運動と歴史教育」(松本成美)などの論稿を収めた。

こうした歴史教育の動きに対し、歴史学の側からは溝が意識されていた。さきの座談会「自由民権運動の問題点」でも、江村栄一は、歴史家は「説得性科学性」を求められ、一つ二つの材料では意見を表明することが難しいと述べていた。遠山茂樹こそ、「地域の自由民権運動の歴史を掘りおこし、殉難者を顕彰し、遺族の復権をめざす運動」を評価したが(「歴史掘りおこし運動を考える」『歴史評論』三七五号、一九八一年七月)、大方の研究者には「研究気運の衰退」と「運動気運の高揚」が感じられていたと総括されている(たとえば、『自由民権』一七号、二〇〇四年三月、の諸論稿など)。*

＊『自由民権』一七号は、特集「「研究」と「顕彰」のあいだ」を組み、研究と運動、検証と顕彰の関係を、(自由民権運動研究に携わってきた)歴史家たちがあらためて検討している。真摯な議論だが、議論の枠は研究史に収斂されている感がある。ことは、歴史学の「学知」のありようにかかわっており、第Ⅲの時期に営まれる検討―議論としては、記憶と「学知」との関係、「知」のありようの変化にまでなりゆこう。続編のようにして、松崎稔「〈研究〉〈顕彰〉〈市民〉と〈私〉のあいだ」(二七号、二〇一四年三月)も記された。

しかし、歴史の「知」と歴史学の「学知」との関係でいうとき、「掘りおこし」と「顕彰」の運動は、二点で評価できよう。第一は、この運動は、非「典型」的な事例の発掘と再検討であり、その点で、第Ⅰの時期の議論への批判をなしていることである。小池の認識は、入口は「感性的認識」だが、「科学的認識へ到達する」ことを目的としている(前掲、座談会での発言)。「典型」を前提としたうえでの非「典型」の発掘であり、そのことによる「典型」の相対化であった。

加えて、第二点目として、「掘りおこし」は、さらなる深い意味を有していた。小松良郎「地域の掘りおこしと歴史教育」(『歴史地理教育』三〇一号、一九八〇年一月)は、そのことを論じて余すところがない。小松は、北海道の「民衆史運動」は「民衆の中の誰を掘り出したか」(傍点原文―註)と問いかけ、『民衆史運動』の一節を答えとして引用する

――それは「天皇崇拝を強要され、ついに信仰をまげた人、あるいはやむを得ず信仰を棄てた人」であると。

小松が「民衆史運動」の対象として見すえているのは、決して進歩的な活動に加わった人ではなく、逆に体制に順応してしまった人である。小松は、こうした人びとこそが「民衆史運動」にたずさわり「おもい口をひらいて発言しはじめている民衆」であり、彼らの「心」と「歴史に対する考え方」が変わらないかぎり、地域も日本も変わらないとする。彼らは、戦争責任に対しても被害者意識を持ったであろうが、「自己を語りだし、自分を含めての歴史に対して能動的に生きることを覚悟したとき「加害者」の問題がでてきた」といい、「この変わり方、生活者である民衆の心の変わり方」を、小松は見すえており、歴史教育の根幹をここにおく。

こうした視線は、運動と研究、顕彰と検証などの二項の対抗関係を越えていく。だが、この視線は第Ⅱの時期のものであることもあわせ見ておく必要がある。顕彰運動は、記憶の転換を探る営みであり、あらたな集合的記憶の提唱となりゆくのである。

こうした議論ののちに刊行された学び舎版の中学校教科書『ともに学ぶ人間の歴史』(二〇一五年)は、実際に授業を担当する教員たちの執筆によっている。この教科書が持つ意味を、歴史学の側から鹿野政直は、「「人びと」から拓く歴史」(『歴史学研究』九三九号、二〇一五年一二月)として言及した。鹿野は、この教科書を読み解きながら、「生徒の

「自主的な学習活動」」(家永三郎)のための教科書という志向が、「「人びと」から、「現場」から、という構想への到達」となったといい、最大級の賛辞を与える。そして加えて、このことは同時に、「歴史教育の場からの、歴史学への痛烈な問いにほかならない」と論じた。私もまた、そのことを強く感じる。

『ともに学ぶ人間の歴史』で、自由民権運動は、「昔一揆、いま演説会」「民衆がつくった憲法」の二章で扱われ、前者では「演説会」の開催と「署名運動」が記される。本文は板垣退助から記されるが、冒頭は「演説会」から説き起こされ、肥塚竜や石坂昌孝らの動きが紹介される。また、女性の参政権を主張した楠瀬喜多に言及し、民権家として岸田俊子が演説する図版も掲げられた。

後者は、五日市憲法と起草者の千葉卓三郎、草案が発見された深沢権八らの動きで叙述される。地域の豪農の動きとして、幅広い活動の結晶として五日市憲法が説明され、このメンバーは結成された自由党に入党する、として叙述をつなげていく。いわゆる激化事件に関しては、福島事件が本文で扱われ、コラムで秩父事件が説明されている。

そして、これに続く「天皇主権の憲法」の章のなかで帝国議会にふれ、植木枝盛、中江兆民が当選したこと、「自由民権派の流れをくむ政党」が過半数の議席を占めたことをいう。兆民については、すでに文明開化のなかで言及し、枝盛は「東洋大日本国国憲按」が史料紹介され、帝国議会で「女性の権利」を認めるよう主張したことが記される。

五日市憲法に話題を結晶させることは、歴史学における「民衆史研究」の認識を中核に据えるということである。「戦後歴史学」の成果をもとに構成・叙述されてきた教科書のなかでの大きな冒険である。他方、秩父事件は本文とは独立させられ、その位置付けはあきらかではない。ここでも課題は、典型と非典型を包み込んだ歴史像の提供ということになろう。典型を主流にして、非典型といういまひとつの歴史があった、とするのではない語り――あらたな歴史の語りが求められている。

とともに、この教科書の採択が、一部の受験校・進学校に集中していることはどのように考えればよいのか。やっかいな論点も浮上してきている。

3　歴史教育の「場所」(その2)――メディアのなかでの自由民権運動

一九八一年に横浜で開催され、その後、二度(東京、高知)にわたった「自由民権百年」の全国集会の運動は、「歴史教育的なるもの」としても、大きな役割を担った。この流れのなかで、(C)として括りあげたが、自由民権運動にかかわる博物館として、自由民権資料館(東京・町田)や自由民権記念館(高知)がたてられ、展示をはじめ、講演会、出版活動などを行っていることは、「知」の伝達にとり重要である。また、江戸東京博物館、国立歴史民俗博物館などの近代展示においても、自由民権運動のコーナーは欠かせないものとなっている。

他方、(B)映画、ドラマ、小説、漫画は、(A)(C)との緊張関係を有し、しばしば(A)を嫡流としたうえで、みずからをその外部に位置づけることがなされる。(B)からすれば、(C)は(A)の延長線上におかれ、しばしば歴史学の「学知」の伝達をなすとみなされる。そして、(B)はかなりの幅を持ちつつ、(A)(C)とに対抗する。(A)(C)↔(B)という構図だが、((A)(C)を根拠にした)「本当の歴史」に対する「もうひとつの歴史」と位置づける発想であり、(A)(C)と(B)との非対称性のもとでの乖離がなされる。また、(B)を取り上げる難しさは、当時においては共有されていた関心が、時間がたつと大方、雲散霧消してしまうことにある。

しかし、ここでも歴史学―教室が「正／主」で、その「従／補」としての外部ではないことは自明である。このことを示すために、本章では(B)を扱ってみよう。前項と同様に、自由民権運動に材をとるドラマ―映画を探るが、秩父事件を対象とするとき、すぐに思い浮かぶのは、一九八〇年の「NHK大河ドラマ」として放映された『獅子の時代』(全五一回)と、二〇〇四年に公開された、映画『草の乱』(監督・神山征二郎)である。

『獅子の時代』は明治維新から戊辰戦争、西南戦争と一八六〇年代からの近代日本の出発を描くドラマだが、最後は秩父事件に行きつき、「自由自治元年」(第五〇回)をタイトルとした放映もある。また、映画『草の乱』は、秩父事件一二〇周年をきっかけに、秩父事件自体を描く。前者は、本章で論じてきている第Ⅱの時期に、後者は第Ⅲの時期に制作された作品であり、それぞれの時期の秩父事件像が投影されていることはいうまでもない。

ちなみに第Ⅰの時期には、自由民権運動に関連し、溝口健二の監督による福田英子の映画化『わが恋は燃えぬ』(一九四九年)がなされ、田中絹代が福田を演じているが、秩父事件を扱ってのドラマ―映画の存在は、不明にして知らない。小説として、西野辰吉『秩父困民党』(講談社、一九五六年)が書かれたことが目につき、そのほかには、春田国男『寅市走る』(上下、有朋舎、一九八三年)が出された。また、漫画では、森哲郎『劇画 秩父事件』(出版工房、一九七六年)のほか、安彦良和『王道の狗』(全六巻、講談社、一九九八―二〇〇〇年)の冒頭に秩父事件が描かれる。

そもそも自由民権運動をめぐっては、メディアはなかなか取り上げず、核となる作品が多くなく、そのこと自体が検討の課題となろう。社会運動がドラマ化されない、ということではない。初期社会主義―大逆事件をめぐっては、いくつもの作品が提供されている(この点については、成田龍一「「現代の文法」を探るために――二〇一五年の歴史的位相」『社会文学』四三号、二〇一六年三月〈のち『「戦後」はいかに語られるか』河出書房新社、二〇一六年、に所収〉、で簡単に触れておいた)。

いくらか、『獅子の時代』(脚本は山田太一)に立ちいってみよう。一八六七年のパリ万国博覧会から物語は始まるが、会津藩士の平沼銑次(菅原文太)と薩摩藩士の苅谷嘉顕(加藤剛)という、造型されたふたりが軸となる。その後、明治維新―戊辰戦争をへるなか、それぞれ激動の渦中におかれるが、銑次の妹が嘉顕と結婚し接触が深まる。

秩父事件に関しては、第四六回「秩父路を行く」から最終回の第五一回「獅子の叫び」まで六回にわたって描かれる。事件の二年前の一八八二年七月に、銑次は樺戸監獄で知り合った、松本英吉(丹波哲郎)を秩父に訪ね、そのもとで農民に学芸と武芸を教え込む。秩父に「会津の先生」(稲野文治郎)がいたことを踏まえての、銑次の行動の造型であろう。

他方、嘉顕は(伊藤博文が一八八四年三月に設置した)制度取調局に勤めることになり、憲法草案にかかわる。銑次による、下から地域の農民たちを主体化させる動きと、上から憲法を介しての国家建設があわせ描かれるが、前者は蜂起に到る路となり、後者は改良路線となりゆく。

秩父事件像としては、秩父地域が養蚕を副業とし、前年までの好況が一八八二年には不況に陥ったことが、大蔵卿・松方正義の政策との関連で説明される。物語から離れ、地図を用いたナレーションによる解説だが、物語の進行とともに、映像でも一家流出し、心中する農民家族が登場する。農民たちはみな「高利貸」からの借金に苦しみ、その交渉を懇願する姿も映し出される。また、当面は請願を主軸に据える田代栄助(志村喬)と、蜂起を射程に入れる銑次、英吉、そして水戸藩士・伊河泉太郎(村井国夫)の路線が併存する「徒党づくり」―秩父困民党の結成も描かれる。請願を繰り返しては追い返される田代と、武器を集め訓練を繰り返す銑次らの行動が並行しており、秩父困民党の二路線のように描く(第五〇回)。

『獅子の時代』では、田代栄助は村人からの信頼が厚く、銑次、英吉、そして泉太郎が懇願し「総理」となるが、蜂起には慎重であり、決断してからも準備に時間をかける人物とされる。第五〇回と第五一回が秩父困民党の蜂起であり、物語はその動きをたんねんに追う。一八八四年一一月一日は時刻を追い農民たちの集結を、翌日からは小鹿野、大宮郷、皆野などへと困民党が転戦した動きをたどる。映像としても、椋神社(吉田)に集合した農民に、(菊池寛平が作成した)五つの軍律を示したり、高利貸を襲い、借金証文を焼却し、役場、警察署を襲い、町を占拠した場面を描く。ただ、菊池も『獅子の時代』に登場するが、物語で軍律を農民に伝えるのは、泉太郎である。

軍隊が登場し、弾圧がすすむなか、困民党は統率がとれなくなり、田代も「手に余る」といい、農民たちは混乱する。脱走するものも出てきて、困民党は「解体」するのだが、田代らは蜂起の先の見通しがなかったことを暗にいう。対照的に、「自由自治元年」の旗を掲げながら奮戦する銑次の姿が映し出される。*

＊　さきの『歴史学と歴史教育あいだ』のなかで、「自由自治元年」をめぐる「史実」が問題化された。しかし、『獅子の時代』では、それが全面的に打ち出されている。

『獅子の時代』は、憲法発布を物語のひとつの結末とするが、嘉顕は伊藤博文と対立し、他方、自由民権家からも信用されず、非業の死を遂げる。そのなか、映像でくり返されるのは、「国民は愚か者にあらず。もし国民の声をきかず、政府官僚が独裁、独善に陥れば、必ず国家は破局に向かう。願わくば、日本国憲法は国民の自由自治を根本とし……」という嘉顕のことば—願いである。

こうした『獅子の時代』であるが、「知」や「学知」の伝達という観点からは、まずは、どの水準に評価の軸を定めるかが問われることになる。一八八〇年代の歴史像としては、近代日本の国家づくりという点に収斂しているが、憲法と運動をともに視野に収めており、（B）の作法を用いたものとして、視点をおさえている。

自由民権像としては、(制度局に任官した)嘉顕をいまひとつの軸とするため、いきおい民権家の描き方が粗暴な者たちとなった。秩父事件に焦点を当てたことも、民権家の評価を低くしている。そして、その秩父事件像も、請願と蜂起の双方をあわせ描きていいな解釈となっているが、幹部として、(田代ではなく)井上伝蔵、あるいは落合寅市を登場させれば、あらたな秩父困民党像となってこよう。秩父事件研究に欠かせない、井上幸治『秩父事件——自由民権期の農民蜂起』(中央公論社)がすでに一九六八年に出され、一九七三年には、井出孫六『秩父困民党群像』(新人物往来社)、小池喜孝『鎖塚』(前掲)が刊行され、井出、小池は秩父事件に関する著作を次々に刊行した時期である。あえて、田代に焦点を当て、田代を軸に秩父困民党像が作られた『獅子の時代』ということになる。

歴史の「知」としては、どうであろうか。『獅子の時代』のメッセージとして、銑次は最後に農民たちに向かい「秩父を変えるのは、秩父に生まれたお前たちだ」と励ます。そして、ナレーションは「例えば足尾銅山鉱毒事件の弾圧のさなかで、例えば北海道幌内炭鉱の暴動弾圧のさなかで、激しく抵抗する銑次を見たという人がいた」「そして噂の銑次はいつも闘い抗う銑次であった」と締めくくる。明治維新―自由民権運動のなかでの「民衆」の存在と運動をいい、その行為が伝承された、と伝えるがごときである。この点については、さらに後述しよう。

いまひとつ、秩父事件をめぐり引き起こされた出来事にも言及しておきたい。二〇一一年二月に放映された、TBSドラマ『浅見光彦シリーズ　菊池伝説殺人事件』に関してである。*内田康夫『菊池伝説殺人事件』(角川書店、一九八九年)を原作としたこのドラマをめぐって、秩父事件研究顕彰協議会は会長の名前で抗議文を出し、「地域の名望家」菊池貫平を「略奪、放火と、悪逆の限りを尽くし、金を隠した」としたことへの「侮辱」をいい、「現地に顕彰碑も建てられていることをご存じないのであろうか」と厳しく難詰した。私もドラマの放映を観ていて、釈然としなかった。

＊　同じ原作に基づき、フジテレビでもドラマ化したが(『熊本・菊池伝説殺人事件』二〇〇五年)、こちらも秩父事件「暴徒」説にたち、菊池寛平を、本名は別であるのに、「菊池本家の名を騙って、略奪を恣にした」「菊池の名を汚した」と、登場人物にいわせている。

ここで議論すべきことは、本章の観点からするとき、秩父事件にかかわる「学知」が充分に行き届いておらず、かつての「暴徒」像から脱していない、ということになる。身も蓋もないいい方をすれば、ドラマ化に当たり、ていねいな取材をしなかったことに問題がある。

原作の内田康夫は、単行本化されたときの「あとがき」で、「はるか熊本まで行って、秩父事件の首魁に巡り合う」という驚きに発し、『菊池伝説殺人事件』を構想したとしている。そして、本文中に、平凡社版『世界大百科事典』を出典とした、「秩父事件」の要約を記すほか、井上幸治『秩父事件』を参照し、「この事件は歴史的にさまざまな評価を受けている」という――戦前までは「ほとんど抹殺」され、「真相」を人びとは知らず、「体制側」は「単なる不満分子、暴徒の無法行為」としたが、「新憲法下」で秩父事件は再評価され、「「国権に対する民衆の、自由民権を求める闘い」と位置づける論者が多い」。

さらに、井上『秩父事件』を引き、菊池寛平も「一廉の人物を想わせる書き方をしている」といい、他方での「極悪人のように紹介」する本に言及していく。内田の小説は、エンターテインメントであるが、それなりの手続きを踏んでいる。他方、さきのテレビ・ドラマはそこまでの手続きもせず、ストーリーの表面をなぞるにとどまってしまい、歴史の「知」以前に、歴史学の「学知」をおさえていないということになる。

(B)においては、歴史学の「学知」の継承も一筋縄ではいかないが、論点となすべきことは、(A)と(B)との重なりと乖離、第Ⅰ、第Ⅱの時期とは異なる第Ⅲの時期の課題である。さらに(C)を扱うことにより、歴史の「知」、歴史学の「学知」、その関係と伝達をめぐっての事項はいっそう複雑になりゆく。(A)(C)↔(B)という対抗も、再考されねばならない。

さらにいま一歩、歴史学の「学知」と歴史の「知」のありように踏み込んでみよう。「護憲ならぬ「五憲」がじわり注目を集めている」と、五日市憲法草案のゆかりの地を訪ねるツアーが、新聞で紹介された(『朝日新聞』二〇一五年一二月一九日夕刊)。歓迎すべきことだろう。「学知」が歴史の「知」へとなりゆき、伝達と継承がなされている。しかし、歴史像と歴史認識をめぐっては、ことはそう単純には進行しない。

記事中にもあるように、当時の皇后が(宮内記者会の質問に答えるかたちで)五日市憲法草案に言及したことが、注目の要因のひとつとなっている。宮内庁ホームページ(「皇后陛下お誕生日に際し」二〇一三年一〇月二〇日)から引用を交えて要約すれば、皇后は、(1)大日本帝国憲法の公布に先立ち、(2)「地域の小学校の教員、地主や農民」が、集まり討議を重ね、書き上げた民間の憲法草案で、(3)「基本的人権の尊重や教育の自由の保障及び教育を受ける義務、法の下の平等、更に言論の自由、信教の自由」などが二〇四条にわたって書かれ、「地方自治権」についても記されているとした。

そして、他の憲法草案にも言及し、(4)「近代日本の黎明期に生きた人々」の「政治参加への強い意欲」や「自国の未来にかけた熱い願い」に「深い感銘」を覚えるとともに、(5)一九世紀末の日本で、「市井の人々の間に既に育っていた民権意識を記録するもの」として「世界でも珍しい文化遺産」とした。

五日市憲法に対する、的確な把握といいうる。このことは、歴史学の「学知」が、ひろく受け入れられたことを示す出来事であろうか。それとも、いともやすやすと、ここまで受け入れられてしまったということであろうか。

歴史の「知」の伝達とは、「なにを」「いかに」「誰に」伝えるかにあったが、「何のために」ということがあらためて問われることとなり、再び、ことは五日市憲法の意義と解釈に帰趨する。民衆憲法案は、「国帝」について論じていたが、そのことの意味が問われる局面でもある。思うに、第Ⅱの時期に発見され、歴史的に意味づけられた事象が、いまやあらたな意味づけを求められているということであろう。再解釈をしながらの継承—伝達がたえず要求されるのである。

伝えること、共有することと、読みなおすこと、書き換えることをめぐってのあらたな局面の登場のもと、あらたな拠点とあらたな関係性を希求せねばならない。

「顕彰」は、復権とは異なる。これまで見えてきた歴史が異なって見えてくる局面を描き出すことが、かつての「顕彰」運動の営みの趣意であったろう。このことが、正史を前提にせずに、いかに可能であるのかが、いまや問われている。歴史学の「学知」が、歴史の「知」へと昇華するとは、継承・伝達であるとともに、その継承・伝達の作法を歴史化しながらの営みとなる。アイデンティティの確認—歴史ではなく、異なった経験、不可視の出来事を探り当てるという、「他者」の歴史へと赴くこととなろう。第Ⅲの時期とは、かかる局面を有した時期にほかならない。

こうしたときには、「結果」ではなく、その解明のプロセス—「過程」がいっそう重要になり、その再解釈がたえず繰り返されることになる。また、自明の歴史、歴史の自明を問い、歴史を「逆撫で」することによって、共有されている歴史を「反転」させる営みとなりゆこう。

あとがき――「歴史論集」全3冊をめぐって

0

一九九五年前後から、「歴史批評」という類の文章を書くようになった。おりから冷戦体制の崩壊により国際関係が変化し、冷戦体制のもとで培われてきた「知」も変容を迫られた時期であった。

「歴史批評」とは、あまり普及した言い方ではないが、歴史の知見をもとに現在の出来事を論評する営みで、歴史学から外部に向けて発信する文章のことである。歴史学は、社会的な発言力を多くもつ学問であり、折々に社会に向けての発言をしていた。ただ、啓蒙の姿勢が強く、同時に、歴史の客観性を保つためとして「語る「私」」を前面には出さなかった。これは歴史学の発信の仕方にとどまらず、歴史学が歴史に向き合う際の「学」のスタイルともなっていた。

一九九五年の状況は、国際関係の変化にとどまらず、そうした啓蒙のスタイルで客観性を核に置く歴史学の刷新をあわせて迫っており、私は発言の機会を与えられたときには、出来事への向き合い方とともに、従来の歴史学のスタイルに及ぶ議論となるよう試み、「私の次元」にも論及することを心がけてきた。

ここには三つの契機があった。第一は、経済史家の山之内靖さん(のちに伊豫谷登士翁さん、岩崎稔さんが加わった)が、アメリカの日本研究者との共同研究を開始しており、それに参加したこと。日本の出来事をめぐって、キャロル・グラックさん(コロンビア大学)や酒井直樹さん、ブレット・ドバリーさん、ビクター・コシュマンさん(コーネル大学)たちと議論をした。第二は、カルチュラル・スタディーズという学際的な「知」の運動に加わったこと。吉見俊哉さんや大澤真幸さん(社会学)、小森陽一さん(日本語文学)や本橋哲也さん(英語文学)たちとの議論で、私は歴史学からの知見を提供する役割となった。第三は、教科書の執筆に参加したこと。中学校と高等学校の歴史教科書であった。

日本での出来事を、歴史学を媒介とし、(国境と専門知を越えるという)越境性とともに、歴史教育によって啓蒙の再考にかかわる経験をした。歴史学の「知」の伝達にとどまらず、伝達する歴史学の位相と方法をあわせ意識し、さらには歴史学のスタイルを自省する機会であった。その経験は、いまでは歴史を語る立場と位置の検証——第三者的審級性・客観性と、内部に居て、外部と未来を語る試みであったと認識している。

こうしたなかで機会を与えられ執筆した「歴史批評」——二五年間の文章を、歴史家の戸邉秀明さんが主題別に整理してくださった次第は、『方法としての史学史——歴史論集1』の「まえがき」に記したとおりである。このとき共通のサブタイトルを「歴史論集」としたのは、状況に向けての発言に対し、いくらか長い射程で歴史に向き合った論を選択し集成したというほどの意味である。

「歴史論集」全3冊では、三つの軸が設定されている。歴史学の内部からの観察――「戦後」という磁場の考察――(「危機」をキーワードとする)時代状況への照射であり、それらは緊密に連関している。〈いま〉の位相を歴史的に問うところから出発し、日本／世界、および参照軸となってきた「戦後」のありようを問い、さらに問う歴史学への問いへと赴き、三つの軸は循環していく。

1

歴史学的な営みについて、私は、P出来事の時間、Qそれが記述された時間、R〈いま〉という三つの時間の往還と対話の営みと把握し、議論をしてきた。歴史が過去と現在との対話である、という観点からは、PとRとの対話となり、(しばしばE・H・カーがもち出され)議論されてきた。私は、Pが書き留められたこと――Qの存在を重視し、新聞報道や手記、さらには歴史書のかたちを取るQを介在させて、P―Rの対話を考察することを試みてきた。

(『方法としての史学史――歴史論集1』で論じた)史学史とは、Q歴史家の研究を、R〈いま〉の時間から解読する営みだが、(1)歴史家によるP出来事との対話としてQを読み解き、(2)そのQを、Rの時間のなかで、さらに対話し読み解くことである。文学研究では、このスタイルでの考察はふつうに行われており、作家が作品を刊行したQの時間に着目し、作品内で扱ったPの時間、読み解くR〈いま〉との関係が分析の軸となっている。歴史学も文学(研究)もともにことばによって表現する営みであり、歴史家の研究を作品として考察したということである。

そのときいまひとつ、「歴史論集」に収めた論稿では、世代経験という変数を加えた。世代を重視するのは戦争経験に拠っている、といったのは加藤周一であるが、加藤は、戦争経験は数年の違いが決定的であるとし、世代と類型を組み合わせて、浩瀚な『日本文学史序説』(上下、筑摩書房、一九七五、八〇年)の近代の部分を書き上げた。加藤は、「吉田松陰と一八三〇年の世代」「一八六八年の世代」「一八八五年の世代」のようにくくりあげ、そのうえで世代のなかの「類型」を設定していった。私も加藤のこの作法に学んでいる。

切り取りの水準の差違があるが、戦後における指標を挙げれば、A戦争—戦後民主主義、B戦後—冷戦体制、C高度経済成長—「六八年」、D冷戦体制崩壊—「八九年」、E 9・11と3・11以後、としておこう。

「歴史論集1」で言及した「戦後歴史学」の歴史家たち(α)は、Aを原体験として、

Bの時期に向き合い、他方「民衆史研究」のばあい(β)は、AとともにBを原体験とし、Cに向き合ったといいうる。私自身(γ)は、といったとき、Cを原体験にもち、Dに直面したとみずから思っている。そして、私にとっても、「六八年」体験など、数年の差異が異なった経験をもたらしていると実感している。

2

こうした動きは、ひとり日本にとどまるものではない。一九六五年生まれのアメリカの歴史家・デイビッド・アーミテイジ(δ)は、さらに若いジョー・グルディとともに著した『歴史学宣言』(平田雅博・細川道久訳、刀水書房、二〇一七年。日本語訳のタイトルは『これが歴史だ!――二一世紀の歴史学宣言』。原著は二〇一四年)で、「「短期」という妖怪」が徘徊しているといい、長期的思考の必要性を説く。

気候変動などを視野に収めての言であるが、注目すべきは(1)史学史的検討をふまえたうえで、(2)歴史学の革新をつよく訴える「宣言」となっていることである。「文書によるミクロな歴史の仕事」と「マクロな歴史の枠組み」の結合を言い、「公共的な使命を持った批判的人間科学としての歴史学」を訴え、「一般の人びとへの貢献」を強調する。ビッグデータの存在に着目し、視覚化とデジタル手段にも目配りし、あらたな歴史学へと向かうのである。

世代	原体験	向き合う時代
α 世代	A	B
β 世代	A/B	C
γ 世代	C	D
δ 世代	D	E

そして同時に、先行する世代による文化論的転回を評価しつつも、その世代の社会史研究を批判し、「短期主義」の打破を主張した。フランスにおける歴史家パトリック・ブシュロン(δ)は、この営みを歴史叙述として実践し、『世界のなかのフランス史』(二〇一七年)を編纂した。その概要は、『思想』特集「ナショナル・ヒストリー再考」(一一六三号、二〇二一年三月)に紹介されているが、先行の世代が批判したナショナル・ヒストリーをあえて書くという姿勢をもつ(ブシュロンも、一九六五年生まれ)。年号をインデックスとするなど、叙述として工夫されているが、ブシュロンも、ミシュレからリュシアン・フェーブルにまで言及し、史学史的思考を示す(「序 フランス史を開く」前掲『思想』特集号)。

一九六〇年代中葉生まれ――δ世代の歴史家たちも、危機の時代の歴史学/歴史学の危機に対応し、史学史的な認識のなかで、歴史学を革新し、宣言や叙述の実践に赴いている。本書「歴史論集3」での議論は、世界的な同時性をもっており、世代的な課題もうかがうことができるであろう。

日本の文脈では、さらに二つの問題系が浮上してくる。ひとつは、こうした世代と歴

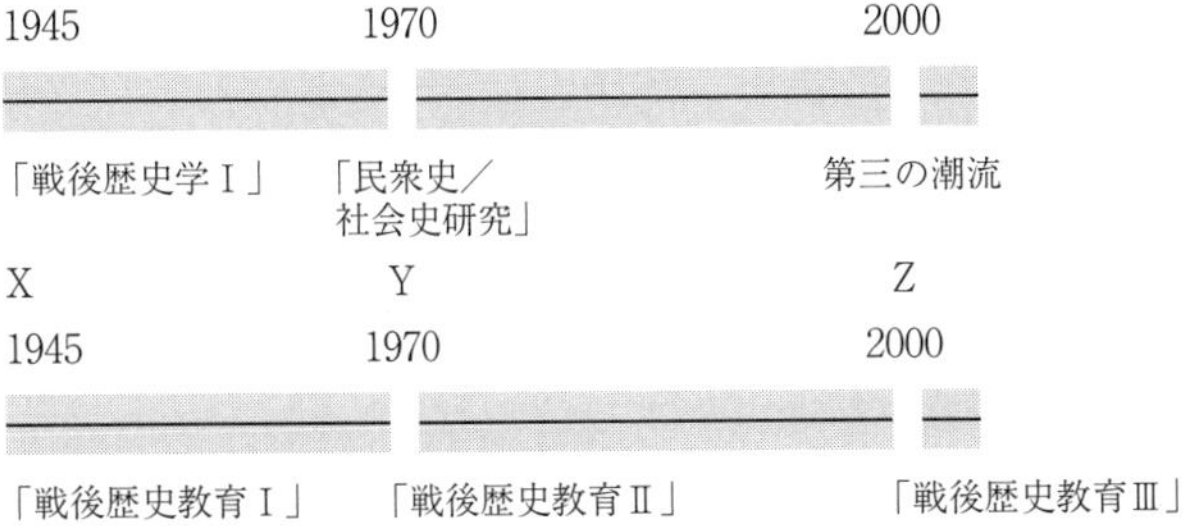

史学との関係が、「戦後思想」と「現代思想」との関係に連動していることである。α世代とβ世代は、「戦後」―「近代」を問題意識の核とし、マルクス主義が準拠、あるいは対抗の要であった。これに対しγ世代は、「現代思想」の影響が大きく、(歴史学に関わっては)歴史の本質主義に対する疑義が生じている。一九八〇年代が「戦後思想」と「現代思想」の分水嶺となっており、この時期を経過してからは、「戦後」のみを参照系とすることは難しい。「歴史論集2」で〈戦後知〉を焦点としたのは、「戦後思想」と「現代思想」をともに視野に収め参照系とすること、そのために、まずは〈戦後知〉の歴史化が課題となると思うためである。

いまひとつの問題系は、歴史教育をめぐる課題である。周知のように高等学校の歴史教育に、「歴史総合」という科目が新設された(二〇二二年度より施行)。戦後歴史教育において自明とされてきた「世界史」「日本史」という科目分けに対し、一八世紀以降の歴史事象を(世界史・日本史という区分けではなく)総合的に学習することとなる。進行しているのは、

「戦後」における歴史教育(「戦後歴史教育」)それ自体の転換であり、ナショナル・ヒスト

リーを絶対視することからの離陸である。

「歴史論集」に収録された論稿の始まりが冷戦体制崩壊という危機であったとき、刊

行のいまは、新型コロナウイルス禍のさなかにある。ここで進行している事態の考察は

別途されねばならないが、飯島渉らがいう「感染症の歴史学」についていくらか言及し

てておきたい。

3

かつて立川昭二『病気の社会史——文明に探る病因』(日本放送出版協会、一九七一年。岩波現代文庫、二〇〇七年)は、「病気」と「社会」を関連させて論じ、「ひとつの文明、ひとつの社会は、それ自体の悪疫」をもつとし、一三世紀のハンセン病、一四世紀のペスト、一六世紀の梅毒、一八世紀の天然痘、一九世紀の結核をあげた。病い自体は古くから存在するものの、その病いを「悪疫」とする社会構造を指摘し、社会と病いとの関係を考察した。新型コロナウイルス禍のなか、歴史学は感染症、それも急性感染症に焦点を当て、人類がウイルスと共存してきたというグローバル・ヒストリーの観点からあらたな知見を展開している。このとき、病いが差別や排除を伴い、あらたな社会形成へと推移する契機となるという社会史研究が提起した論点があらためて組み込まれること

により、「危機」に向き合う歴史学として、現在の歴史認識に寄与していくことになろう。ここでも、史学史的な視点が、より奥行きのある歴史的な議論を生み出していくことになるということである。

δ世代として活躍する歴史家・戸邉秀明さんが、私の議論を「歴史論集」として構成し、「解説」してくださった。ここには、戸邉さんの世代的な特徴を有する史学史的認識がうかがえよう。戸邉さんには実際に史学史に関する論稿がいくつもある(たとえば、「史学史と歴史叙述――日本近現代史学史を窓として」歴史学研究会編『(第4次)現代歴史学の成果と課題』績文堂出版、二〇一七年、所収、など)。

議論をていねいに読み解き、煩雑で多大な困難を伴う営みを遂行してくださった戸邉秀明さんに、深くお礼申し上げます。また、岩波書店の入江仰さんは、刊行に伴うさまざまな配慮をいただきました。どうもありがとうございました。

初出一覧

＊本書への収録に当たり、全体にわたってわずかに字句の修正を施した。
＊タイトルを改めた章がある。その場合には、原題を【　】内に示した。
＊本文および註に記載した文献については、できるだけ最新の情報を加えるように心がけたが、各論稿の刊行後に新たに発表された研究文献については触れていない。
＊「歴史論集」へのあらたな註は、〔補註〕として追記した。

歴史論集3　まえがき　新稿、二〇二一年

問題の入口　「危機」を見据える

第1章　記憶せよ、抗議せよ　そして、生き延びよ――井上ひさしのことばから【原題は副題なし】
岩波書店編集部編『3・11を心に刻んで』岩波書店、二〇一二年三月

第2章　歴史学の「逆襲」……
『日本古書通信』八〇―八（特集　文学部の逆襲）、日本古書通信社、二〇一五年八月

第3章　危機の時代の歴史学と歴史学の危機
『神奈川大学評論』八一号（特集　戦後七〇年と日本社会――歴史と未来の交点）、神奈川大学

出版会、二〇一五年七月

Ⅰ　3・11以後――「核時代の歴史学」へ

第4章　「3・11」を経た歴史学――歴史学は災害にどう向き合ってきたのか
『人民の歴史学』一九二号(東京歴史科学研究会歴史科学講座「歴史学は災害にどう向き合ってきたのか」)、東京歴史科学研究会、二〇一二年六月
第5章　「被爆」と「被曝」をつなぐもの――井上光晴『西海原子力発電所／輸送』をめぐって【原題は副題なし】
井上光晴『西海原子力発電所／輸送』講談社〈講談社文芸文庫〉、二〇一四年三月

Ⅱ　東アジアのなかの歴史学

第6章　人間的想像力と歴史的記憶
『世界』七〇九号(特集　日朝関係と東アジアの未来)、岩波書店、二〇〇三年一月(↓成田龍一『「歴史学のポジショナリティ」』校倉書房、二〇〇六年所収)
第7章　高崎宗司『定本「妄言」の原形』をめぐって
高崎宗司『定本「妄言」の原形――日本人の朝鮮観』木犀社、二〇一四年一二月
第8章　「帝国責任」ということ【原題には副題「「併合」一〇〇年を契機に考える」あり】
『世界』八〇〇号(特集　韓国併合一〇〇年――現代への問い)、岩波書店、二〇一〇年一月(↓成田龍一『歴史学のナラティヴ』校倉書房、二〇一二年所収)

第9章　新しい歴史家たちよ、目覚めよ
国立歴史民俗博物館編『「韓国併合」一〇〇年を問う――二〇一〇年国際シンポジウム』岩波書店、二〇一一年三月（→『歴史学のナラティヴ』所収）

第10章　「東アジア史」の可能性
小森陽一・崔元植・朴裕河・金哲編『東アジア歴史認識論争のメタヒストリー』青弓社、二〇〇八年一一月（→『歴史学のナラティヴ』所収）

Ⅲ　ジェンダーと歴史認識

第11章　歴史認識と女性史像の書き換えをめぐって――近現代日本を対象に
『歴史評論』七四八号（特集 歴史認識とジェンダー）、歴史科学協議会、二〇一二年八月

第12章　上野千鶴子と歴史学の関係について、二、三のこと
『現代思想』三九―一七（臨時増刊 総特集 上野千鶴子）、青土社、二〇一一年一二月

第13章　性暴力と近代日本歴史学――「出会い」と「出会いそこね」【原題のメインタイトルは「性暴力と日本近代歴史学」】
上野千鶴子・蘭信三・平井和子編『戦争と性暴力の比較史へ向けて』岩波書店、二〇一八年二月

Ⅳ　〈歴史の知〉の環境――歴史学・歴史教育・メディア

第14章　「歴史」が語られる場所

『歴史読本』四九―八(七七七号)、新人物往来社、二〇〇四年八月(→『歴史学のポジショナリティ』所収)

第15章　「通史」という制度――「戦後歴史学」の風景のなかで

『歴史学のポジショナリティ』二〇〇六年一〇月(二〇〇四年一二月、韓国ソウルでの報告原稿)

第16章　「歴史」を教科書に描くということ

『世界』六八九号(特集　歴史教科書問題とは何か――「教育改革」を考える)、二〇〇一年五月(→『歴史学のポジショナリティ』に、初出時の省略部分を復元し収録)

第17章　「教科としての歴史」との対話

『じっきょう　地歴・公民資料』七六号、実教出版、二〇一三年二月

第18章　「戦後歴史教育」の実践について――加藤公明・授業実践を考えるために

加藤公明・和田悠編『新しい歴史教育のパラダイムを拓く――徹底分析！　加藤公明「考える日本史」授業』地歴社、二〇一二年七月

第19章　次世代に「知」を伝えるということ――歴史の「知」と歴史学の「学知」のあいだ

『自由民権』二九号(特集　自由民権運動、あるいは自由民権期を、次世代にどう伝えてゆくか)、町田市立自由民権資料館、二〇一六年三月

あとがき　　新稿、二〇二二年

解　説

戸邉秀明

1 「危機の時代」との対峙——「歴史批評」というスタイル

本書は成田龍一氏(以下、著者)の「歴史論集」全三冊の三冊目にあたる。本シリーズは、著者が最近四半世紀の間に、広く歴史学をめぐる状況を論じた「歴史批評」から、巻ごとの主題にそって新たに編集したものである(編集に関する経緯の詳細については、『方法としての史学史——歴史論集1』所収の著者「まえがき」と「解説」を参照されたい)。

そのうち本書では、一九九〇年代以降に歴史学が突きつけられた課題に対する著者の折々の考察を、四つの主題にそくして編み直した。収録順に、①災害と核、②東アジアの歴史認識問題、③ジェンダー、④(広義の)歴史教育、となる。いずれも、グローバル化/「戦後」後/冷戦後の時代における、日本社会の困難を象徴する事象であり、それゆえ広く話題となった論点である。ちょうど同じ頃から、著者の発言は、専門である日本近現代史研究の枠を超えて注目を集めるようになった。そこで、これらの主題について、歴史家として意見を求められて著者が発表したものは、今日まで長短併せて相当数にのぼる。

だがそこから精選した本書の各論考は、いわゆる時評には収まりきらない。どの文章からも、著者が「歴史批評」というスタイルに込めた、「危機の時代」への向きあい方が見てとれる。

著者は「歴史批評」の先行例として、一九六〇年代後半から七〇年代に、主に在野の知識人が手がけた批評活動を挙げる。当時、橋川文三、森崎和江、渡辺京二、上野英信、竹内好、鶴見俊輔といった面々が、歴史を論じることで、状況への批判や文明論的考察を深めていた。学生時代の著者は、「歴史的な出来事を補助線とすることによって、〈いま〉の位相を解析し」、「ともすれば現状との緊張関係を欠きがちな歴史学を厳しく問う」姿勢から影響を受けたという(『「戦後」はいかに語られるか』河出書房新社、二〇一六年の「あとがき」。以下、著者執筆の文献は著者名を略す)。

同時に、ここにはもうひとつの系譜が想定できる。歴史学の社会的責任を受けとめ、歴史学の立場から状況に正対して批判の矢を放った戦後の歴史家たちからの継承である。遠山茂樹、永原慶二、そして色川大吉、鹿野政直、安丸良夫といった民衆思想史家の面々。「歴史論集1」でおおむね批判の対象とされた彼らも、無自覚にやり過ごされる時代の背後で進行する危機を読みとり、「歴史家の仕事」をふまえて異議申し立てをしてきた。加えて、かつては歴史家の発言を集めた批評集の継続的な刊行が、彼らの社会的発言を「歴史家の仕事」として認知させるために、大きな役割を果たしてきた（校倉書房から刊行された著者の「歴史批評」三部作も、同社の評論シリーズの一環であった）。

ただし著者の「歴史批評」は、いずれとも大きく異なる。直面した危機の位相が違うからだ。一九九〇年代以降、従来の常識では捉えられない問題が内外で続出した。それらの危機は、日本社会を基礎づけていた「戦後」の思考枠組み、さらにはその前提にある「近代」の価値観が抱える問題を明るみに出し、転換を迫った。この時、歴史学は歴史像の書き直しを通じて、この転換にどのように寄与できるかが問われた。ところが、歴史学自体が戦後や近代の枠組みを深く抱え込んできたために、危機を自覚する契機に乏しく、転換はなかなか進まなかった。

したがって著者にとり、「危機の時代の歴史学」とは、社会的危機への対処を迫られる歴史学であるとともに、自己に内在する方法的危機に対処できずにもがく歴史学を表す。著者は一貫して、この二重の危機への対処を念頭に発言を続けてきた。二つの危機は連関しており、歴史家の応答としては、後者の危機への対処、すなわち歴史学の方法的自己点検を通じてでなければ、前者の社会的危機に応えられないとの判断からである。そのために、著者が練り上げてきた二つの方法、「歴史論集1」の史学史と、「歴史論集2」の〈戦後知〉論を中核とする戦後史の見通しとが、強みを発揮する。つまりはここに、

「私なりの「歴史批評」の構え」が出来上がった。

2　本書の構成

では著者は「二重の危機」をどのように捉え、歴史学が応答する可能性をどこに探ってきたのか。各論考について、本書の構成にそって若干の解説を加えていきたい。

「問題の入口」には、三編を充てた。第一章は、東日本大震災の直後、そして原発事故については、まったく予断を許さない状況下で寄せられた所感である。危機のさなかゆえに、著者が求める歴史学の原像が、井上ひさしの言葉を借りて直裁に表現されていると考え、冒頭に置いた。第2章は、制度としての歴史学を取りまく危機の構造を腑分けし、事態を反転させる「逆襲」のための方策を提言している。第3章は、本書の表題に直接つながる時評であり、歴史家たちの危機意識の低調さに強く警鐘を鳴らす。各々の危機の内容は異なるが、各部の主題の背景となる、二〇一〇年代の時代の断面を映した論考を「入口」とした。

第Ⅰ部の二編の論考で対峙する危機は、東日本大震災と、東京電力福島第一原子力発電所の過酷事故による複合災害である。この災害は、被害の甚大さだけでなく、津波被災後の廃墟が敗戦時の焦土と重ね合わされ、「第二の敗戦」という言葉が飛び交ったように、人心を大きく動揺させ、その後の政治や思想の行方を左右した。その意味でも、この災害を、いつ、どのような危機として認識できたかが、問われることになる。

第4章は、震災から一年と経たない時期に、今後の研究の方向性を提起した講演の記録である。前半では、過去の災害史叙述を検討して、「災害の混乱時と避難時の恐怖」など、人々の情動への関心が弱かったこと、また復興の過程や死者の追悼をめぐる災害後の時間・記憶を扱ってこなかったことを指摘する。さらに後半では、「核時代の歴史学」を打ち出し、核兵器／原発という恣意的な区分を超えた現代史への取り組みを促す。関連する研究のその後は、若い世代の担い手を中心に、まさにここで提起された方向で進んでいるように見える(たとえば、山本昭宏『核エネルギー言説の戦後史 1945-1960――「被曝の記憶」と「原子力の夢」』人文書院、二〇一二年、直野章子『原爆体験と戦後日本――記憶の形成と継承』岩波書店、二〇一五年、西井麻里奈『広島　復興の戦後史――廃墟からの「声」と都市』人文書院、二〇二〇年など)。

「核時代の歴史学」の見通しを示す際、著者が参照したのは、文学による探究であった。第5章は、架空の原発事故を題材とした井上光晴の二作品の読解である。前章で、歴史学に「不得手」とされた論点を、井上の想像力が、すでにバブル景気下の一九八〇年代後半に対象化していたことがわかる。〈戦後知〉のなかで井上が果たした役割も、こうして新たな相貌を見せる。

第Ⅱ部には、東アジアの歴史認識問題に関わる五編を集めた。どれも、その時々に沸騰する争点より、背後にある植民地認識を解きほぐし、戦後日本の未済の課題として提示することに注力している。

第6章は、北朝鮮による拉致被害の公式確認を受けて、二〇〇二年秋に顕在化した日本社会のさまざまな反応を念頭に書かれている。拉致問題を冷戦下の戦争犯罪として位置づけ、第二次世界大戦下の戦争犯罪である帝国日本の加害の問題とともに(互いを相殺するのではない形で)見据える歴史的文脈(「歴史的記憶」)を明示する。と同時に、被害者の側から歴史を捉え直し、抑圧を批判する「人間的想像力」の必要を説く。ここで「故郷」の絶対化を批判し、当事者が居所を選択する権利を第一義とする議論には、著者の『〈故郷〉という物語』(吉川弘文館、一九九八年)での思考が背景にある。その後、同書の韓国語訳出版に際しても、東アジアの近現代史のなかで「故郷」が持つ意味について、省察を深めている(「二〇世紀後半の「故郷」という物語」、『歴史学のナラティヴ』校倉書房、二〇一二年所収)。

第7章は、日本社会の植民地認識について「検証」を重ねた高崎宗司の研究に照明を当てる。高崎の高潔さは、拉致問題発覚の後にも、自らを含む戦後日本の「左派の無意識の独善性」を剔抉することで示された。厳しい自己点検は、宗主国と植民地という「非対称な関係が歴史的に作られてしまったなかで、どのようにあらたな関係を作り出すのか」という、戦後日本の重要な課題に対する、最も真摯な対応となっている。「思想の科学」運動に拠るなど、民間学的な気質を有する高崎の歴史学が、このように本格的な論究の対象となったのは初めてであり、史学史的にも貴重である。

第8・9章は、二〇一〇年の「韓国併合」百年に臨んで発表された論考である。

第8章は、戦争責任と植民地支配の責任(「植民地責任」)を包括する概念として「帝国責任」を提起する。著者がこの概念に込めた責任の位相は、正確には三つないし四つであろう。「戦争遂行と植民地領有の責任」、この二つの責任を「決済せずにいる」戦後の責任、さらには冷戦後=「戦後」後において、それらの責任を否認し続ける〈いま〉の責任——これらが折り重なったところに、この問題の解き難さがある。

第9章では、「(大日本帝国を問うてきた)問いの問題構成を問う」ために、「帝国責任」の検証を、歴史学自体へと差し向ける。「韓国併合」の呼称の変化について史学史的検討を進め、植民者二世の文学者たちや『季刊 三千里』の誌面に現れる編集姿勢を対照させることで、植民地主義の暴力にさらされた(そして戦後もさらされ続けた)当事者=「他者」への想像力の限界、鈍さを明らかにする。

ならば限界を突破する歴史学は、いかに構想されるべきか。第10章は、日中韓三国の歴史家による共同作業の成果を批判的に分析して、今後の可能性を探る。本章における批判の観点や、今後の東アジア史構想のための提言は、二〇二二年度から始まる高等学校の新科目「歴史総合」について考える際にも有益だろう。またこれを、第15章の「通史」の議論と重ね合わせると、第Ⅳ部が扱う歴史教育をめぐる事態が、「日本」の枠内に収まらない空間的広がりを持つことが痛感される。

第Ⅲ部では、ジェンダーに関わる問題提起が歴史認識をいかに更新したかが、その問題提起と歴史学との「出会いそこね」を通じて明らかにされる。収録した三編はいずれも、社会的危機としては一九九〇年代初頭以来の日本軍「慰安婦」問題を、歴史学の方法的危機としては上野千鶴子による歴史学批判の衝撃を背景としている。

第11章は、上野の批判に至る前史として、日本近現代女性史の認識枠組みの推移を、一九七〇年代と九〇年代の二つの論争に探っている。上野が提起した後者の論争が、前者の女性史論争が対象化できなかった「日本女性にとっての「他者」」という問題を「発見」させたように、ここでも、〈いま〉に問われることで、歴史の再解釈が史学史の再解釈を伴って促される。

第12章は、一九九〇年代半ば、上野が二つの論著によって挑んだ歴史学への介入の意義を明らかにしている。続く第13章は、歴史学が「慰安婦」問題と上野の批判とに、どのように応答してきたか、性暴力をめぐる歴史研究の史学史を通じて検証している。オーラルヒストリーの動向も含めた、いくつもの「出会いそこね」。認識の転換は起こったが、いまだ叙述の革新には至らない歴史学の現状。第Ⅲ部の診断は、どれも厳しいだけでなく、その批判は歴史学の全体に及んでいる(この点は後述)。

第Ⅳ部に集めた六編の中心的対象は歴史教育である。ただし、「歴史の知」を伝えるさまざまな「場所」ないしは「メディア」と同一平面に「学校の歴史教育」をあえて置き、それら複数の「場所」の関係を測り直すことに主眼がある。

こうした著者の見通しが早くから語られているのが、第14章である。歴史学／歴史物語／歴史教育という三つの「歴史が語られる場所」の関係性に着目する。これは、史学史の対象の拡張であると同時に、現実の要請に由来する。グローバル化とマルチメディア化が進むなかで、メディア環境が激変し、変化の因果関係はますます分析しにくくなった。もちろん、歴史学の社会的役割の低下も、この流れと相関している。そこで、「歴史の知」の生産・伝達に関わるメディアの歴史的展開とメディア間の関係を、ともに対象化することで、今後のあり得べきメディア間の連携を展望したのが、以下の各章と言えるだろう(なお関連して、テッサ・モーリス－スズキ／田代泰子訳『過去は死なない――メディア・記憶・歴史』岩波現代文庫、二〇一四年に寄せた著者の「解説」も参照されたい)。

第15章は、前章の関心を、「通史」をめぐる史学史として展開する。通史の四つの類型と、それぞれの戦後における変遷が示され、共通する問題が摘出される。日本や日本人の「一貫した連続性の虚構」を〝自然なもの〟として描き出し、語り手の存在を見えなくさせる「通史」の語り方。これらが、第Ⅲ部で上野によって指摘された問題と重なっている点に注意したい。

第16章は、いわゆる「つくる会教科書」が二〇〇一年に教科書検定に合格した事態を受けて書かれた批評である(この事態の位置づけについては、大日方純夫「教科書問題と歴史学の課題」、同『近現代史考究の座標——過去から未来への架橋』校倉書房、二〇〇七年所収や、俵義文『戦後教科書運動史』平凡社新書、二〇二〇年をはじめとする俵の一連の著作が参考になる)。具体的には、政治思想史家の坂本多加雄による通史叙述と歴史教育論を取り上げ、構成主義と相対主義を組み合わせた歴史修正主義の論法を剔抉する。方法や語りの水準で原理的な批判を加えたところに特徴があり、いわゆる右翼言説に関する研究が進んだ現在にあっても、その分析はなお有益である(参照、山口智美ほか『海を渡る「慰安婦」問題——右派の「歴史戦」を問う』岩波書店、二〇一六年、倉橋耕平『歴史修正主義とサブカルチャー——九〇年代保守言説のメディア文化』青弓社、二〇一八年、伊藤昌亮『ネット右派の歴史社会学——アンダーグラウンド平成史 一九九〇—二〇〇〇年代』青弓社、二〇一九年など)。

ただし、そこで対象となっている「語り」は、研究者による「通史」の叢書や教科書の叙述であった。その後、著者は歴史教科書の執筆に参加することで、教科書を含み込んだ歴史教育の「場所」へと、考察の幅を広げていく。

第17章は、教科書執筆の経験から歴史教育(者)の目線を意識し、歴史教科書の使い方を考察した論考である。教科書叙述が(実は意外と)備えている多声性の活用や、歴史教育を上演論的に捉えることで、教科書、教員、生徒、教室、それぞれの機能と役割を捉え直すなど、興味深い指摘が多い。

第18章は、著者と同世代の歴史教育者・加藤公明による著名な授業実践を、歴史学の側から検証する。そのために戦後史学史を補助線として、戦後歴史教育論の史学史を展開し、加藤の実践の歴史的位置づけを明確にする。終盤でなされる、認識論の知見をふまえた批判と提言には、加藤の授業実践に限らず、「実践報告」という歴史叙述を読み解く際に有益な着眼点が、いくつも示されている。

最後の第19章では、前述した史学史の拡張が全面的に展開される。前半は、歴史学と歴史教育との緊張関係に着目して歴史教育論の戦後史を跡づけており、第18章と補完関係にある。後半では、戦後の歴史学／歴史教育／メディアの三者間の関係を、それぞれが描く自由民権運動像の重なりとズレを事例として解析する。本章末尾で示される歴史学の将来展望は、『歴史論集』全三冊を通じた著者の議論の集約点でもあるだろう。

3　「正史」への欲望を振りほどく——ナラティヴの革新はいかにして

残された紙幅で、本書所収の論考を貫く、核となる論点のいくつかにふれておきたい。

著者による批判の照準は、いわゆる「戦後歴史学」だけでなく、「歴史学」という近代の学知そのものに向けられている。したがって、批判の対象から免れている歴史学(者)は存在しないし、その成果を前提としてきた他の人文・社会諸科学の歴史に関する認識枠組みや「歴史の知」のさまざまな要素にまで批判は及ぶ。著者が、執拗なまでに「戦後歴史学」を批判の俎上に載せるのは、確かに変革の胎動が鈍かったからだろう。しかし同時に、それが学問体系として堅固であるがゆえに、歴史学が近代の学知として抱え持っている問題を、最も反復強化して表しているからでもある。

「戦後歴史学」のこうした位置をよく表すのが、本書における「正史」をめぐる議論である。近代以降の「正史」とは、言うまでもなく「国民史」による「通史」叙述である。厄介なことに、没政治を決め込む実証主義歴史学も、皇国史観のようなファシズムの歴史学も、それらに対抗して科学を謳った「戦後歴史学」も、国民国家という単位を前提にして、「日本」を過去から現在まで一貫したものとして描き出す語り方は同じだった。なかでも現存する国家を批判し、支配階級抜きの国民共同体(たいていは「人民」と呼称された)の完成をめざした「戦後歴史学」は、自らに内在する前提をいっそう見えにくくした。「戦後歴史学」が実現した歴史叙述は、民衆史研究や初期の社会史研究も含めて、もうひとつの、いわば「正史」に対抗する「正史」として機能した。また著者が一九九〇年代後半、司馬遼太郎の作品を精力的に分析した背景には、歴史修正主義がいわゆる司馬史観を横領したことへの対抗があった。だがそれ以上に著者を急き立てたのは、司馬による歴史の語りそのものが、戦後日本に適合的な大衆的「正史」となっていたからだった。ことほど、「正史」という権威と機能から逃れるのは、容易ではない。

歴史修正主義に関する著者の危機感も、この点にかかわる。修正主義は、「正史」の地位を獲得しようと欲望しながら、野放図な自己正当化ゆえに、求められる水準の達成には失敗する。そのためますます、現にある「正史」を非難することで自らの正当性を弁じ立てるしかない。「正史」に位置する(と仮構した)敵を叩くことで己の存在意義を表現する以上、歴史修正主義は「正史」の陰画として、「正史」ある限り存在し続ける。したがって、修正主義が唱える歴史像の誤りを、事実によって逐一正すことは、それ自体必要ではあるものの、根本的な解決にならない。ならば私たちのなかにある「正史」への欲望をふりほどき、別の語り方(ナラティヴ)を求めるほかない。

この時、焦点となるのが歴史教科書である。「戦後歴史学」に連なる歴史家たちは、家永教科書訴訟への支援以降、「正史」の代表的類型である学校教科書の執筆に積極的に携わり、民衆運動や社会に関する記述を盛り込むことで、その叙述を大きく書き換えてきた。しかし、「学習指導要領」にもとづく教科書検定や、学校現場の制度改革の規制を受けながらのため、「正史」を逸脱することは難しい。しかも第15章が示すように、歴史学が内面化している「国民史」の文法を手放すのは、いっそう難しい。

これに対して、第17・18章の各所で示された提言は、歴史教育を構成する各要素を内部から揺り動かすことで、教科書叙述の「正史」としての地位を突き崩していく方途として読めるだろう。同時に、「教科としての歴史」や歴史学を、「歴史の知」の伝達手段のあくまでひとつとして捉え、他のメディアとの連携と、連携を通じた全体の変革を展望すること。ここに、第Ⅳ部を中心として発せられた本書の要点がある。

これは、本書「まえがき」で言及された「パブリック・ヒストリー」への関心に通じる。「歴史の知」を誰が、誰に向かって語るのか。歴史学による表現は、歴史的に見て、その手段、あるいは回路のひとつでしかない。この言明を、歴史学の格下げ、あるいは学問的使命の放棄として困惑する人もいるかもしれない。しかし、著者が追求するのは、歴史学が国民国家とともにまとってきた(ジェンダー秩序も含めた)様々な権威主義を自ら剝ぎ取り、あらためて歴史学と社会との関係を再定義する、そのための方策なのだ。

4　他者と出会うために——歴史学のポジショナリティの更新へ

著者が展望する歴史学の未来は、どのような方向に開けているのか。それは「国民」を叙述上の主体とせず、語りの主体＝書き手もまた「国民」である現在のポジションを自明視しない歴史学であると、とりあえずは言えるだろう。それはたとえば、第10章のあり得べき東アジア史の構想において、かなり具体的な提言として述べられている。

もちろん、それでもなお粗いだろう。そこで、危機への応答のなかで考察を一段と研ぎすまして提示するのが、「他者性の歴史学」である。

「正史」や「通史」という制度は、私たちが「他者」とともに在るという当然の現実を見えなくする。それにより、境界の内側に存在するさまざまな差異を抑圧し、単一の「私たち」というアイデンティティへと一体化を強めるように作用する。しかも同時に、書き手の位置を「第三者的な審級」、すなわち叙述の「外部」に置くことで、歴史を生きた主体＝「当事者」から超越した立場を確保してきた。

アイデンティティの強化に向かう歴史学ではなく、自らの叙述の位置が帯びる権力性を自覚し、「正史」からすれば「他者」とならざるをえない「当事者」の視点によって、歴史学はどこまで変われるのか。上野千鶴子による歴史学批判の最も重要な意義を、著者はここに見出す(第13章)。したがって、第12・13章は、女性史やジェンダー史の個別の論点にとどまらず、「(自己主張する)マイノリティを歴史の主体として描くこと」、すなわち「当事者性の／他者性の歴史学」の追求へと問いを深化させていく。上野の挑発を、この水準で受けとめ、考え続けた歴史家は、ほかにいないのではないか。

もちろん、これが相当難しい領域に踏み込んだ問いであることを、著者はよく理解している。歴史学は、他者に「なり代わって語り、そのことによって「われわれの経験」を紡ぎ出すという学知」である。そのなかで「他者を他者として扱ってきたか」と自らに問いかけ、当事者の声を収奪しないために何ができるか。「される側」の視点とは、かつて民衆史研究が「戦後歴史学」の外在的な立場性に放った批判の矢だったが、それをさらに方法的に深めることが要請されている。

しかも問題は、複数の当事者の声が矛盾する事態に、歴史学はどう向き合えばよいか、という地点まで立ち至っている。どの当事者の主張にも、ひとしなみに「寄り添う」ならば、無限の相対主義に陥るしかない。それでは、構成主義と相対主義を両輪とする歴史修正主義の罠にはまることになる。上野の発言をふまえて著者が指摘するように、複数の当事者の複数の「現実」が角逐するなかでは、非対称な権力関係の結果、強者の「現実」が「支配的な現実」となる。実際の権力関係を明らかにし、そのなかに当事者の声を位置づけること。それを、史料批判の営みとして、自覚的に「歴史家の仕事」へ組み込んでいく必要がある。たとえば、大学や大学院の歴史学教育の改革という、具体的な姿を取らねばならない。この点でも、歴史学の危機への感受性が試されている。

アイデンティティの歴史学を批判し、他者性を受けとめる歴史学の必要は、植民地認識を主題とする第9章の最後や、「歴史の知」の複合的なあり方を展望した第19章の最後でもふれられている。これらは、歴史学に対して、「誰に向けて」、「何のために」という次元に再度鋭敏になることを求めている。「戦後歴史学」は階級的利害を暴露し、「人民」や「民衆」の立場に立つとしてきた。だが今日では、その「人民」や「民衆」

の内部にある権力関係や、相互の暴力にまで踏み込んで、分析と批判を加えなければならない(そうした作業の成果として、たとえば藤野裕子『民衆暴力——一揆・暴動・虐殺の日本近代』中公新書、二〇二〇年などがある)。支えとなる従来の枠組みを手放さざるを得ない不安のなかにあって、三冊の「歴史論集」に収められた著者の思考の軌跡は、ますます暗くなる行く手を照らす導きの灯となるだろう。

最後にあらためて、第1章で著者が引いた(E・P・トムスンの、そして井上ひさしの)言葉に立ち返りたい。命令形を連ねたその警句は、実際には他者への協働の呼びかけとして作用する。共に「記憶せよ」、共に「抗議せよ」、そして共に「生き延びよ」と、他者に出会うことを求めているのだ。するとこの三つの〝求め〟こそ、今日において「何のため」に「歴史(学)を学ぶのか」との問いに対する、最も簡明な答えのひとつながりであるように思われる。

(とべひであき・沖縄／日本近現代史・東京経済大学)

本書は岩波現代文庫オリジナル編集版である。収録論文の来歴については、本書「初出一覧」を参照されたい。

危機の時代の歴史学のために ― 歴史論集 3

2021年7月15日　第1刷発行

著　者　成田《なりた》 龍一《りゅういち》

発行者　坂本政謙

発行所　株式会社 岩波書店
〒101-8002 東京都千代田区一ツ橋 2-5-5

案内 03-5210-4000　営業部 03-5210-4111
https://www.iwanami.co.jp/

印刷・精興社　製本・中永製本

ISBN 978-4-00-600434-7　Printed in Japan

岩波現代文庫創刊二〇年に際して

二一世紀が始まってからすでに二〇年が経とうとしています。この間のグローバル化の急激な進行は世界のあり方を大きく変えました。世界規模で経済や情報の結びつきが強まるとともに、国境を越えた人の移動は日常の光景となり、今やどこに住んでいても、私たちの暮らしは世界中の様々な出来事と無関係ではいられません。しかし、グローバル化の中で否応なくもたらされる「他者」との出会いや交流は、新たな文化や価値観だけではなく、摩擦や衝突、そしてしばしば憎悪までをも生み出しています。グローバル化にともなう副作用は、その恩恵を遥かにこえていると言わざるを得ません。

今私たちに求められているのは、国内、国外にかかわらず、異なる歴史や経験、文化を持つ「他者」と向き合い、よりよい関係を結び直してゆくための想像力、構想力ではないでしょうか。

新世紀の到来を目前にした二〇〇〇年一月に創刊された岩波現代文庫は、この二〇年を通して、哲学や歴史、経済、自然科学から、小説やエッセイ、ルポルタージュにいたるまで幅広いジャンルの書目を刊行してきました。一〇〇〇点を超える書目には、人類が直面してきた様々な課題と、試行錯誤の営みが刻まれています。読書を通した過去の「他者」との出会いから得られる知識や経験は、私たちがよりよい社会を作り上げてゆくために大きな示唆を与えてくれるはずです。

一冊の本が世界を変える大きな力を持つことを信じ、岩波現代文庫はこれからもさらなるラインナップの充実をめざしてゆきます。

（二〇二〇年一月）

岩波現代文庫[学術]

G430
被差別部落認識の歴史
—異化と同化の間—
黒川みどり

差別する側、差別を受ける側の双方は部落差別をどのように認識してきたのか——明治から現代に至る軌跡をたどった初めての通史。

G431
文化としての科学／技術
村上陽一郎

近現代に大きく変貌した科学／技術。その質的な変遷を科学史の泰斗がわかりやすく解説、望ましい科学研究や教育のあり方を提言する。

G432
方法としての史学史
—歴史論集1—
成田龍一

歴史学は「なにを」「いかに」論じてきたのか。史学史的な視点から、歴史学のアイデンティティを確認し、可能性を問い直す。現代文庫オリジナル版。〈解説〉戸邉秀明

G433
〈戦後知〉を歴史化する
—歴史論集2—
成田龍一

〈戦後知〉を体現する文学・思想の読解を通じて、歴史学を専門知の閉域から解き放つ試み。現代文庫オリジナル版。〈解説〉戸邉秀明

G434
危機の時代の歴史学のために
—歴史論集3—
成田龍一

時代の危機に立ち向かいながら、自己変革を続ける歴史学。その社会との関係を改めて問い直す「歴史批評」を集成する。〈解説〉戸邉秀明

2021.7

G435
宗教と科学の接点
河合隼雄

「たましい」「死」「意識」など、近代科学から取り残されてきた、人間が生きていくために大切な問題を心理療法の視点から考察する。〈解説〉河合俊雄

G436
増補 軍隊と地域
—郷土部隊と民衆意識のゆくえ—
荒川章二

一八八〇年代から敗戦までの静岡を舞台に、矛盾を孕みつつ地域に根づいていった軍が、民衆生活を破壊するに至る過程を描き出す。

G437
歴史が後ずさりするとき
—熱い戦争とメディア—
ウンベルト・エーコ
リッカルド・アマデイ訳

歴史があたかも進歩をやめて後ずさりしはじめたかに見える二十一世紀初めの政治・社会の現実を鋭く批判した稀代の知識人の発言集。

2021.7